풀코스
서비스로
팔아라

프로 세일즈맨을 만드는 16단계 세일즈 법칙

풀코스 서비스로 팔아라

크리스 라이틀 지음 | 최기철 옮김

세일즈에 우연은 없다.
목적의식을 갖고 팔아라.

여러분이 이 책을 읽게 된 것은 결코 우연이 아니다. 정말로 세일즈가 좋아 직업으로 선택하였는가? 오히려 세일즈라는 직업이 여러분을 택하였다고 말하는 편이 옳을 것이다. 세일즈에 종사하는 사람 대부분의 경우가 그렇다. 여러분은 처음부터 세일즈를 하겠다고 작정하고 나서지는 않았지만 어떻게 하다 보니 세일즈를 하고 있다. 어떻게 하다 보니 세일즈를 하게 되었지만 이미 몸을 담은 이 분야에서 '성공하느냐, 마느냐'의 여부는 여러분 머릿속에 든 생각, 팔려는 의지와 과정, 그리고 제품을 하나로 포장해 목적의식을 가지고 파는 능력 여하에 달려 있다.

이 책을 접하게 된 지금, 여러분의 과거를 돌이켜보면 결코 적지 않은 세월 동안 세일즈라는 한 길을 걸어 왔을 것이다. 그래서 어떻게 하는 것이 잘된 세일즈이고 어떻게 하는 것이 잘못된 세일즈인지 나름대로 판단하는 기준을 확립하게 되었을 것이다. 이 책은 여러분이 지금까지 제대로 해 온 것들은 더욱 더 잘 할 수 있도록, 여러분이 제대로 하지 못했던 것들은 힘들이지 않고 바로 잡을 수 있도록 도와줄 것이다.

여러분은 앞으로 이 책을 통해 '목적의식을 가지고 파는 원리'를 깨달아, 세 살부터 몸에 베어버린 습관이 바로 세일즈인 양 행동하게 될 것이다. 장담하건데, 이익 때문에 가치관을 버리고 타협하거나 성격을 바꾸지 않아도 된다. 기왕에 시작한 일을 새로운 시각으로 재조명할 수 있도록 변화시켜 줄 것인데, 어떻게 하다 보니 세일즈를 하게 되었지만, 아직도 세일즈에 대한 철학을 세우지 못한 사람들과 여러분의 경쟁력 차이는 실로 엄청날 것이다.

이 책은 생각할 줄 모르는 얼간이들을 위한 책이 아니다. 그와는 정반대로 더 팔아야만 한다는 사실을 깨닫고, 또 오늘날 세일즈는 어떤 방식이 통하고, 왜 그런지 알고 싶어하는, 생각할 줄 아는 사람들을 위한 책이다. 다행히도 이 책에는 얕은 술책과 기교, 깨우치기 어려운 전술 같은 것은 없다. 단지 여러분이 알고 있는 것 가운데 몇 가지를 좀더 세련되게 발전시켜 줄 뿐인데, 그 효과는 참으로 대단해서 여러분의 판매 실적은 치솟을 것이다. 이 책은 지속적으로 효과를 나타내는 원리를 다루고 있는데, 그것은 '왜 그렇게 해야 하는가' 라는 물음에 대한 답을 제시하고 있다.

앞으로 여러분은 판매가 일어날 때 발생하는 수많은 부적절한 요인을 통제하고, 고객과의 접촉 기회를 최대한 활용하는 방법을 배우게 될 것이다. 머지않아 여러분은 수동적으로 남의 흉내나 내는 세일즈 대신 지속적으로 여러분만의 비결을 활용할 수 있게 될 것이다. 잠재고객을 파악하여 접촉하고 또 판매로 연결시키기까지 걸리는 시간을 단축하고, 극복해야 할 장애와 저항이 줄어들 것으로 믿고 기대해도 좋다.

전반부의 세 장에는 바로 이런 이야기들을 다루고 있다. 나머지 장들은 각 판매단계에 필요한 구체적 전략에 관한 것이다. 이따금 속으로 '나는 진작부터 그렇게 하고 있는데……' 라고 생각하게 될지도 모른다. 그렇다면 다행이다. 그런 사람들에게 내가 하고 싶은 말은 '좀더 자주, 그리고 목적의식을 가지고 그렇게 행동하라' 는 것이다.

이 책은 세일즈로 간신히 입에 풀칠이나 하는 요령 따위를 일러주는 책이 아니다. 오히려 세일즈로 성공하고 싶은, 프로가 되고 싶어하는 이들을 위해 원리를 밝혀주는 책이다. 정체되어 있는 고참들에는 다음 단계로 도약할 수 있도록 활력을 불어넣어 주는 '2차 예방 접종' 이 될 것이다. 또 사회에 발을 내디딘지 얼마 되지 않았지만, 세상의 많고 많은 직업 가운데 가장 유망한 직업이 바로 '세일즈'라는 것을 알아채 버린 젊은이들의 출발을 돕기 위한 책이다.

나는 내 강의를 듣는 사람들에게 늘 약속하는 것이 있다. 그것은 비슷한 내용의 강의를 하는 여러 사람에 비해 같은 시간에 더 다양한 실용적인 정보를 제공하겠다는 것이다. 이 책의 각 장에는 출판 시장에서 접할 수 있는 비슷한 내용의 다른 책들에 비해, 곧바로 실제 상황에 접목시킬 수 있는 많은 정보들이 담겨 있다. 이제부터 여러분이 해야 할 일은 이 책을 읽고, 그 개념을 각자의 상황에 적용시키는 것뿐이다. 어쩌면 책을 다 읽기도 전에 활용할 수도 있을 것이다. 각 장에는 여러분의 다음번 새 고객을 상대로 활용할 수 있는 너무나 분명하고 효과적인 개념들이 상세하게 설명되어 있다.

왜 이 책이 여러분에게 이토록 많은 영향을 미칠 수 있는지 소크라테스가 한 말을 빌려 설명하겠다.

"나는 그 누구에게 어떤 것도 가르쳐줄 수 없다. 그러나 그들이 생각하게 할 수는 있다."

소크라테스는 2,400여 년 전에, 그것도 그리스어로 이렇게 말했지만 그가 나타내고자 했던 뜻은 세월이나 언어에 관계없이 여전히 진실로 남아 있다.

앞으로 내가 할 역할은 지금 여러분이 하고 있는 일 자체에 관해 스스로 생각하게 하고, 그 일을 왜 그런 방법으로 하고 있는지 생각해 보도록 하는 것이다. 각 장을 통해, 여러분이 지금껏 해왔던 일을 더욱 효과적으로 해결할 수 있는 구체적인 방안을 마련할 수 있을 것이다.

목적의식을 가지고 파는 세일즈맨에게 기회는 넘친다. 알고도 실천하지 않는다면 차라리 모르느니만 못하다. 실행으로 이어지지 않는 교육은 유희에 불과하다. 여리분이 이 책을 재미있게 읽기를 바라지만 그것이 전부가 아니라 여러분의 발전을 위해 쓴 책이라는 사실을 잊지 말기 바란다. 오늘 어떤 개념 하나를 읽으면 당장 활용할 수 있다. 이 책을 최대한 활용하는 방법은 여기에 담긴 개념들을 목적의식을 가지고 실행에 옮기는 것이다.

여러분이 접하는 잠재고객들은 입 밖으로 꺼내지는 않지만 속으로 이렇게 말하고 있다.

"당신은 다르다는 것을 입증해 보이시오."

여러분은 잠재고객들에게 다른 세일즈맨들과는 다르다는 것을 입증해 보이려고 하는가(이 말에 대해 의문 부호를 붙이지 않은 점에 주의를 기울여라).

여러분은 목적의식을 가지고 팔 준비가 되어 있다. 자, 이제부터 시작이다.

|목차| c o n t e n t s

Part 3 모든 것을 더 낫게 하기
- 판매의 모든 과정을 체계적으로 처리하기

PART 1

선택… 가야 할 길… 도전

|제1장|
선택

오전 11시 45분.

　A : "아, 배고파."

　B : "나도. 점심이나 먹으러 가지."

　A : "어디로 갈까?"

　B : "글쎄. 자넨 어디로 갔으면 좋겠나?"

　A : "뭐, 먹고 싶은 것 있나?"

　B : "아니, 딱히 그런 것도 없어. 자네가 정하게."

　직장 동료와 이런 식의 대화를 나눈 적이 많을 것이다. 식당은 많은데 어느 한 곳으로 정해야 하는 일은 만만치 않다.

　어느 코미디언이 이런 우스갯 소리를 한 적이 있다.

"사람들은 데니스(패밀리 레스토랑)에 가고 싶어 가는 게 아니다. 어쩔 수 없이 떠밀려 간다."

사람들은 아무 생각 없이 그저 밥 한 끼 먹으려고 하기 때문에 결국 데니스 레스토랑과 같은 곳으로 향하게 된다. 허기질 것을 예상하여 끼니 문제를 해결하려 하지 않고 배고픔이라는 자극에 반응하여 움직인다. 깨어 있는 동안은 거의 네 시간에 한 번씩 배고파진다는 생각조차 아예 하지 못하는 사람들도 있다. 결국 어느 한 집으로 정하고 나면 길게 늘어 선 줄이나 대기자 명단과 같은 달갑지 않은 복병을 만난다. 그러니 결국 그런 번거로움이 덜한 곳으로 '어쩔 수 없이 떠밀려 간다.'

일단 배고픔을 해결하자면 아무 식당이든 가긴 가야 한다. 그런데 그렇게 찾아 들어간 식당에서 사람들이 음식을 주문하는 모습을 지켜본 적이 있는가? 어떤 사람들은 정신없이 바쁜 식당 종업원을 자문 역으로 삼는다. 그래봤자 기껏 고기 한 덩어리나 생선 한 토막 먹는 것인데 무슨 진기한 맛 기행이라도 하려는 사람처럼 묻는다.

"아가씨가 나라면 스테이크를 먹을 것 같아요, 아니면 생선을 먹을 것 같아요?"

이 세일을 통해 팁이라는 이름의 '15퍼센트 수수료'를 벌려는 식당 종업원 아가씨는 고객의 욕구를 분석해야 하는 상황에 봉착하여 다음과 같이 묻는다.

"손님께서는 스테이크를 좋아하시나요, 생선을 좋아하시나요?"

팁을 받자면 손님이 원하는대로 해줄 수밖에 없는 종업원 아가씨는 손님 대신 선택해야 하기 때문에 이렇게 말할지도 모른다.

"콜레스테롤 수치가 어떻게 되시나요? 200이 넘는다면 생선구이를 권해 드리고 싶습니다."

그 사이에 다른 손님들은 리필을 주문한 커피가 언제나 나오려나, 조바심내며 기다리는 한편, 주어야 할 팁을 퍼센트로 계산해 보며 '거스름 돈 얼마 정도면 되겠지' 하고 머리를 굴리고 있다.

이 모든 상황은 그것이 어떤 결정이든 무언가 결정하는 것이 어떤 사람들에게는 너무 어렵기 때문에 발생한다.

한 가지 간단한 실험을 해 보라. 점심식사를 할 식당을 하루 전에 결정해라. 이 때 다음 두 가지 기준에 따라 식당을 선택해야 한다. 첫째, 지역 사람들에게 인기가 있되, 체인점이 아닌 곳. 둘째, 예약을 해야 하는 곳. 그런 식당으로 한 곳을 정한 후, 고객 한 사람(동료가 아니다)에게 점심을 대접하고 싶다고 말하라(애걸하지 말라). 그냥 이렇게 말하면 된다.

"제가 내일 12시 15분에 에지워터에 점심 예약을 해 두었는데 특별히 다른 볼 일이 없으시다면 저하고 점심이나 함께 하시죠."

식당에 도착하면 메뉴판은 거들떠보지도 않거나 들여다본다고 해도 5초 이상은 보지 말아라. 그리고 주문하라.

"구운 양파 스프 한 컵과 클럽 샌드위치 반 쪽, 그리고 큰 레몬 조각을 넣은 아이스티 한 잔 주시오(먹고 싶은 그대로 주문하라. 이 때 당당하게)."

예상컨대 초대받은 손님은 십중팔구 여러분이 주문한 것 가운데 한두 가지를 똑같이 시킬 것이다. 여러분의 당당함이 편하게 느껴지면서 스스로 선택해야 하는 성가신 일을 하지 않아도 된다고 생각하기 때문이다.

사람들은 선택을 어려워하는데 이는 선택해야 할 것들이 너무 많기 때문이다. TV 채널은 너무 많다. 세제의 용량도 너무 다양하고, 겨자 상표도 너무 많고, 웹 사이트에서 접속해야 할 곳도 너무 많다. 신속하게 그리고 분명하게 선택함으로써 여러분은 자신을 단호하고 책임감 있는 사람으로 인식시킬 수 있다.

영화 《허드슨 강변의 모스크바 Moscow on the Hudson》에서는 로빈 윌리엄스가 미국 망명 요청을 한 러시아 음악가 블라디미르 이바노프로 나온다. 미국 망명 후 처음 슈퍼마켓에 물건을 사러 간 이바노프의 체험은 과연 재난이었다고 할 수 있다. 모든 것이 부족한 옛 조국의 생활에 길들여져 있던 그는 커피 하나 사려다 정신을 잃을 지경이 된다. 일반 커피 아니면 카페인 없는 것? 인스턴트 아니면 원두? 깡통 포장 아니면 비닐 팩 포장? 맥스웰 하우스, 폴거스, 유밴, 버터넛, 에잇 어클락? 그에게 커피 고르는 일은 머리에 쥐가 날 일이다.

자신이 식사할 식당마저 자신이 주도적으로 선택하지 못하고 어쩔 수 없이 데니스 레스토랑 같은 곳으로 떠밀리듯 쫓겨 가서 그저 한 끼 때우듯이 평생을 사는 사람도 적지 않다. 코미디언 폴라 파운드스톤은 어른들이 아이들에게 커서 무엇이 될 거냐고 묻는 까닭은 아이들의 말 속에서 어떤 아이디어를 얻으려 하기 때문이라고 한다. 점심 먹을 식당을 고르는 것도 쉽지는 않다. 그러나 한 평생 벌어먹고 살 수단인 직업을 선택하는 일은 훨씬 어렵다. 그러나 그보다도 더 힘든 일은 언제라도 집어치우고 다른 직업을 얻을 수 있는데도 불구하고 자신이 선택한 그 직업에 헌신하는 일이다.

여러분이 어렸을 때는 장차 세일즈맨이 되겠다는 생각 같은 것은 꿈에서조차 해보지 않았을 것이다. 주위의 초등학생들에게 장래 희망이 무엇이냐고 물어 보아라. 소방관이 되겠다는 아이들이 일류 세일즈맨이 되겠다는 아이들보다 많을 것이다. 잠재고객의 쌀쌀맞은 태도, 넘어야 하는 거절과 거부, 가격에 민감하게 반응하는 본사 외주 관리자들, 버스 가운데 맨 뒷좌석에 파묻혀 가는 것도 힘든데게다가 꽉 막힌 도로, 1년의 4분의 1이상을 한결같이 난방도 제대로 안 되는 싸구려 호텔 방에서 지내야 하는 등 온통 어려움으로 둘러싸여 있는 세일즈라는 일을 꿈꾸는 어린이가 얼마나 되겠는가?

나도 그랬지만 여러분 가운데 상당수 역시 생각지도 않던 세일즈에 종사하게 되었을 것이다. 즉, 원래 갈망하던 것이 아니라 어쩌다 보니 그렇게 되었을 것이다. 다른 일을 해보니 시원치 않아서 두 번째나 세 번째 직업으로 세일즈를 택했을지도 모른다. 그리고는 여전히 세일즈가 과연 자신과 맞는 일인지 확신을 갖지 못하고 있을 수도 있다.

그러나 엔지니어이든 상점 점원이든 대표 이사이든 회계 관리 이사이든, 업종이나 지위에 관계없이 점점 더 탁월한 세일즈 능력을 필요로 하고 있다.

여러분이 어떤 식으로 세일즈와 인연을 맺게 되었는지는 모르지만 이 책은 목적의식을 가지고 파는 방법을 가르쳐 줄 것이다. 판매에 관한 전 과정을 한 단계도 건너뛰는 일없이 잠재고객을 각 단계마다 이끌어가며 파는 길을 일러줄 것이다.

어떻게 하다 보니 세일즈를 하게 된 사람의 그 '어떻게 하다 보니'를 알자면 실제 그런 사람을 예로 들어야 할 것이다. 나 역시 여러분들처럼 어떻게 하다 보니 세일즈를 하게 된 사람이다. 사람이 어떻게 살아야 한다는 것은 깨우쳤지만, 실제 할 줄 아는 것이 별로 없는 문과계열 대졸 청년에게 세일즈는 마지막 선택처럼 보였고 실제로도 그랬다.

1972년에 정치학 학사로 대학을 졸업한 내가, 나의 학사 학위를 살리는 동시에 교육을 위해 쏟아 부은 우리 부모님의 투자에 대한 효율을 극대화시키는 방법으로 생각할 수 있는 진로는 세 가지였다. 법과 대학원에 진학하거나 정치인의 비서로 취직하거나 정치부 기자가 되는 길이었다.

대학 재학 중의 성적은 굉장히 좋았지만 법과 대학원 입학시험 점수는 내가 그 때까지 보았던 시험 가운데 가장 나빴다. 그 점수로는 교육부의 인가도 못 받은 엉터리 야간 법과 대학원에나 갈 수 있을 정도였다. 나는 그 형편없는 시험 점수가 내가 법조계와 맞지 않는다는 뜻이라고 생각했다.

대학을 졸업하고 나서 나는 지역구에서 당선된 하원의원의 인턴직원으로 일할 기회를 얻었다. 교문을 나선 지 2주밖에 안 된 나는 의사당에서 가장 오래된 건물인 캐넌 하우스 오피스 빌딩에서 근무하였다. 그러나 흔히 워싱턴 정계 주변에서 일하는 사람들이 걸리는 과대망상적 정신질환의 일종인 '포토맥 열병 Potomac Fever'에 걸리는 대신 현실의 정치에 정나미가 떨어지고 말았다. 일이랍시고 하는 속도는 굼벵이가 기어가는 것 같아 답답해 미칠 지경이었고, 타협과 정치적 이해관계에 의해 법안이 법률로 제정되어 버리는 것을 보자 혐오감마저 들 정도였다.

학교를 졸업한 지 한 달 반만에 법과 대학원 진학과 정치인 비서의 길 모두 적성이 아니라고 판단한 나는 언론계에 진출해야겠다고 생각했다. 기자가 되어 내가 그토록 혐오하게 된 정계를 비판하는 뉴스를 보도한다면 잘 할 수 있을 것 같았다.

인턴 근무 기간을 끝내고 부모님이 계신 집으로 돌아온 나는 구직을 위한 조사에 나섰다. 오하이오 주 뉴아크에는 TV 방송국이 없었고, 나는 나대로 대도시로 옮겨 살 만한 돈도 없었기 때문에 우선 지방 라디오 방송국의 보도국 기자로 들어가야겠다고 생각했다. 일단 그렇게 언론계에 발을 들여 놓으면 대도시로 진출하여 TV 방송국 기자가 되는 것은 그리 어려운 일이 아닐 것 같았다. 그렇게 하여 지방 TV 방송국의 뉴스 앵커맨이 되고, 더 나아가서 전국을 무대로 하는 3대 방송사 중 한 곳으로 진출한다는 것이 나의 계획이었다.

그런데 나의 그런 계획에 한 가지 문제가 생겼다. 지방 라디오 방송국의 총무국장은 나와의 첫 면접에서 자기네 보도국에는 이미 두 명의 기자가 있다고 했다. 그리고는 이어서 이렇게 말하였다.

"크리스, 당신을 광고국 영업사원으로 채용할 수는 있소."

"프라이서 씨, 잊으셨나본데요, 저는 정치학 전공입니다."

"크리스, 광고국 영업사원 자리는 아직 비어 있으니 알아서 결정하시오."

나는 속으로 이렇게 생각했다. '방송계에 뛰어들기 위해서 일단 무슨 일이라도 하자. 영업직이라도……. 일단 방송국으로 발을 들여놓으면 어떻게 해서든 보도국으로 옮겨 갈 수 있을 거야.'

"좋습니다. 하지요."

그러나 보도국 기자가 되려고 한 것이 그리 좋은 생각이 아니었음을 깨닫는 데는 불과 2주밖에 걸리지 않았다. 광고국장은 오후 4시면 퇴근을 하는데 비해 보도국장은 시의회 소식을 뉴스로 내보내기 위해 밤 11시까지 야근하는 날이 많았다. 광고국장은 캐딜락을 몰고 다니는데 비해 보도국장은 낡아 빠진 쉐비 베가를 끌고 다니며 늘 자신의 신세와 봉급에 대해 푸념을 늘어놓았다. 광고국 직원들이 봉급을 너무 많이 받아 간다고 비판조로 말할 때도 많았다. 소득과 사회적 지위라는 면을 따져 보기는 했지만 지방 라디오 방송국에서는 보도국 기자가 되지 않는 편이 나았다.

바로 그 시절에 나는 세일즈맨이 되기로 '선택'했다. 그리고는 뒤도 돌아보지 않았다. 나의 선택은 실적 좋은 광고국 영업사원을 거쳐 광고국 관리자로, 그리고 마침내는 라디오 방송국의 소유주가 되는 성공으로 이어졌다. 1983년에는 라디오 방송국 광고국에 근무하는 영업사원들을 전문적으로 교육하는 학원을 세웠다.

현재 우리 회사는 가족경영 기업들과 포천지 선정 500대 기업에 속하는 회사를 상대로 판매 부서를 판매 부대로 구조조정하는 서비스를 제공하고 있다. '세일즈 훈련'이라는 서비스를 팔면서 나는 판매라는 것에 대해 더욱 눈을 뜨게 되었고, 수천 킬로 떨어진 곳에서 10만 명이 넘는 사람들을 상대로 강의하는 특전까지 누릴 수 있었다. 최근에는 거리상으로 너무 멀어 내 강연을 들을 수 없는 사람들을 위한 교육 훈련 프로그램 시리즈를 개발하였다. 25개국 이상에서 8,300명이 넘는 사람들이 그 프로그램을 수강하였다. 이 모든 것은 내가 세일즈 쪽에 남기로 선택하고, 그 일을 잘 해냈기 때문에 가능했다.

여기서 한 가지 덧붙이고 싶은 말이 있다. 만약 내가 법과 대학원에 진학했다 해도 결국 세일즈 쪽으로 옮겼을 것이라는 점이다. 법률 사무소 역시 돈을 많이 버는 변호사는 고객을 끌어 오는 변호사이다.

예전에 치과 의사이던 친구와 스키를 타다가 그에게 이렇게 물은 적이 있다.

"요즘 치과 의사들한테 가장 중요한 문제는 무엇인가?"

"바로 세일즈라네. 사람들이 사랑니를 빼게 하려면 어렵게 판매를 마무리해야 하네. 안 빼겠다고 하는 것을 설득해야 하고, 아파도 참을 마음을 먹게 해야 하고, 주중에 어떻게든 시간을 내어 치과에 나오게 해야 하네. 치과 대학에서는 세일즈를 가르치지 않는데 사실은 꼭 가르쳐야 한다고 생각해."

그도 처음엔 치과 의사였지만, 지금은 세일즈맨이 되어 있다. 보다시피 여러분은 외롭지 않다. 우연히 세일즈를 하게 된 너무나 많은 사람들이 목적의식을 가지고 파는 방법을 알게 되었다. 그러나 그전에 먼저 '선택'을 해야 한다. 여러분도 선택하라.

세일즈라는 자신의 직업에 헌신할 때 그것이 바로 그 직업을 스스로 선택하게 되는 것이다. 그럴 때 여러분은 목적의식을 갖게 된다. 자부심과 신념에 가득 차 "이것이 나의 업이다"라고 말할 수 있을 때, 이제껏 꿈도 꾸어보지 못한 성공의 기회가 열리기 시작한다. 탁월한 세일즈맨이 되려는 데에만 온 신경을 집중할 때, 어쩌면 여러분이 선택할 수도 있는 또 다른 직업들에 대해 잊게 되므로 진정 자유를 누리게 된다.

오늘 밤 집에서 TV 앞에 앉아 '뭐 볼만한 것 좀 없나' 해가며, 이리저리 채널을 돌리는 대신 과감하게 TV를 꺼보라. 그러면 TV에 얽매이지 않고 자신의 의지로 선택하여 사는 사람이라는 자유로움을 느낄 수 있을 것이다. 그래도 꼭 봐야겠다면 '혹시 더 재미있는 것은 없을까' 하면서 여기저기 왔다갔다 하지 말고 한 프로그램만 보라. 제대로 된 프로그램을 선택했다고 편하게 생각하고 그 프로그램만 보면 적어도 왔다 갔다 하느라고 놓치는 장면은 없을 것이다. 집중하지 않으면 모든 것을 놓친다. 선택이란 그런 것이다. 세일즈가 여러분 적성에 맞는가? 자신의 의지로 선택하고 헌신할 때 새로운 목표의식을 갖게 된다. 스스로 선택할 때 집중할 수 있고, 또 자신이 하는 일에 의미를 부여할 수 있다.

자신의 일임에도 불구하고 헌신하지 않는 수많은 세일즈맨들이 한결같이 하는 말이 있다.

"직업을 구하던 차에 마침 이 일이 걸려 들었습니다."

이런 생각들을 가진 세일즈맨들 때문에 오늘날 기업들은 엄청난 비용을 세일즈에 쏟아 부어야 한다. 잡지 〈퍼처싱 Purchasing〉의 연구 조사에 따르면, 고객들이 세일즈맨들에 대해 갖는 가장 큰 불만은 그들이 준비되어 있지 않다는 점이고, 두 번째 불만은 그들이 자신의 일에 흥미도 없고 목적의식도 없는 것이라고 한다. 당연하다. 잠재고객을 접할 때 흥미도, 목적의식도 없는데 뭐하러 성가시게 준비를 한단 말인가?

자신의 일에 헌신하는 일이 왜 중요한지 우리는 다음의 비디오를 통해 확인할 수 있다. 스스로 선택하는 일의 중요성에 대해 깨닫게 해주는 영화로 빌리 크리스탈 주연의 《굿바이 뉴욕, 굿모닝 내사랑 (City Slickers)》을 꼽을 수 있다. 잭 파란스는 이 영화에서 컬리 역으로 아카데미 남우조연상을 받았다.

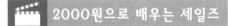
2000원으로 배우는 세일즈
—〈굿바이 뉴욕, 굿모닝 내사랑〉

빌리 크리스탈은 이 영화에서 미치라는 뉴욕의 라디오 방송사 광고국 영업사원으로 나온다. 그는 하필이면 서른아홉 번째 생일날 자신이 모집하여 계약했던 한 광고주가 방송 사고에 가까운 음향을 내는 스포트 광고를 내보냈다는 이유로 국장으로부터 징계 처분을 받는다.

그 날 오후 미치는 학부모들이 돌아가며 맡는 일일교사역으로 아들의 학교에 가서 자신의 직업에 대해 이야기하게 된다. 아들 대니는 반 친구들에게 아빠가 잠수함 함장이라고 거짓말을 했었다.

미치는 아이들에게 자신은 방송사에서 라디오 광고 중간에 나가는 광고를 모집하는 일을 한다고 소개한다. 그러자 아이들은 일제히 실망했다는 투로,

"에이!," "뭐야!'

하며 소리를 질러댄다. 그 때 유명한 미치의 독백이 시작된다.

"얘들아, 이 시기를 소중히 보내거라. 지금은 너희들이 선택할 수 있는 길이 많지만 이 시기도 곧 지나간단다."

미치는 어떻게 하다 보니 세일즈를 하게 된 전형적인 인물로 현재 위기에 서 있다. 그날 저녁 그는 자신이 하는 일에 대해 다시 생각해 본다. 그리고는 아내 바바라에게 이렇게 푸념한다.

"나는 공중에 흩어지고 마는 라디오 광고나 파는 사람이야."

미치는 실내 장식가였던 삼촌을 떠올린다. '삼촌은 돌아가실 때 그래도 자신이 해 놓은 일들의 흔적을 남기고 가셨군.'

미치의 친구인 에드와 필 역시 위기의 중년이라는 시점을 사는 입장에서 미치의 기분을 헤아리고 있었다. 그들은 미치의 생일 선물로 '콜로라도 소몰이 체험 여정' 참가 신청을 해 두었다. 소몰이 체험 여

정의 지휘자는 컬리(잭 파란스가 이 역을 맡았다)인데 그는 미치를 보더니 한 눈에 미치가 인생의 낙오자이며 현재 불행하다는 것을 간파한다. 컬리는 불과 2주일의 소몰이 체험 여정으로는 미치의 현재 상황을 개선할 수 없다고 말한다. 그렇지만 자신을 위해 깨달아야 하는 어떤 '한 가지'만은 반드시 깨우쳐 가라고 일러준다.

얼마 안 있어 컬리가 죽게 되고, 도시 생활에 지쳐버린 소몰이 체험 여정 참가자들이었지만, 컬리의 죽음에 관계없이 자신들의 힘으로 소 떼를 몰아 목적지인 목장까지 가기로 하고 여정을 계속한다. 폭풍우가 엄습하고, 송아지 노만이 강의 급류에 휩쓸려 들어간다. 미치는 자신의 목숨을 잃을 수도 있는 위험을 무릅쓰고 노만의 목에 올가미를 던져 구해낸다. 도저히 불가능할 것 같았던 도시 출신 참가자들이 당당하게 소 떼를 몰고 목적지인 목장에 도착하지만, 그들을 기다리는 것은 행사를 주관하는 회사가 도산하여 소 떼를 육가공 회사에 팔기로 했다는 소식뿐이다.

이 영화의 마지막은 미치의 아내 바바라가 뉴욕에 돌아온 그를 맞이하는 장면이다. 바바라가 묻는다.

"그래, 기분이 어때요?"

"좋소. 아주 좋아요. 내가 무엇을 얻었는지 알아맞혀 보구려."

라며 미소 지은 자신의 얼굴을 손으로 가리킨다.

"글쎄요. 좋기는 한데, 도대체 무엇을 얻은 거에요?"

"바로 콜로라도요! 내 말은 콜로라도는 정말 막다른 골목에 몰린 사람이 깨달음을 얻을 수 있는 곳이란 거요."

"여보, 줄곧 생각해 봤는데, 광고국 영업사원 일이 정말 그렇게 싫으면 그만 두세요. 다른 수가 있겠지요."

"아니, 그만두지 않을 거요. 그 대신 더 잘할 거요. 이제 모든 것을 더 잘할 수 있을 것 같소."

"모든 것이라고요?"

두 사람은 입을 맞춘다.

— · — · — · — · — · — · — ·

미치는 선택했다. 선택은 어린 아이였을 때 하는 것으로 끝이 아니라는 것을 깨달았다. 우리는 날마다 선택을 해야 한다. 여러분은 하던 일을 집어치우고 새 일을 찾을 수도 있다. 아니면 지금 하는 일을 더 잘하겠다고 선택할 수도 있다. 성공을 위해서는 중독이라도 된 듯이 더 잘하겠다고 집착하는 태도가 필수적이다. 후속편에서 미치는 방송국 총무국장으로 나온다.

스스로 더 잘하겠다고 선택하지 않는 한 여러분의 직업이 무엇이든 어떤 책도, 비디오 테이프도, 세미나도, 명강사도 여러분에게 도움을 줄 수는 없다. 어떻게 하다 보니 세일즈에 종사하게 되면 목적의식을 가지기가 힘들다. 그렇기 때문에 가장 기본적이면서도 중요한 변화를 꾀해야 하는데, 그것은 의식적으로 헌신적인 노력을 기울이는 것이다.

● 성공을 위하여 자신에게 헌신하라.

- 여러분이 일하는 회사를 위하여 헌신하라.
- 여러분이 파는 제품과 서비스를 위하여 헌신하라.
- 여러분의 고객에게 헌신하라.
- '더 나아지려고' 헌신하라.

진리에는 자연스럽게 파생되어 흐르는 가르침이 있게 마련이다. '그러므로 이러이러한 일도 당연하다'고 말할 수 있는 이유가 있다는 것이다.

◆ 우연히 세일즈를 하게 된 사람을 위한 격언 _
여러분이 잘 할 때 고객도 더 나아진다.

◆ 부수적 조언 _
고객도 여러분이 더 잘하기를 바란다. 고객들은 업계 최고의
세일즈맨과 최고 수준에서 상대하기를 원한다.

자, 이제 여러분은 선택했다. 세일즈로 성공하겠다고 마음먹고 준비를 갖추었다. 그렇다면 솔직히 말하겠다. 어떤 직업에서든 최고 수준이 되자면 그만한 대가를 치러야 한다. 의사가 되기 위해서는 예과 2년, 본과 4년, 그리고 24시간 병원에서 기거하며 근무하는 인턴 기간 1년과 레지던트 기간 4년의 긴 시간을 보내야 한다. '이보 전진을 위한 일보 후퇴'라는 대가를 치르는 것이다. 그것은 미래의 더 큰 보상을 기대하며 현재를 희생하는 것이다. 의사가 되기 위해 의대에 진학한 젊은이들은 11년 동안 열심히 공부하고, 비싼 등록금을 내기 위해 대출까지 받는다.

여러분은 공짜로 세일즈 업계에 발을 들여 놓았다. 그러나 어느 과정에서이든 대가를 치러야 한다. 공부도 해야 하고 열심히 일도 해야 한다. 요즈음 스포츠 신문의 일면을 보면 누가 얼마를 받는다고 '억! 억!' 하며 소리들을 지른다. 어느 유명 쿼터백이 어떤 구단과 입단 계약을 하면서 샤이닝 보너스로 50억 원을 받았다든가 젊은 선수 타이거 우즈가 나이키와 300억 원에 스폰서 계약을 맺었다는 등의 뉴스가 보도된다. 그럴 때 사람들은 그들이 받는 액수에 놀라지만, 그전에 아무 보상도 받지 못하면서 욕망을 뒤로 한 채 노력한 과정에 대해서는 생각하지 않는다. 여러분이 세일즈로 큰 돈을 벌기 원한다면 실제 그렇게 벌 수 있는 위치가 되기 이전에 엄청난 시간과 노력을(물론 아무 대가없이) 쏟아부을 각오를 해야 한다.

세일즈는 어려운 일이지만 많은 일류 세일즈맨들이 얻는 보상을 생각할 때, 그 어려움은 감수할 만하다. 그런데 열심히 일하기에 앞서 한 가지 중요한 질문에 스스로 답해 볼 필요가 있다.

'당신은 고객이 필요로 하는 사람이 되고 싶은가, 아니면 고객을 필요로 하는 사람이 되고 싶은가?'

세일즈를 하면서 여러분이 치러야 하는 대가 가운데 하나는

'거절을 당했을 때 그것을 어떻게 받아들이느냐' 하는 것이다. 여러분이 목적의식을 가지고 팔려고 할 때, 과거에 거절이라고 생각했던 반응이 단순한 무관심이었다는 사실을 깨닫게 될 것이다. 그렇기는 해도 아무래도 사람들이 꼭 사고 싶어 하는 것을 파는 일이, 필요로 하지만 꼭 사고 싶어 하지는 않는 것을 파는 일보다는 쉽다.

밖으로 찾아다니며 세일즈를 해야 하는 사람은 아무래도 매장에서 손님을 맞이하는 판매원보다는 더 많은 일을 해야 한다. 파란색 더블 브레스티드 양복을 사려고 남성복 매장을 찾는 사람은 이미 사려는 마음을 가지고 있다. 물론 판매원이 제품에 대한 아무 지식도 없거나 물건을 제대로 갖추어 놓지 않았거나 손님을 제대로 모시지 못해서 팔지 못할 수도 있다. 그러나 파란 색 더블 브레스티드 양복을 파는 그 판매원이 새 양복을 사기를 원하는 사람을 찾아내기 위해 전화를 하고 면담을 해야 한다고 생각해 보라. 한 번 만나고, 두 번 만나서 잠재고객 스스로 정말 그 양복이 필요한지 생각해 보도록 해야 한다. 그리고는 그 양복이 필요하며 지금 그것을 사는 것이 이익이라는 것을 깨닫고 실제 구매 행동으로 이어지게 만들어야 한다. 판매원은 그 과정을 효율적이고 창의적이고 고객의 이익이 실현되게 해야 한다.

그런 과정에서 한 번 만나고 두 번 만나도 아무 성과가 없을 수 있다. 또 만나려고 하는 잠재고객이 만나 주지도 않을 뿐더러 전화조차 피할 수도 있다. 그렇게 어렵기 때문에 밖으로 나도는 세일즈맨이 점포 판매원에 비해 많은 돈을 버는 것이다.

그러나 세일즈맨 당사자는 제쳐두고라도 선의의 걱정을 해주는 부모, 친구, 배우자들이 세일즈라는 일에 불안감을 느낀다. 사람들에게 거절당할 때의 그 기분을 어떻게 삭힐 것이며 앞날이 불확실한 그 일을 언제까지 할 수 있겠느냐며 걱정을 한다. 언젠가 내 친구 하나가 한 달 뒤에 얼마를 벌지 알 수도 없는 일을 어쩌면 그렇게 아무렇지도 않게 할 수 있느냐, 자신은 도저히 이해할 수가 없다며 이렇게 덧붙였다.

　　"너무나 불안한 일이야."

　　나는 속으로 이렇게 말했다. '한 달에 얼마 안 되는 돈밖에 벌지 못한다는 사실을 아느니 차라리 얼마를 벌지 모르는 편이 낫다네. 얼마 안 되는 돈을 벌며 최저 생계비에 대한 보조를 받느니 차라리 나의 생산성에 대해 보상받는 직업을 택하겠어.'

　　수수료나 인센티브 수당을 받으며 매달 자신의 성과와 노력에 대한 보상을 받을 수 있는 무궁무진한 기회를 안고 일을 하는 것이다. 이 얼마나 좋은가?

　　여러분이 상대해야 할 잠재고객들도 여러분이 성공하기를 바라지만 늘 격려가 되어주지는 않는다. 여러분 스스로도 '더 잘하겠다'며 의욕적으로 다가가지만 어느 잠재고객에게 거부를 당하고 나면 점심을 먹으면서 신문에 난 구인광고를 보며 다른 직업을 구할 생각을 할 수도 있다. 아무래도 시간이 걸릴 것이다.

　　고객들이 필요로 하는 사람이 되려면 여러분은 고객의 거부에도 불구하고 끈질기게 노력해야 할 것이다. 고객들의 삶이 윤택해지고 그들의 사업이 더욱 발전하도록 도와야 한다. 그러면 놀라운 일이 벌어질 것이다. 여러분을 다른 사람들에게 소개할 것이며, 여러분이 전화를 걸었을 때 부재중이던 잠재고객들도 빠른 시간 안에 연락을 해줄 것이다. 바로 그때 여러분은 고객이 원하는 사람이 되는 것이다. 그들이 여러분의 전문성을 필요로 하기 때문이다. 결국 여러분은 뜨내기 행상이 아니라 협력업자가 되는 것이다.

세일즈는 여러 번의 실패를 이익이 남는 성공으로 마무리 짓는 과정이다. 승리 대신 패배에만 신경을 쓴다면 목적의식은 사라지게 된다. 그러나 마땅히 지불해야 할 대가라고 생각하고, 모든 것이 조금씩 나아지고 있다는 사실을 믿는다면 고객과 안정적이고 원만한 관계를 누릴 수 있다.

어떻게 하다 보니 세일즈맨이 된 사람들에게는 세일즈에 관한 철학이 없다. 그럴 수밖에 없는 것이, 자신이 세일즈라는 직업을 좋아하는지조차 아직 확실히 모르고 있기 때문이다. 그런 사람은 세일즈와 자기자신에 대해 회의를 품는다. 여러분은 갑자기 세일즈에 종사하게 되었다. 여러분이 이전에 만나 보았던 세일즈맨들에 대한 기억을 더듬어, 혹은 영화나 TV에서 본 세일즈맨에 대한 부정적 인상과는 반대 방향으로 나름대로의 세일즈 철학을 세웠을 것이다.

철학이란 어떤 범주의 행동이나 사고방식에 관련되고 또 그 바탕을 이루는 관념이다. 판매에 대한 여러분의 철학을 알아보기 전에, 우선 판매에 대한 나의 철학에 대해 이야기하겠다. 지난 25년 동안 내가 굳건히 믿고 살아온 생각이 있는데 바로 이런 것이다.

인생은 커다란 학교이다. 한평생 배우려는 자세로 사는 사람은 인생이라는 학교에서 더 많은 것을 얻는다.

어느 날 우연히 책상 위에 놓여진 브로슈어가 내 눈길을 끌었다. 〈설득력 있는 브로슈어 작성법〉이라는 타이틀로, 여섯 시간짜리 세미나에 대해 광고하고 있었다. 세미나 참가비는 적당한 선이었다. 나는 설득력 있는 브로슈어 작성법을 배우고 싶었다. 그렇다면 내가 어떻게 했을 것 같은가?

나는 세 시간 동안 그 브로슈어를 열심히 읽고 분석하여 배운 내용들을 활용하여 내가 사용할 브로슈어를 제작했다. 브로슈어 작성법에 대한 세미나를 광고하기 위한 브로슈어라면 당연히 안에 그에 대한 조언으로 가득하기 마련이다. 그런데 무엇 때문에 돈을 들여가며 세미나를 듣는단 말인가?

이렇게 생각해 보라. 지난 18년 동안 나는 세일즈 훈련이라는 서비스를 팔아왔다. 내가 어떤 잠재고객에게 전화를 할 때면 그 속에 재미있는 상호 작용이 일어난다. 잠재고객과의 전화 통화로 내 세일즈 방식에 문제가 있는지 공짜로 점검하는 기회로 삼을 수 있다는 것이다. 나는 내가 강의하고 훈련시키는 방식대로 통화를 이끌어 간다. 잠재고객은 내 프리젠테이션을 듣고 자기들 세일즈맨들도 나처럼 판매하기를 바라는지 아닌지 결정하게 된다.

거부하고 싶은 판매 전술을 가르치는 세일즈 강사들이 있다. 여러분의 본능을 믿어라. 멕시코의 휴양지 마자트란에 위치한 콘도미

니엄을 기간별로 나누어 사용할 공동 구매자를 모집하거나, 뉴욕 한복판에서 가짜 롤렉스시계를 파는 것이 아니라면 허튼 수단은 그것이 과연 무엇이라도 다 잊어라. 계속해서 성공하고, 다른 고객들을 소개받고 싶다면 진실과 신뢰가 전술을 능가한다는 점을 믿고 받아들여라.

전문적으로 구매를 하는 사람들 가운데는 일부러 구매자를 조종하는 전술을 가르치는 세일즈 세미나를 수강하여 그런 부류의 세일즈맨들을 가려내는 안목을 기르는 사람들도 있다. 구매자의 입장에서 보면 마치 로봇처럼 자연스럽지 못한 기교만 되풀이하는 그런 세일즈맨과 마주 앉아 있는 것보다 더 한심한 일은 없을 것이다.

자동차를 사려고 대리점에 갔는데 영업사원이 이렇게 말했다고 생각해 보라.

"제 어머니께도 이 차를 권하고 싶습니다. 이 차를 사신다면 정말 제대로 사시는 겁니다."

그 영업사원은 여러분이 이렇게 생각하기를 바란다. '음, 저 정도로 좋은 조건이라면 당장 계약해야겠어.' 그러나 여러분은 실제로 이렇게 생각한다. '이 친구가 나를 물로 보나? 아마 오는 손님들한테마다 그 따위 소리를 했겠지.'

나라면 그런 전술은 구사하지 않을 것이고 그 비슷한 것을 남에게 가르치지도 않을 것이다.

나는 그 브로슈어에서 브로슈어 작성법에 관한 많은 것을 배웠다. 마찬가지로 여러분은 상대하기 벅찬 고객으로부터 대학 교수나 전문 강사에게서 배우는 만큼 많은 것을 배울 수 있다. 내가 지금까지 들어온 세일즈 세미나 가운데 정말 최고 수준이었다고 꼽을 수 있는 것들은 전부 무료였다. 그리고 사실 대부분의 경우에 '세미나'라는 이름조차 붙어 있지 않았다. 어떻게 하다 보니 그렇게 된 것이었다. 말하자면 '우연히 배우게 된 세일즈'였던 셈이다. 그러나 그 효과는 상당했다.

나는 이 책의 각 장에서 판매 방법에 관해 흔치 않은 통찰력을 제시해 주는 평범한 세일즈맨의 이야기나 판매에 대한 깨우침을 준 고객의 이야기를 한 가지씩 들려줄 것이다.

우연히 배우게 된 세일즈
__어느 구두닦이의 일화

나는 무거운 가방 두 개를 질질 끌며 오헤어 공항의 2번 터미널을 지나고 있었다. 바로 앞에는 구두 닦는 곳이 있고, 구두닦이는 다음번 고객을 모색하는 중이다. 나는 계속 걸으며 내가 탑승할 게이트가 몇 번인가를 생각한다. 순간 구두닦이와 나의 눈이 마주쳤다. 그러자 그의 시선은 내 구두 쪽으로 옮겨졌다. 내 시선도 그의 눈길을 따라 구두로 향하였다. 그 구두닦이와 다시 눈길을 마주치지 않으려고 주의하면서 그 옆을 지나는 순간 그가 말한다.

"선생님, '콜한'을 신으셨군요. 제가 잘 닦아드리겠습니다."

"아니오. 싫소. 비행기를 타야 하오."

구두닦이로서도 이런 식의 노골적인 반대에 부딪히는 일이 흔치 않을 것이다. 나는 계속 걸으며 생각했다. '내 구두가 콜한인지 아닌지 어떻게 안다는 거야? 아주 재미 있는 접근 방식이기는 한데 정말 콜한인지 한 번 봐야겠군.'

나는 얼른 가까운 남자 화장실로 들어가 오른 쪽 신발을 벗어 들고 왼발로 몸의 중심을 잡고 서서 상표를 들여다보았다. 정말 '콜한'이라고 적혀 있었다. 나는 다시 신발을 신고 구두 닦는 곳으로 간다.

"아. 마음이 바뀌었어요. 어차피 닦기는 닦아야 하니까."

— · — · — · — · — · — · —

여러분은 세일즈 강사나 교사가 아닌 평범한 사람에게서도 배울 마음의 준비가 되어 있는가? 구두닦이는 나에게 5천 원을 받고 구두를 닦아주는 서비스를 팔았지만, 나는 그에게서 〈세일즈의 성공 원칙 7가지〉를 완전히 공짜로 배웠다. 물론 그의 서비스는 복잡한 기술을 필요로 하는 것도 아니고 그의 판매 과정이라는 것도 여러분의 판매 과정과 비교할 수도 없는 만큼 단순한 것이리라. 그럼에도 불구하고 여러분은 이 이야기에서 교훈을 얻을 수 있고 다음의 7가지 판매 원칙을 바탕으로 판매에 대한 철학을 형성할 수 있을 것이다.

1. 첫 마디에 강한 인상을 주는 것이 중요하다. 그 '흔한' 구두닦이

옆을 지나노라면 그들은 한결같이 "손님, 닦으시죠!"라고 말한다. 그러나 내 신발을 닦은 그 프로는 접근 방식을 한 단계 끌어 올려 손님 한 사람 한 사람에게 맞추어 들어갔다. 다트넬(Dartnell)의 조사에 따르면 고객에게 접근하는 방식과 고객이 관심 갖게 하는 것이 판매에서 가장 중요한 기술로 파악되었다. 계속해서 그 조사는 판매를 마무리 짓는 기술을 여섯 번째로 중요한 기술로 밝히고 있다. 구두닦이의 첫 마디와 마무리 말은 결국 하나이고 같은 것이었다. 강한 인상을 주는 첫 마디는 제대도 된 마무리로 이어진다.

2. 제품에 대한 이해는 성공 가능성을 확실하게 높여준다. 신발 브랜드를 들먹임으로써 구두닦이는 다음과 같은 뜻을 전한 것이다.

'보십시오. 제가 하는 일이 바로 이것입니다. 저는 항상 고객들의 신발에 신경을 씁니다.'

자신이 하는 일에 관심과 열의가 있는 세일즈맨에게서 상품을 구입하려고 하는 게 당연하지 않겠는가?

3. 만남의 근본 목적을 통제하는 일이 중요하다. 구두닦이 옆을 스쳐 지날 때 나는 비행기에 탑승해야 할 게이트 생각에 몰두해 있었다. 그러나 그 구두닦이는 비행기 타는 일에만 몰두해 있는 내 생각의 틈을 뚫고 들어와 내가 신발에 주의를 기울이게 만들었다. 여러분이 만남의 근본적인 목적을 통제할 수 있을 때 상황을 더욱 더 여러분 뜻에 맞게 통제할 수 있게 된다.

4. 눈을 마주치는 것은 신뢰를 구축하는 중요한 수단이다. 눈을 마주침으로서 믿음을 전할 수 있다. 고객의 눈길을 마주 대하고 눈과 입에 미소를 띰으로써 신뢰를 구축하고 여러분에게서 무엇을 사는 일을 주저할 때 그 주저함을 누그러뜨릴 수 있다.

5. **고객 스스로 욕구를 발견하도록 한다.** 나에게 내 신발을 쳐다보게 함으로써 그 구두닦이는 내가 신발을 닦은 지 시간이 꽤 흘렀다는 사실을 깨닫게 하였다. 사람들은 스스로 발견하고 깨달은 사실을 거부하지 못하는 경향이 있다.

6. **남다른 방식은 고객에게 신선한 느낌을 주는 동시에 기억에 남게 한다.** 나는 지금까지 수천 명의 구두닦이 옆을 지나쳤을 것이고 수백 번은 넘게 신발을 닦았을 것이다. 하지만 남들과는 달랐던 그 구두닦이를 나는 아직도 기억한다. 여러분의 고객은 여러분을 기억하는가?

7. **고객은 자신이 중요하게 생각하는 것들에 맞추어 처신하는 세일즈맨에게서 사려고 한다.** 고객은 무엇인가를 사려고 한다. 그러나 전문가와 거래하고 싶어 한다. 고객은 관심과 열의를 느끼고 싶어 한다.

나는 인생 자체가 바로 커다란 학교이며, 한 평생 배우려는 자세로 사는 사람은 인생에서 더 많은 것을 얻을 수 있다고 믿기 때문에 공짜로 얻은 브로슈어로 15만 원짜리 세미나를 수강한 효과를 얻고, 5천 원을 주고 신발을 닦은 다음(물론 팁은 주었다) 위와 같은 〈세일즈의 성공 원칙 7가지〉를 수립할 수 있다. 랄프 월도 에머슨은 말했다.

"인생은 배움의 연속이며, 삶에는 깨달음이 있어야만 한다."

여러분은 오늘 무엇을 배우려 하는가? 누가 여러분을 가르쳐줄 것인가? 그것을 누가 알 수 있겠는가? 누구에게라도 배울 수 있는 열린 마음을 지녀야 한다.

나는 동기부여를 전문으로 하는 강사가 아니다. 그러나 내 세미나 수강생들은 성공을 위해 자신이 거쳐야 할 단계들에 대해서 확실하게 깨닫고 간다. 자신의 '할 일'을 분명히 깨닫게 해주는 것은 확실하게 동기를 부여한다.

이 책은 동기부여를 위한 책이 아니다. 다만 여러분이 성공하도록 돕는 책인데, 그렇게 함으로써 여러분은 동기를 부여받을 수 있다. 성취감은 동기를 부여한다. 판매를 마무리지으면 여러분은 큰 기쁨을 느낄 것이다.

더 이상 일을 하지 않아도 여유있게 살 수 있는 주위의 성공한 사람들을 살펴보라. 여유가 있음에도 불구하고 일에서 손을 떼고 한가롭게 여생을 즐기지만은 않는다. 그들은 새롭게 도전하며 새롭게 성취하려고 한다.

자신에게 최선을 다하지 않고, 고객에게 최선이 아닌 것을 제공하기에는 인생이 너무 짧다고 생각하지 않는가? 최선을 다하는가, 그렇지 않은가 하는 문제도 오늘 여러분이 할 수 있는 선택이다. 선택하라. 그러면 스스로에게 최선을 다하지 않는 사람과 달라질 것이다. 새로운 관심과 목적의식을 갖고 자신의 일과 고객을 대하게될 것이다. 모든 것이 더 좋아질 것이다. 여러분은 그렇게 할 수 있다. 고객이 가치 있게 생각하는 요소들을 두루 갖출 수 있다.

여러분이 이 책을 읽게 된 것은 우연이 아니다. 여러분은 이 책을 선택했다. 하루를 어떤 세일즈맨으로 살 것인지 그 또한 여러분이 선택한다. 깨어 있는 의식으로 선택을 할 때 경쟁자들과 달라진다. 자신의 뜻으로 선택하기 위해 여러분에게 어떤 것이 필요한지 다음 장에서 알아보자.

제2장

가야 할 길

"여러분, 우리는 도약해야 합니다. 다음 단계로 도약합시다."

평소와 다른 분위기의 워크숍이 더 큰 효과를 거두리라 기대하면서 경치 좋은 곳으로 세일즈맨들을 불러 모아놓고 완벽한 음향 시스템을 갖춘 회의장에서 대표이사이나 판매 관리자들은 이렇게 설교한다.

그런데 분발을 촉구하는 이 말에는 심각한 문제가 있다. 이 말을 듣는 대부분의 사람은 '다음 단계로 도약해야 한다'는 말을 '작년에 했던 것보다 더 열심히 뛰어서 더 많이 팔아야 한다'는 뜻으로 받아들인다. 그런데 여러분은 이미 열심히, 지혜롭게, 그리고 훨씬 많은 일을 하고 있다. 그러니 다음 단계로 도약해야 한다는 설교가 오히려 의욕을 상실하게 만들지는 않는가? 다음 단계로 도약해야 한다는 말은, 현재 도달해 있는 단계와 그 다음 단계가 어떤 것인지 분명하게 인식하지 못하는 오히려 역효과만 낳는 공허한 말이다.

여러분이 한 차원 높은 단계로 올라서겠다고 결심할 때, 잠재고객과의 만남 하나하나를 소중하게 활용할 수 있다. 또 판매량은 수직으로 상승할 것이다. 지금보다 더 고단한 어떤 노력 따위를 기울이지 않아도 가능하다. 의식을 가지고 판매 방식을 바꿈으로써 작년과 같은 활동 무대에서 같은 노력을 기울이고도 엄청난 판매 신장을 거둘 수 있다.

[표2-1]의 맨 왼쪽 칸은 판매 과정의 다양한 속성들을 보여주고 있다. 맨 윗칸에는 프로페셔널리즘의 단계들이 구분되어 있다. 각 프로페셔널리즘 단계의 하단에는 그 단계에 해당하는 특징적 행동들이 설명되어 있다. 예를 들어 여러분이 어떤 잠재고객에게 제품에 관한 브로슈어를 보낸다면 그것은 1단계의 행동이다. 1단계 행동에서는 브로슈어, 제품 설명서, 가격표 등 아주 기본적인 사항만 이용한다. 반면에 잔디용 살충제가 필요한 고객에게 골프 코스 관리에 관한 기사도 함께 보낸다면 여러분의 접근 방식과 공감 정도는 의미 있는 업계 관련 정보의 공급원인 동시에 사업 정보가 된다. 이미 여러분은 그 잠재고객과는 3단계의 위치에 와 있는 것이다.

[표2-1]은 세일즈와 세일즈 훈련에서 오랫동안 경시되어 온 질적인 요소에 관해 보여준다. 이제 여러분은 판매 과정에서 치중해 왔던 양적인 기준뿐 아니라 질적인 기준까지 적용할 수 있다.

표에 의거하여 여러분과 고객과의 관계를 검토해 보라. 어떤 고객과는 현재 몇 단계에 있으며 다음 단계로 도약하기 위해서는 어떻게 해야 하는지 알 수 있을 것이다. 이처럼 [표2-1]은 더욱 지혜롭게 일하는 방식을 일러준다.

월터 굿먼은 「뉴욕타임즈 공연 리뷰」에 이렇게 쓴 적이 있다.

"학자의 눈으로 보든, 언론인의 눈으로 보든, 아니면 희곡 작가의 눈으로 보든 대부분의 경우 세일즈맨이 조롱의 대상으로 그려지는 게 보통이다. 특히 뜨내기 세일즈맨의 경우는 말할 것도 없다. 세일즈맨이라는 직업이 많은 사람이 선망하거나 도덕적인 직업으로 그려지는 경우는 거의 없다."

이렇듯 대중매체는 이미 깔린 선입견을 바탕으로 우연히 세일즈맨이 된 사람에게 목적의식을 가지고 파는 일의 가치나 중요성에 대해 생각해볼 기회조차 빼앗아 버린다.

우연하게 세일즈맨이 된 여러분은 세일즈맨에 대한 사회적 인식과 마주해야 하며 세일즈맨에 대한 오명을 불식시켜야 한다. 아서 밀러가 『어느 세일즈맨의 죽음』을 발표한 이래 대중매체를 통해 그려지는 세일즈맨의 모습은 부정적이다. 주인공 윌리 로먼은 인격적 결함이 많은 사람이었다. 데이빗 마멧의 《글렌개리 글렌 로스 Glegarry Glen Ross》에 등장하는 세일즈맨 역시 사기성 농후한 상술을 피워가며 자존심도 없이 허우적대며 사는 것으로 묘사되고 있다. 유명한 TV 시트콤 《피 위 허먼 Pee Wee Herman》에서조차 방문 판매하는 세일즈맨이 자신의 집에 찾아오자 비명을 지르며 달아나는 모습이 그려지고 있다.

[표2-1]

아래 표는 여러분이 현재 어떤 단계에 도달해 있으며 그 단계에서 도약하여 닿을 수 있는 다음 단계에서는 어떤 특징들이 필요한지 제시해 주는 이정표 역할을 할 것이다. 하루에 여러 고객을 접촉하다 보면 그 때마다 단계도 다를 수 있다는 점을 유의하라.

	1단계 그냥 파는 수준	2단계 세일즈맨 또는 문제해결사 수준	3단계 프로페셔널 세일즈맨 수준	4단계 세일즈 및 마케팅 전문가 수준
고객의 신뢰정도	신뢰도 없거나 불신	약간 신뢰	경력에 따라 신뢰에서 아주 신뢰 까지 차이 남	그동안 형성된 인간관계에 따른 전적인 신뢰
목표/고객을 접촉하는 목적	만나는 것 현실을 보는것	설득, 판매 또는 잠재 고객이 판매과정에 동참하게 하는 것	고객창출과 유지, 고객을 발전시키고 많은 정보 얻기	지속적으로 고객을 발 전시키고 거래규모를 늘리는 것
접근 방식과 공감 정도	최소 또는 전혀 없음	잘 짜인 사전계획, 잠 재고객이 판매과정을 이해하게 함	고객의 업계에 대한 중요하고 의미 있는 정보 공급자	지속적인 교류와 신뢰로 편하게 만남
세일즈맨 자신의 관심사 혹은 금지 를 느끼는 내용	호감을 사는 것	서비스를 제공하고 문제해결사 역할을 하는 것	도움의 원천	고객이 세일즈맨을 조직 내부인처럼 느낌
사전준비	상투적인 말들을 암기하거나 즉흥적으로 대치	방문목적 설정, 질문 준비, 진행 과정, 고객이익을 밝힘	업계지와,인터넷조사, 고객의 경쟁자들에 대한 분석	준비를 통해 경쟁자들이 모르는 독점적 정보를 얻음
프리젠테이션	제품사양 및 특징, 가격 제시	제품,고객이 가진 문제에 대한 해결책 제시	시스템 해결책 제시	이익증진 전략과 그타당성을 입증할 자료 제시
접촉 대상	구매담당자, 구매부서	실수요자, 구매담당자	실수요자,구매담당자 고객의 조직내 협력자 또는 우호적 지원자	고객의 조직내부에 네트워크 를 구성, 여러 부서와의 거래도 가능

기정 값　　　　　　　　세일즈맨에 대한 고객의 선호 정도

여러분은 사람들을 놀라게 하려고 세일즈맨이 되지는 않았다. 사실 우연히 세일즈맨이 된 대부분의 사람들은 대중매체를 통해 그려지는 모습과는 여러모로 다른 판매 방식을 택한다. 과거의 세일즈 훈련은 본질적으로 직업적 스토커를 양산하는 신병 훈련 같은 것이었다. 초기의 세일즈 전술은 잠재고객이 가진 문제의 해결을 전혀 고려하지 않았다. 대중매체에 의해 그려지는 세일즈맨의 모습이나 몇 년 전까지 가르쳐지던 세일즈 전술에 따르면 세일즈는 밥 벌어먹고 살기에 너무나 고단한 직업이다. 예전의 어느 세일즈 강사의 강의용 테이프에서 본 내용이 기억난다. 많은 세일즈맨들이 모인 강의실에서 그는 강단 위를 왔다갔다 하며 이렇게 외친다.

"여러분, 판매를 마무리지을 때는 때 반드시 입을 다무십시오. 입을 다무세요! 먼저 말을 하는 사람이 지는 것입니다."

그의 충고는 몇 세대의 세일즈맨들을 통해 전해 내려왔다. 먼저 말을 하는 사람이 진다는 그 말이 초보 세일즈맨들의 입에서도 나오고 있다.

그런 사고방식에 어떤 문제가 있는지 따져 보자. '패배자' 만이 구입하는 물건을 팔고 있다면 비록 판매에 성공한다고 하더라도 여러분의 자긍심은 상처를 입게 된다. 물론 '침묵' 이 전술적으로 타당한 면도 있다. 그러나 판매를 성사시키기 위해 누군가는 패배해야 한다는 논리에는 심각한 문제가 있다. 자기 얼굴에 먹칠하는 행동 대신 [표2-1]의 2단계 혹은 그 이상의 단계에서 활동해야 한다.

컴퓨터에서 사용자가 선택하지 않을 경우 시스템이나 프로그램이 이미 선택하고 있는 값을 '기정 값' 이라고 한다. 마이크로소프트 워드에서 여러분이 원하는 글자체와 크기를 선택하지 않는다면 빌 게이츠가 이미 정해 놓은 '바탕체 10포인트'로 작업해야 한다.

어쩌다 보니 세일즈맨이 된 너무나 많은 사람들이 위와 같이 전형적이고 부정적 모습에 대한 반대 방식을 택한다. 적극적인 방식이 나쁘다고들 하면 당연히 수동적인 방식이 좋다고 생각한다. 어떻게 하다 보니 세일즈맨이 된 사람들은 기정 값에 머물러 있다. 많은 세일즈맨들이, 밀어붙이는 것의 반대는 수동적인 것이 아니라 전문가답게 끈질기게 추구하는 것임을 알지 못하고 있는 것 같다.

[표2-1]은 여러분이 어떤 세일즈맨이 될 것인지 선택하도록 도울 것이다. 1단계는 자신의 선택이 없는 기정 값의 단계이다. 어떻게 하다 보니 세일즈맨이 된 많은 사람들이 어쩔 수 없이 머무는 단계이다.

"저도 이 근처에 살았었습니다. 혹시 뭐 필요하신 게 없으신가 하여 한 번 와 보아야겠다고 생각했습니다."

위와 같은 말은 1단계의 접근 방식이다. 고객과의 첫 만남에 제품 관련 인쇄물을 한 보따리 끼고 가거나, 가격표와 제품 설명서를 팩스로 보내는 것은 1단계의 행동이다.

[표2-1]을 들여다보면 여러분은 자신이 어떤 고객들과는 1단계에 머물고 있는 반면 또 다른 고객들과는 2단계에서 접촉하고 있다는 사실을 깨달을 수 있을 것이다. 모든 고객과의 관계를 다음 단계로 끌어 올림으로써 여러분은 자신의 세일즈 자체를 한 단계 끌어

올릴 수 있게 된다.

물론 때때로 고객이 요구하는 것에 반응해야 할 때도 있다. 그러나 그것 또한 1단계라는 것을 염두에는 두어야 한다. 더 좋은 방법을 모르기 때문에 1단계 행동을 요구하는 고객들도 있기 때문이다. 그들의 기정 값을 넘어, 보다 진취적인 생각과 행동을 해야 한다고 느끼는 것이 우연히 세일즈맨이 된 사람들이 목적의식을 갖게 되는 출발점이다.

정상을 공략하기 위해 2단계를 '베이스캠프'로 삼아라. 산악 등반가들은 꽤 높은 산꼭대기에 베이스캠프를 설치한다. 계곡 속에 베이스캠프를 차리고 거기에서부터 출발하지 않는다.

[표2-1]에서 신뢰가 커져가는 단계를 보라. 4단계의 세일즈맨은 기존의 관계와 과거의 실적을 통해 완벽한 신뢰를 얻는다. 그러자면 몇 년이 걸릴지도 모른다. 그러나 여러분은 몇 년을 기다릴 여유가 없다.

다행히 어렵지 않게 2단계에 도착할 수 있다. 2단계에서 보면 대부분의 세일즈맨들은 1단계에 머물기 때문에, 고객은 여러분을 1단계 세일즈맨에 비하여 두 배는 나은 사람으로 인식하게 된다. 그 다음으로 잠재고객이나 고객들을 대상으로 차근차근 3단계나 4단계의 모습을 보여라.

잠재고객이 몸담고 있는 업계의 문제나 동향에 관한 기사를 오려 보내본 적이 있는가? 이미 했다면 3단계의 모습을 보여준 것이다. 여러분의 선택으로 잠재고객의 업계에 관한 의미 있는 정보와 사업 정보를 제공한 것이다(그렇다고 온 종일 3단계에 머물러 있어야 한다는 것은 아니다).

3단계는 많은 유리한 결과를 초래한다. 고객들에게 큰 영향을 미친다. 고객은 세일즈맨들을 평가할 [표 2-1]과 같은 것을 가지고 있지 않다. 그러나 자신들에게 접근해 왔던 수많은 세일즈맨들을 접하면서 그들 나름의 평가 기준을 마련하게 되었다.

[표2-1]의 1단계에서 2단계로 이동한다는 것은 고객이 세일즈맨에게서 중요하게 여기는 요소에 여러분의 행동을 맞추어 간다는 뜻이다. 그렇게 되면 경쟁자들이 따라 오기 힘든 상대가 된다. 고객을 올림픽 피겨스케이팅 경기의 심판들에 비유해 보자. 고객은 자신들에게 접근해 오는 세일즈맨들의 점수를 매기는데, 그 가운데 만점자는 아주 드물다.

다음은 자신이 관리하는 세일즈맨들을 내 강의 프로그램에 보내 수강하게 했던 어떤 세일즈 매니저가 고객에게 받은 편지이다.

이 레이라는 사람에게 접근하는 다른 세일즈맨들은 피겨스케이팅 부문 올림픽 금메달리스트의 경기가 끝난 후, 뒤이어 경기해야 하는 다른 선수들의 처지와 같을 것이다. 이미 멋진 경기를 보고 나서 눈높이가 한층 올라간 심판들 앞에서 경기를 해야 하니 말이다.

그녀는 세일즈 담당자의 자리에 6개월밖에 머물지 않았다. 관리자로 승진한 것이다. 킴은 얕은 술수나 사람을 조종하는 술책 따위로 다른 세일즈맨보다 앞서려 하지 않았다. 다만 고객이 의미 있게 생각하는 행동들을 했을 뿐이다.

켈리 씨, 안녕하십니까?

귀사의 세일즈우먼 킴 렐위치가 우리에게 어떤 서비스를 제공해 주는지 알려드리고 싶어 이 편지를 씁니다. 그녀는 우리와 계약을 맺은 후 귀사에서 제공하는 서비스에 대해 일일이 설명해 주었고, 또 자신의 제안을 뒷받침해주는 확실한 증거와 정보들을 제공해 주었습니다.

킴에게 아직 별명이 없다면 '잣대'가 어울릴 것 같군요. 왜냐고요? 저에게 다른 세일즈맨들을 평가할 기준을 제시해 주니까요.

안녕히 계십시오.

매니저, 레이 라씨라 드림

여러분은 올림픽 금메달리스트처럼 세계적으로 유명해질 수도, 고객들에게 메달을 받을 수도 없을 것이다. 그러나 고객은 매일 여러분들을 평가하고, 제대로 하는 사람에게는 주문이나 계약이라는 상을 준다.

편지를 쓴 레이 라씨라가 다른 세일즈맨들을 젖혀 두고 킴에게서만 구입하거나 아니면 더 많이 산다고 해도 그것은 당연하지 않겠는가? 그럴 수밖에 없는 이유 가운데 하나는 그가 킴과 더 많은 시간을 접하기 때문이다. 신뢰를 얻으면 시간도 얻을 수 있다.

아인슈타인은 이렇게 말했다.

"좋은 이론보다 더 실용적인 것은 없다."

내가 만약 세일즈를 처음 시작할 때 판매일선에서 바로 활용할 수 있는 [표 2-1]의 원리를 배울 기회가 있었다면 아마 무슨 수를 써서라도 그것을 배우려고 했을 것이다.

여러분이 제대로만 한다면 킴의 상급자인 켈리가 킴을 칭찬하는 편지를 받았듯이 여러분을 칭찬하는 편지가 여러분의 상급자에게 도착할 수도 있다. 어쩌면 고객의 피드백이 편지가 아닌 형태로 나타날 수도 있다. 고객의 반응이라는 방식으로 말이다. 그렇다면 더 좋은 일이다.

인생은 커다란 학교이다. 한 평생 배우려는 자세로 사는 사람은 인생에서 더욱 많은 것을 얻는다. 고객이 여러분에게 반응하는 방식을 통해 여러분은 고객으로부터 많은 것을 배우게 될 것이다.

우연히 배우게 된 세일즈
―방송 광고를 취소한 자동차 딜러

이제 내가 어떤 고객으로부터 배운 것에 대해 이야기해보겠다. 1976년 위스콘신 주 매디슨 라디오 방송사의 광고국 영업사원으로 일하고 있을 때였다. 나는 용기도 있었고 사고방식도 적극적이었다. 격식을 덜 갖춘 편한 양복을 입고 서류 가방을 들고 오렌지 색 자동차를 몰고 다녔다.

당시에는 지금처럼 휴대전화도 없었고 팩스도 없었다. 연락을 주고 받는데 중요한 역할을 하던 것이 있는데 바로 '메시지 네일'이라는 것이었다. 사무실에 들어가면 일단 자기 앞으로 온 연락들을 적어 놓은 분홍색 메모지들을 이 빼곡한 메시지 네일에서 빼서 읽어보아야 했다. 메모를 보고 전화를 해야 할 곳에는 전화를 하고, 필요한 조치도 취했다. 어느 날 오후 사무실에 들어가 보니 내 고객 중 한 사람이던 자동차 딜러로부터 메모가 와 있었다. 새로 부임한 대리점 사장이 광고를 그만두게 했다는 내용이었는데 그런 내용이 분홍색 메모지에 적혀 있다는 사실이 아이러니컬했다. 메모지에는 이렇게 적혀 있었다.

'샤프 콘웨이 다지 대리점 점장 밥 보스 씨 전화. 우리 방송 광고 전부를 취소한다고 함. 연간 광고 계획과 광고료 건으로 목요일 20분 동안 면담하기 원함. 약속 시간은 오후 1시 20분.'

1년간의 광고 계획을 팔기 위한 프리젠테이션을 겨우 20분 안에 끝내라는 것이다. 약속 시간까지는 불과 이틀밖에 남지 않았다. 이미 잡혀 있던 광고 계획을 모두 취소한다는 사실도 나쁜 소식이었지만 그보다 더한 건 나와의 면담 시간이 오후 1시 20분이라는 사실이었다. 나는 모든 미디어의 광고국 영업사원들과 20분 단위로 계속 만날 것이라는 그의 계획을 알 수 있었다. 아침 8시, 8시 20분, 8시 40분, 9시, 9시 20분, 9시 40분, 이런 식으로 계속 광고국 영업사원들을 만나면 내 차례는 열네 번째라는 이야기였다.

보스 씨가 광고를 취소한 날은 화요일이었다. 그리고 20분짜리 면담을 지정한 날은 목요일. 나는 대리점으로 전화를 걸어 필요한 사항을 물어 보았다. 그녀의 말에 따르면 보스 씨는 이 대리점의 실적을 끌어 올리기 위해 밀워키의 다지 대리점에서 파견되어 온 사람이라고 한다.

나는 어떤 식으로 접근할 것인지 계획을 세웠다. 20분 안에 1년 동안의 광고 시간을 팔기 위해 필사적으로 몸부림치는 다른 매체의 영업사원들처럼은 굴지 않겠다고 결심했다. 우선 20분은 1년 광고 계획을 결정하기에는 턱없이 부족한 시간이라는 것을 이해시키기로 하였다. 나의 전략은 나와 내 프리젠테이션을 다른 영업사원들의 그것과 차별화시키는 것이었다.

그는 우리 방송국의 연간 광고 일정표를 요구했지만 보여주지 않기로 했다. 청취율을 비롯해 지방 미디어들에 대한 상세한 정보가 담겨 있는 「아비트론 자료집」도 방송국에 두고 왔다. 광고료 조견표와 브로슈어도 챙겨가지 않았다. 내가 서류 가방에 넣어간 것이라고는 고객의 욕구에 관해 분석한 표와 메모지가 전부였다.

목요일 오후 1시 20분이 되자 보스 씨의 사무실 문이 열리더니 1시 면담인듯 한 영업사원이 나왔다. 그의 눈빛이나 절레절레 머리를 흔드는 것으로 보아 뭔가 대단히 못마땅한 것 같았다. 어쨌든 그가 나오면서 내가 들어갔다. 왼손에 서류 가방을 들고 보스 씨의 사무실로 들어서자마자 나는 오른 손을 내밀며 말했다.

"안녕하십니까, 보스 씨? 크리스 라이틀이라고 합니다."

그는 그보다 더 무뚝뚝할 수가 없는 어투로 말하였다.

"댁이 1시 20분이군요. 어디 앉아서 팔아 보시오."

내용 자체가 무례하지는 않았지만 듣는 사람의 기분을 불쾌하게 만들기에는 충분했다. 나는 속으로 이렇게 생각했다. '아주 재미있는 시간이 되겠군.' 심리학 강의를 들어본 적이 없으니 고객의 심리 상태가 어떤지 정확히 파악해 그에 맞추어 말하는 방법까지는 알 수 없었다. 그러나 보스라는 그 사람이 상대하기 힘든 고객이니만큼, 내 세일즈 방식을 조금 수정해 그의 스타일로 맞춰 들어가야 한다는 사실은 깨달을 수 있었다. 무뚝뚝하고, 신속하게, 그리고 정확하게 요점을 전해야 했다.

"아, 보스 씨께서 저희 방송사까지 직접 가셔야 할지 어떨지 잘 모르겠습니다."

나는 알고 있었다. 그토록 열심히 팔려고 애썼던, 먼저 다녀간 영업사원 열 세 사람 중 그 누구에게도 이런 이야기는 들어보지 못했다는 것을.

"내가 당신네 회사에 가 보아야 할지, 가 보지 않아도 괜찮을지 모르겠다니 그게 무슨 소리요?"

"아, 네, 보스 씨께서 자동차 딜러로 성공하신 분이라는 사실은 잘 알고 있습니다. 밀워키에서 어떤 활약을 하셨는지도 잘 알고 있고요. 저희 방송사도 이번 달에 역대 최고의 광고 수익을 기록했습니다. 그러니 양쪽 모두 상대가 없어도 잘 나갈 수 있다는 뜻입니다."

겨우 내 나이 스물 여섯 살이었지만 그의 눈을 쳐다보며 똑바로 말하였다.

"아메리칸 TV의 렌 마티올리, 존 랜카스터의 대리점, 코프스 등이 모두 제 고객입니다. 저는 그 분들의 판매 수익을 신장시키는 일을 돕고 있습니다. 그것이 제가 하는 일입니다. 이해가 되십니까? 제 고객들은 모두 거래와 판매, 그리고 이익을 신장시킬 수 있는 아이디어를 원합니다. 단지 광고료를 알려주고 견적을 제시하는 대신 아이디어를 제공하기 위해 저는 고객의 사업 분야에서 가장 중요한 아홉 가지 요소를 파악하고 분석합니다. 요소가 밝혀져야 경쟁자들보다 앞설 수 있는 광고를 할 수 있으니까요. 그런데 그런 분석을 제대로 하자면 한 시간 내지 한 시간 반 정도 걸립니다. 물론 지난 번에 고객과 제가 어떤 일정에 따라 어떤 식으로 광고를 내보냈는지 설명해 드릴 수는 있습니다. 그러나 제 생각에 선생님께서는 그 분에 비해 비록 힘은 들지 몰라도 더 큰 목표를 가지고 계신 것 같아 그것이 지금 당장은 소용이 없을 것 같습니다. 더 원대한 목표를 지니신 분이기 때문에 지금 그 자리에 앉아 계신 것 아닙니까?'

"보스 씨, 저는 단순히 광고 시간을 파는 대신 보스 씨의 목표에 합당한 제안을 해드리는 사람이 되고 싶습니다. 제 뜻을 이해하시고 인정하실 수 있으시겠습니까?"

그러자 그는 "그렇소"라고 말했는데 한층 부드러워진 목소리였다. 그의 책상 한 쪽에는 나보다 먼저 다녀간 다른 영업사원들이 남겨 놓고 간 자료들이 수북하게 쌓여 있었다. 나는 일어서서 그 자료 더미를 가리키며 말하였다.

"지금까지 쓸 만한 제안을 한 가지라도 받으셨습니까?"

그러자 그는 내 앞에서 가식 없는 모습을 보이기 시작했다. 그렇게 무뚝뚝하고 업계 최고권위자인 그가 축 늘어지듯 의자에 기대 누웠다.

얼굴에는 지친 기색이 역력했다. 그는 나를 쳐다보더니 말했다.

"크리스, 오늘이 내 생애에 가장 따분한 날이오."

"보스 씨, 아까 말씀드린 대로 저하고 그 분석을 한 번 해보시겠습니까?"

"크리스, 제발 그렇게 해주시게. 그리고 그냥 밥이라고 부르게."

"밥, 앞으로 어떻게 반전시킬 생각이십니까?"

한 시간 반 뒤, 밥 보스는 나와 함께 사무실을 나섰다. 사무실 문을 여니 네 명의 다른 영업사원들이 기다리고 있었다. 마치 폭풍우가 몰아치는 밤에 예정대로 착륙하지 못하고 공항 주변 하늘을 선회하고 있는 비행기들 같았다.

2주 후 그는 우리 방송사에 와서 계약을 했고, 그 계약은 그 해 우리 방송사 10대 계약 중 하나가 되었다.

그의 생애에서 가장 따분한 날은 1단계 프리젠테이션을 반복하는 열세 명의 세일즈맨을 연속으로 만난 날이다. 비록 고객이 원했다고는 해도 1단계 판매 방식은 고객을 따분하게 만든다. 나는 2단계 방식으로 접근해 들어갔기 때문에 다른 영업사원들과 달라보였던 것이다.

만일 내가 처음 그가 정한 20분동안 1단계 프리젠테이션을 반복했다면 계약은 성사될 수 없었을 것이다. 그가 절실히 원하는 광고에 대한 조언과 아이디어를 제공하는 사람이 되는 대신 어쩔 수 없이 광고를 하긴 해야 하니 대충 정한다는 생각의 그저 평범한 거래밖에 되지 못했을 것이다. 다른 모든 세일즈의 경우도 마찬가지이다.

_ . _ . _ . _ . _ . _ . _ . _

우연히 겪게 된 그 경험을 통해 나는 다음과 같은 '여섯 가지 교훈'을 얻을 수 있었다.

1. **녹록하지 않은 고객은 시원치않은 세일즈맨과 거래하려고 하지 않는다.** 내가 밥에게 뒤지지 않을 만큼 당당한 태도를 보였기 때문에(비록 예의는 지켰지만) 밥은 나를 존중해 주었다.

그리고 "댁이 1시 20분이군요. 어디 앉아서 팔아 보시오"라는 말을 나에 대한 인격적 모욕으로 받아들이지 않았다. 그는 아침 8시를 시작으로 20분 간격으로 만난 영업사원들 모두에게 그렇게 말했을 것이다. 다른 영업사원들과 나의 차이는 내가 단순히 방송광고 시간을 팔려고 하지 않았다는 점이다. 나에게 시간이 더 필요하다는 점을 이해시키려고 했다. 나는 팔려고 하는 것 대신 파는 방식에 대해 설득했다.

2. **차별화해야 한다.** 그렇다고 해서 언제나 남보다 더 잘해야 한다는 뜻은 아니다. 많은 세일즈맨들이 외부의 상황에 수동적으로 반응하는 반면 주도적으로 어떤 결과를 내려고 하지도 않는다. 결국 고객은 따분해진다. 열세 명이나 되는 영업사원이 한 사람의 고객을 만나고도 그 고객이 그 날이 자기 생애에 가장 따분한 날이었다고 생각하게 만들었다는 사실이 나는 아직도 믿어지지 않는다. 좀더 흥미를 유발하는 그리고 남들과는 다른 접근 방식을 취하는 것이 중요하다. 그러자면 필요한 것이 있다.

$3.$ **사전 계획이 필수적이다.** 1996년에서 1997년 사이에 실시한 다트넬즈 조사(Dartnell's Sales Force Compensation Survey)에 따르면 여러 가지 판매기술 가운데 사전 계획이 두 번째 중요한 위치를 차지한다고 한다(첫 번째는 접근 방식과 공감 정도였다).

사전 계획을 세우지 않고 고객과의 면담을 통해 어떤 결과를 얻고 싶은지 생각해 보지 않았더라면, 나 역시 성공할 수 없었을 것이다. 나에게는 계획이 서 있었고 분명한 목적이 있었기 때문에 20분 안에 1년치 광고 시간을 팔아야 하는 소용돌이에 휘말리지 않을 수 있었다. 나는 그 면담을 통해 얻고자 하는 것이 무엇인지 분명히 알았고 그것을 얻었다.

$4.$ **고객은 언제나 옳다.** 고객이 잘못된 생각을 하고 있다고 하더라도 그것을 직접 지적해줄 수는 없다. 밥 보스는 사람들이 자동차 대리점에서 자동차를 사는 방식으로 광고 시간을 사려고 했다. "최고의 조건을 제시해 보시오. 경쟁자는 얼마든지 있으니까. 내가 필요로 하는 것을 갖추지 못했다면 다른 데서 찾아보는 수밖에……." 그러나 나는 나에 대한 신뢰를 심어주고 나의 능력을 보여줌으로써 좋은 광고란 무엇인지 이해시킬 수 있었다.

$5.$ **지나친 손해를 감수해야 하거나 인격적으로 도저히 상대하기 어려운 고객이라면 포기할 각오를 해야 한다.**

"저희 방송사는 이번 달에 사상 최고의 광고 수익을 기록했습니다. 물론 보스 씨께서도 자동차 딜러로 성공하신 분이라는 것 잘 알고 있습니다. 그러니 양쪽 모두 상대가 없어도 잘 나갈 수 있습니다."

나는 그에게 광고 시간을 팔고 싶기는 했지만 꼭 팔아야 할 필요는 없었다. 젊거나 자긍심이 약한 세일즈맨이 고객과 대등한 위치에서 세일을 하기는 쉽지 않다. 굽히고 들어가는 것이 보통이다. 그래서는 안 된다. 어떤 고객이 되었든 그 고객이 여러분에게 지불하는 금액 이상의 가치가 있는 상품이나 서비스를 여러분이 제공한다는 확실한 믿음을 지녀야 한다.

6. **고객의 조직 내부에 있는 사람들과 친분 관계를 유지하라.** 나는 늘 대리점 영업사원, 사무직원, 정비공들과 대화를 하며 지냈다. 그래서 새 관리자가 부임해 왔을 때 그런 사람들을 통해 그에 대해 어느 정도 파악할 수 있었다.

밥 보스를 만났을 때 내가 취한 위와 같은 행동들 덕분에 장기간에 걸친 거액의 계약을 성사시킬 수 있었다. 그러나 내가 고객을 필요로 하는 입장이었다면 달리 행동했을 것이다. 나는 고객이 필요로 하는 사람이 되길 원했기 때문에 남과 다른 결과를 얻을 수 있었던 것이다.

◆ 우연히 세일즈를 하게 된 사람을 위한 격언 _

고객을 지루하게 만들어서는 팔 수 없다.

◆ 부수적 조언 _

고객은 여러분이 파는 물건을 사기 전에 여러분의 판매 방식
을 산다.

여러분이 고객과 어떤 식으로 일을 해 나갈 것인지 빨리 이해시
킬수록 고객은 여러분의 상품을 더 빨리 사게 된다. 단순하지만 효
과가 큰 이 원리는 여러분과 고객사이에 가로 놓인 장애물을 헤치
고 나아갈 수 있게 해준다. 이 원리에서 우리는 마법의 주문과도 같
은 한 마디를 가슴에 새길 수 있다.

◆ 마법의 주문 _

"앞으로 저는 이렇게 할 것입니다."

주문을 외우듯 이 말을 할 때마다 고객은 세일즈맨이 분명한 계
획을 가지고 체계적으로 문제 해결에 임하고 있다는 인상을 받게
된다. 세일즈는 연속된 하나의 과정이라는 사실을 깨닫고 그 전체
과정의 세부 단계를 분명히 구분하여 설명할 수 있을 때 다른 많고
많은 세일즈맨들과 차별화된 진정한 프로라는 인식을 심어 줄 수
있다.

여러분의 진행과정 자체를 고객에게 이해시키지 못한다면 실제 상품이나 서비스를 팔 때 어려움을 겪게 된다. 너무나 많은 세일즈맨들이 지름길로 가려고 한다. 거쳐야 할 과정을 거치지 않고 상품과 서비스를 팔려고 할 때 많은 거부 반응에 부딪히게 된다.

내가 밥 보스를 만났던 첫 날 그는 우선 나의 판매 방식을 이해하고 받아들였다. 한 마디로 나의 판매 방식을 산 것이다. 그리고 2주 후 그는 실제 내가 파는 것을 대량으로 사들이기 시작했다. 고객의 입장에서는 우선 세일즈맨의 판매 방식을 사는 것이 쉽다. 시간만 조금 내 주면 되기 때문이다. 반면에 상품은 돈을 주어야 하기 때문에 쉽게 사지 않는다.

여러분이 취할 판매 전략은 간단하다. 앞으로는 고객을 만나면 실제 상품과 서비스를 팔려고 하는 대신 어떻게 팔 것인지를 말하면 된다. 간단한 방법이지만 효과는 클 것이다. 그러나 대부분 간단한 이 단계를 생략하고 마는데, 그로 인해 치러야 하는 대가는 너무 비싸다. 고객이 여러분의 판매 방식을 사고나면 실제 여러분이 파는 물건은 쉽게 산다.

◆ 우연히 세일즈를 하게 된 사람을 위한 격언 _
여러분의 전략을 드러내는 것은 좋은 방법이다.

◆ 부수적 조언 _
앞으로의 진행과정에 관해 미리 알 경우 고객은 여러분의 전

술에 방어 태세를 취하는 대신 협조하는 자세를 갖는다.

여러분이 끼워야 할 첫 단추는 고객을 이해시키는 것이다. 앞으로 무슨 일이 있을 것이며 언제 그 일이 있을 것이라는 사실을 고객에게 알리라. 일단 마법의 주문을 외우고, 여러분의 전략을 분명하게 드러낸다면 경계심은 사라지고 분명한 의사소통이 가능해진다. 상황이 어떻게 전개되어 나갈지 알고 있기 때문에 고객은 여러분을 밀어내거나 방어 태세를 갖출 필요가 없다. 어떤 거래가 세 번의 만남을 필요로 한다면 그대로 말하라. 세 번째 만남에서 프리젠테이션을 할 것이고 주문 여부도 그 때 결정하라는 점을 분명히 해 두어라. 그러면 고객은 방어해야 할 필요성을 느끼지 않는다.

여러분이 이런 전략을 취한다면 고객이 경계 태세를 갖지 않기 때문에 여러분은 경쟁자들에 비해 우위를 점하게 된다. 그것은 어떤 얕은 술책을 쓸 때 고객이 취할 방어 태세를 어떤 기교를 부려 사라지게 만들었기 때문이 아니다. 왜냐하면 애초부터 경계 태세 같은 것이 존재하지 않았기 때문이다.

거래에서 말을 많이 하는 것보다는 잘 듣는 것이 중요하다는 점은 잘 알고 있을 것이다. 여러분의 계획을 고객에게 미리 전달하고 나면 여러분 또한 더 잘 들을 수 있는 심리적인 여유를 가질 수 있게 된다. 그리고 고객과의 첫 만남에서 경쟁사의 제품에 비해 여러분의 상품이 얼마나 좋은지 등의 시시콜콜한 이야기는 한 마디도 꺼내지 않아도 될 것이다. 또 판매로 어떻게든 빨리 몰고 가고 싶은 초

조함도 사라질 것이다. 왜냐하면 여러분의 판매방식을 미리 이야기했기 때문이다. 그 과정을 충실히 지키고 고객의 욕구를 분석하여 채워줄 것은 채워주고 제안할 것은 제안하라. '판매' 란 온당한 절차를 갖춘 거래를 시작으로 거쳐야 할 과정을 제대로 거친 결과 자연스럽게 얻어지는 결과이어야 한다.

고객에게 어떻게 접근해 가는가가 중요한 열쇠이다. 세일즈의 시작이 마무리보다 더 어려운 것이다. 여러분이 방식을 알 때 고객의 머릿속에 경계심은 사라지고 협조심이 생겨난다. 바로 그때 여러분은 하나 사달라고 사정하고 조르는 사람이 되는 대신 '협력자' 가 되는 것이다.

우연히 배우게 된 세일즈
—『우연한 여행자 』

나는 앤 타일러의 소설 『우연한 여행자 The Accidental Touist』를 읽고 느낀 바가 많았다. 여행을 혐오하는 여행기 작가의 이야기는 어떻게 하다 보니 세일즈맨이 되었지만 다른 직업에 미련을 갖고 있는 사람들에게 자신의 이야기처럼 들릴 것이다.

주인공인 매콘 리리는 여행을 혐오하는 여행기 작가이다. 그는 자신처럼 여행을 싫어하는 사람들을 위한 여행 안내서를 쓴다. 어떻게 하면 여행지의 원주민들과 부딪히지 않을 수 있는지, 어떤 곳에 가면 늘

먹는 미국식 음식을 먹을 수 있는지 등에 관해 알려 준다. 외국 여행을 할 때 잃고 나면 크게 상심할 것은 어떤 것도 가지고 가지 않는 것이 좋다고 독자들에게 충고한다.

그는 예상 밖의 것들을 피하기 위하여 자신이 취할 수 있는 모든 수단을 동원한다. 그리고 자신이 유지하는 심리적 안정감에 희열을 느낀다. 그렇기 때문에 그의 심리적 안정감으로 상징되는 안락의자에서조차 벗어나지 않으려고 애를 쓴다.

매콘은 매사에 가장 안락한 길을 택해 살려고 애쓰지만 언제나 세상은 그가 원하는 식으로 살 수 있게 내버려두지 않는다. 아들의 허망한 죽음에 이어 부인과는 이혼을 하고, 결국에는 안락의자에서 벗어나 어떻게 살아야 할 것인지 현실적인 선택을 해야 하는 처지에 직면하게 된다.

— · — · — · — · — · — · — · —

이 소설에서 매콘은 여행을 떠나 다른 나라에서 어떻게든 자신의 집과 같은 환경을 조성하여 여행에서 오는 불편함과 번잡스러움을 해소하려고 한다. 그러나 시차로 인한 피곤함, 통하지 않는 의사소통, 자신의 나라와는 정반대인 도로 방향, 장난감처럼 보이는 돈, 처음 접해보는 음식 등은 모두 여행에 필수적으로 수반되는 것들이다. 이런 것들은 사람들로 하여금 새로운 세계에 눈을 뜨게 해주거나 친숙한 것을 찾아 도피하게 하거나 한다.

바로 그 '선택' 이라는 요소 때문에 이 소설이 우리에게 커다란 교훈을 주는 것이다. 성공하고 싶다면 자신만의 세계에서 벗어나 사람들과 만나고, 거부당하는 아픔도 감수해야 한다. 현상을 유지하려고 몸부림치는 대신 변화를 바라고 또 적극적으로 받아들여야 한다.

성공한 세일즈맨이 되려면 어릴 때부터 너무 많이 듣고 배워 온 여러분 의식에 뿌리 내린 부정적 사고방식을 걷어 내야 한다.

"모르는 사람하고는 말하지 말거라," "누가 먼저 말을 걸거든 그 때 이야기해라," "나서지 말거라," 이 말을 수없이 들어왔을 것이다.

특히 내가 자주 들은 말은 이것이다. "조심하거라."

이 책을 쓰고 있는 나는 지금 쉰을 눈앞에 두고 있다. 지난 49년 동안 어머니께서는 늘 이렇게 말씀하셨다. "얘야, 엄마는 너를 사랑한단다. 이 엄마를 생각하며 항상 조심하거라."

부모님이나 친한 친구 그리고 비행기 승무원들에게서 조심하라는 말을 얼마나 많이 들었는지 한번 세어 보라. "잘 가, 조심해," "자, 이제 조심하시기 바랍니다."

그렇다면 이 말은 몇 번이나 들었는지 꼽아 보라. "너는 할 수 있어," "도전해 봐" 그리고 "너는 일류 세일즈맨이 될 거야." 여러분은 오늘 성공하기 위해서 힘들지만 반드시 해야 하는 무엇을 할 것인가? 여러분은 어린 아이도 아니고 평생 안락의자에 파묻혀 숨어 있을 수도 없다. 인생이 여러분을 찾아낼 것이다.

|제3장|
도전

앞으로 여러분은 잠재고객을 접할 때마다 2장에서 살펴본 이정표,
즉 [표2-1]에 따라 어떤 단계의 세일즈맨이 되고 싶은지 스스로 선택
하게 될 것이다. 나는 그것을 '도전'이라는 말로 부르고 싶다. 도전
을 하는 순간 여러분은 어쩔 수 없이 세일즈를 하는 사람에서 벗어
나 목적의식을 가지고 파는 사람이 된다. 찰나에 사람이 달라지는
것이다.

어쩔 수 없이 세일즈에 종사하는 세일즈맨들과 경쟁하게 되기
때문에 여러분이 새롭게 갖추게 된 목적의식은 여러분을 그런 사람
들과 대비되게 할 것이다. 여러분이 몸담아 뛰는 업계에서는 세일
즈를 어떻게 해야 한다는 나름대로의 기준을 갖게 될 것이다.

세일즈가 전문직종이냐 아니냐에 대해서는 논란의 여지가 있

다.『웹스터 사전』에 따르면 전문직, 즉 프로페션(Profession)이란 '특수한 지식과 대체로 장기간에 걸친 집중적 학업을 필요로 하는 직업'이라고 정의하고 있다. 웹스터의 사전적 정의에 따르면 세일즈는 변호사나 의사 같은 전문직종이 아니다.

전문직 종사자가 되기 위해서는 여러 가지 조건을 갖추어야 하는데, 우선 자격시험에 통과해야 한다. 또 대부분이 자신의 의지로 그 길을 선택한다. 그리고 그 길을 가기 위해 많은 것을 희생한다.

전문직 이야기가 나왔으니 다음 비디오 한 편을 감상해보자. 소방대원의 전문가 의식을 다룬 영화이다. 론 하워드 감독의《분노의 역류 Backdraft》는 화재 장면의 불길 처리에 사용한 특수 효과로 아카데미 특수 효과상을 받은 영화이다. 그러나 나는 특수 효과보다는 이 영화의 한 장면에서 크게 깨우친 것이 있다.

2000원으로 배우는 세일즈
—《분노의 역류 (Backdraft)》

영화가 시작되면 어린 형제가 소방대원인 아버지의 출동 현장에 함께 갔다가 아버지가 화재 진압 도중 사망하는 모습을 목격하는 장면이 나온다. 그렇게 죽은 아버지가 비록 〈라이프〉지의 표지에 실리지만 눈 앞에 보이는 건 평탄치 않은 앞날이다. 비극적 사고로 동생 브라이언은 정신적 충격을 받는 데 비해 형인 불은 도전 정신을 갖게 된다.

그렇게 20년이 흐르고 세일즈맨으로 실패한 브라이언이 시카고에 있는 집으로 돌아온다. 그는 소방대원 훈련 과정을 수료한 후 형에게 자신도 소방대원이 되겠다고 한다. 형 불은 동생에 대한 진심 어린 충고에 약간의 경쟁의식을 더해 동생의 성격을 이렇게 공격한다.

"다른 일을 해보다 안 되니까 집에 돌아와 놓고서, 아버지께서 소방대원이었고 내가 소방대원이라고해서 너도 소방대원이 되어야 한다는 생각이 가슴 밑바닥에서부터 우러났다는 말을 내가 믿기를 바라는 거냐? 너는 실패자야. 내가 겁나는 것은 네가 불길 앞에서 도망도 제대로 못 칠 것이라는 거다. 되도록이면 불길에서 떨어져 있으라는 말이야. 아, 물론 훈련은 받았겠지. 그렇지만 진짜 문제는 소방대원이라는 이 직업에는 숨을 곳이 없다는 거야. 통나무 오두막집을 팔면서 맞닥뜨리는 일진 사나운 날 같은 것은 비교가 되지 않는다구. 재수 없는 날은 누군가가 죽는 날이란 말이다."

어느날 의문의 화재로 요원들이 사망하는 사건이 발생한다. 지능적인 방화범의 소행이다. 브라이언은 화재 진압보다는 사건 조사에 더 자질이 있는 것으로 알려져 특별 수사반에 배속되고, 결국 범인을 검거하게 된다.

––––––––––––––––––––

내가 시원치 않게 옮겨서 영화에 누가 되는 것이 아닌지 모르겠다. 그러나 진지하게 생각해볼 것은 이 영화에서도 세일즈맨이 또 다시 좋지 않은 평판을 받는다는 사실이다. 불은 단 몇 마디 말로

'세일즈'라는 직업 전체를 우스꽝스럽게 만들어 버린다.

"이 일에는 숨을 곳이 없다"는 말은 세일즈맨이라는 직업이 소방대원 같은 전문직과 달리 특별한 목적도 없이 이리저리 왔다갔다 할 수도 있고, 시간을 내어 골프 연습을 할 수도 있는, 즉 어려운 상황을 감수할 필요 없이 뒤로 조금 물러나면 된다는 말이다.

"이 일은 통나무 오두막집 세일즈를 하다 일진이 사나운 날을 만나기도 하는 것과는 비교가 안 된다"는 말은 결국 이렇게 바꾸어 말해도 마찬가지이다. "이 일은 세일즈맨이 겪는 운수 사나운 날과는 비교가 안 된다." 불이 하고자 하는 말은 세일즈맨은 소방대원만큼 높은 자격 요건을 갖추지 않아도 된다는 것이다.

여러분은 수수료를 받고 판매를 하는 일도 힘들다고 생각할 것이다. 정신 차려라! 화재 발생을 알리는 사이렌은 더 자고 싶으면 꺼버릴 수 있는 자명종과는 다르다. 소방대원은 '마음이 내킬 때'만 해도 되는 그런 직업이 아니다. 할 일이 없어 소방대원이 된 사람은 없다. 소방대원은 소방학교에 들어가기 위한 시험을 치른다. 그들은 대부분의 세일즈맨들에 비해 더 공부하고 훈련한다. 그들은 자신을 전문가라고 생각한다. 전문화된 지식을 갖추고 있으며 많은 시간을 들여 훈련을 받는다.

만일 여러분이 무사한 하루에 이어 또 다시 무사한 하루가 지나고, 계속해서 그런 날이 이어져야만 하고, 어긋날 경우 누군가가 죽는 직업을 가졌다면 어떻게 할 것인가? 그리고 그 누군가가 여러분일 수도 있다면? 그러면 여러분 하는 일에 좀 더 정신을 집중할 수 있을 것 같은가? 좀 더 몰입할 수 있을 것인가?

운수 사나운 날은 없다!

영화 《분노의 역류 Backdraft》를 보고 난 뒤로 나는 '운수 사나운 날은 없다'를 직업 정신으로 삼았다. 이런 정신 자세는 '기준을 높여 잡는 것'이다. 우리가 늘 접하는 공인 회계사, 외과 의사, 변호사와 같은 전문직 종사자들이 생각하고 있는 바로 그 기준이다. 운수 사나운 날을 맞는 의사는 의료 사고로 소송에 휘말릴 것이다. 많은 전문직 종사자들은 '무사한 하루'에 이어 또 다시 '별 일 없는 하루'가 계속되어야 할 필요가 있는 사람들이다. 나는 여러분들이 소방대원의 기준 혹은 다른 전문직 종사자들의 기준으로 여러분 자신의 직업 정신을 점검해 볼 것을 권한다.

얼마 전에 출간된 『감정의 전이 Emotional Contagion』이라는 책이 있다. 그 책에 따르면 미국인의 75 퍼센트가 사흘 걸러 하루씩 '운수 사나운 날'이 찾아온다고 생각하고 있었다. 여러분도 그렇게 생각한다면 1년에 네 달을 운수 사납게 살아야 한다. 만약 '운수 사나운 날은 없다'가 여러분의 구호가 된다면 여러분의 생산성이 얼마나 향상될지 생각해 보라.

전문가들은 스스로 높은 기준을 설정한다. 많은 소방대원들이 20~30년 정도의 현역 생활을 무사히 마치고 정년퇴직하는 것도 우연이 아니다. 끊임없는 훈련과 노력이 그들로 하여금 매번 화재 사건을 전문가로서 대하게 만드는 것이다.

세일즈에서도 '행운의 날'에 이어 또 다시 '좋은 하루'가 이어질 수 있다. 그러나 첫째, 우선 여러분도 그럴 수 있다는 것을 믿어야 한다. 둘째로는 좋은 날이 되자면 고객들과의 만남이 잘 되어야하고, 이런 좋은 만남은 여러분의 의식적인 노력으로 2단계, 3단계, 4단계의 모습을 보여줄 때 가능해진다는 것을 알아야 한다. '행운의 날'에 이어 또 다시 '좋은 하루'가 이어지게 하는 것은 전문가의 선택이다.

그렇게 되면 어떤 변화가 생길까? 운수 사나운 날 같은 것을 믿는다는 자체가 여러분으로서는 납득할 수 없게 될 것이다. 물론 여러분과 가족을 위한 경제적 여유도 생길 것이다. 그리고 그에 못지않게 중요한 것으로 여러분은 세일즈라는 직업을 즐기고 성취감을 느낄 것이다. 목적의식을 가지고 팔며, 고객이 가치 있게 생각하는 것들을 제공하려고 할 때 고객과의 좋은 만남에 이어 또 다시 멋진 만남이 이루어 질 것이다. 그럴 때 여러분은 행운이 가득한 나날을 보낼 수 있을 것이다.

세일즈 강사에게도 운수 사나운 날은 있을 수 없다

내가 어느 대기업을 위한 세미나를 맡았을 때의 일이다. 세미나를 실시하기로 한 방에는 20여 명이 모여 있었다. 그러나 위성 중계를 통해 10여 곳의 다른 지역에서 세미나를 수강하는 인원들을 모두

합치면 8백 명이 넘는 규모 있는 세미나였다.

세미나 시작 5분 전 나를 초청한 그 대기업 부사장 옆을 지나쳐 가려는데 그가 물었다. "준비는 되었습니까?" 나는 대답 대신 이렇게 말했다. "제가 어떻게 했을 것 같습니까?"

잘난 체하는 나의 대답을 별로 개의치 않는다는 듯 그가 미소 지었다. 세미나라는 것 자체가 나에게 도움이 되는 요소를 안고 있었다. 무슨 말인가 하면 정해진 시간에 시작해서 정해진 시간에 끝나는 것인 만큼 나 스스로도 몰두할 수 있고 또 듣는 이들의 주의를 집중할 수 있었다.

여러분의 선택은 어떤 것인가? 세일즈라는 직업의 좋은 면 가운데 하나는 하루에 몇 시간을 남의 이목을 받지 않아도 된다는 것이다. 그런데 바로 그런 여유 때문에 너무나 많은 세일즈맨들에게 너무나 많은 선택의 대안이 제공된다. 스스로 높은 기준을 설정하고 그 기준에 충실한 것이 세일즈라는 직업에도 체계를 부여하는 길이다.

관리자의 의무 가운데 하나는 사람들이 원하든 원하지 않든 해야 할 일을 하는 체계를 만드는 것이다. 여러분에게도 그런 체계가 필요하다. 전문가들은 이렇게 말한다.

"관리란 자신을 위해 일하는 사람들로 하여금 실패라는 달갑지 않은 결과를 피할 수 있도록 필요한 일을 하는 것이다."

이 말은 여러분에게도 중요하다. 목적의식을 가지고 파는 사람만이 스스로를 위해 까다로운 기준을 설정하기 때문이다.

성공을 위한 세 가지 비결

"크리스, 성공하는 데는 세 가지 비결이 있습니다."

내 옆자리에 앉은 남자가 말했다. 시카고에서 샌프란시스코까지 가는 비행기 안에 나란히 앉게 된 우리는 막 기내식의 디저트까지 먹고 난 직후였다.

나는 비행기에서 옆자리에 앉은 사람과 좀처럼 말을 하지 않는 편인데, 이야기를 하다 보면 예외 없이 나의 직업에 관해 궁금해 하기 때문이다.

"말하는 직업인데, 그 이야기는 별로 하고 싶지가 않습니다"라고 대답하고 싶을 때가 많다. 말하는 게 직업이라는 것을 알게 되면 또 다시 "어떤 내용의 말을 하십니까?"라고 묻기 때문이다. 결국 비행기 안에서 이야기를 하게 되면 1주일에 두세 번 정도는 하고 싶지도 않은 말을 하게 된다.

그러나 이 날 내 옆자리에 앉은 사나이는 미처 내가 음악을 들으려고 이어폰을 끼거나 책에 눈길을 줄 틈도 주지 않고 말을 붙여왔다. 나는 그에게 어떤 일을 하느냐고 물었다.

"은퇴했습니다."

젊어 보이는 사람에게서 은퇴했다는 말이 나오길래 나는 약간 놀라서 어떤 일을 하다 그만두었느냐고 물었다.

"저는 사업체들이 여러 지역에 산재해 있는 재고를 정확히 파악할 수 있는 소프트웨어 프로그램을 개발했습니다. 그리고 나서

벤처 캐피털을 끌어들여 회사를 세웠고, 곧 이어 상장을 했습니다."

인생은 정말 커다란 배움터이다. 그 말을 듣고 나서 나는 한 시간 반가량 그에게 이것저것 물어보았다.

"벤처 캐피탈을 어떻게 끌어들였습니까? 포천지 선정 500대 기업들과는 어떻게 거래를 텄나요? 주식 공개 때 주식을 인수한 회사들은 어떤 투자 회사들이었습니까?"

내가 하도 여러 가지를 물었기 때문에 그는 틀림없이 지겨웠을 것이다. 디저트를 먹으며 그가 말했다.

"크리스, 성공하는 비결을 알고 싶은 겁니까?"

이 말은 내가 그날 밤 일기장에 써 놓은 그대로이다. 그의 이름은 기록해두지 않았지만 우리가 유나이티드 항공의 1등석에 타고 있었다는 사실을 감안하면 그의 말을 믿어도 좋을 것이다.

"성공하는 첫 번째 비결은 자신이 하는 일에 대해 아는 것입니다."

자신이 몸담고 있는 업계에 대한 지식이 없다는 그 한 가지 이유로 실패하는 사람이 많다. 그들은 세미나에도 참가하지 않고 책도 안 읽는다. 그러니 실패한다. 그렇지만 자신이 하는 일을 아는 것이 다는 아니다.

"성공하는 두 번째 비결은 자신이 하는 일에 대해 알고 있다는 사실을 아는 것입니다."

성공은 과정이며 성공적인 행동을 지속적으로 되풀이하는 것이 열쇠이다. 그러나 어떤 것이 효과가 있는지 알아야 그 효과적인 것을 되풀이할 수 있다.

"성공하는 세 번째 비결은 당신이 안다는 사실이 알려져야 한다는 겁니다."

자신이 하는 일을 안다는 사실을 다른 사람들도 알아야 할 것이다. 당신이 업무에 관련된 어떤 일을 한다는 사실을 고객이 알 때 그들은 단지 제품 가격이 싸서가 아니라 당신의 도움과 조언을 얻기 위해 당신을 찾는다.

이제 여러분에게 직면한 도전은 고객을 대할 때마다 [표2-1]에 분류되어 있는 여러 유형의 세일즈맨 가운데 과연 어떤 세일즈맨이 될 것인지 여러분 스스로 선택하는 것이다. 또 한편으로는 여러분이 파는 것으로서만이 아니라 아는 것으로서 알려져야 한다는 것이다.

우연히 세일즈를 하게 된 사람도 팔기는 하지만 팔고 나서도 어떻게 팔 수 있었는지 제대로 알지 못한다. 하루의 대부분을 외부의 영향에 따라 반응하는 정도의 행동을 취하기 때문에 누가 무엇을 사는지에 대해 스스로 통제하는 힘이 없다고 생각한다. 그들에게 세일즈는 '시기를 맞추었느냐 못 맞추었느냐'의 문제이며 '운수가 좋으냐 나쁘냐'의 문제이다.

목적의식을 갖고 팔기 시작하는 순간 팔고 있기는 하되 팔고 싶어 하지 않는 사람들과 달라질 것이다. 고객을 여러분의 판매 과정에 동참시키기 위해 무엇을 왜 해야 하는지 의식하면서 주도적으로 의사 결정을 하게 된다.

여러분은 선택을 하였다. 고객을 대할 때마다 [표2-1]에 제시되어 있는 여러 부류의 세일즈맨 가운데 어떤 사람이 되겠다는 선택을 하였다. 목적의식을 가진 것이다. 다행스러운 날과 좋은 날만이 이어지게 하겠다는 결심도 했다. 그렇다면 다음으로 할 일은 고객에게 여러분의 그 같은 선택을 알리는 것이다. 그렇게 하면 그들은 '예전의 당신'과 달라진 '새로운 당신'을 알아볼 것이다.

여러분의 전문성을 고객에게 알려야 한다. 전문가는 준비하는 것에서부터 다르다. 여러분은 고객이 자신을 믿기를 바란다. 세일즈맨과 고객이 서로 만족할 만한 관계가 되려면 고객의 인격적인 신뢰가 밑바탕에 깔려 있어야 한다.

상품만 파는 것이 아니라 전문성까지 팔아야 한다. 많은 세일즈맨들이 자신들이 아는 것을 고객에게 알리지 않기 때문에 그렇게 알리는 사람은 크게 달라 보인다. 전문성을 알리는 일이 얼마나 중요한지 다음 사례를 보면 알 수 있다.

✏ 우연히 배우게 된 세일즈
—"승객 여러분, 저는 이 항공기의 기장입니다……."

1990년대 초반 US 에어(현재의 US AIRWAY)는 5년 동안 다섯 번의 항공기 사고를 냈다. 항공기 사고로 인한 사망률이 4천만 명에 한 명 꼴이라는 점을 감안할 때 사실 항공기는 굉장히 안전한 교통수단이다. 그런데 한 항공사가 5년 사이에 다섯 건의 사고를 냈다면 그것은 불운과 조종사의 미숙함, 기체 결함, 우연 등이 어우러진 정말 드문 경우이다.

그 중 하나가 뉴욕 라 구아디아 공항에서 발생한 사고이다. 당시의 보도에 따르면 그 비행기의 기장과 부기장은 그 사고 이전에 함께 비행한 적이 한 번도 없었다고 한다. 그날 밤은 폭풍우가 몰아쳤다. 비행기가 이륙하기 위해 힘차게 활주로를 내달릴 때 기장은 이륙에 필요한 사전 점검을 부기장이 했을 것으로 생각했다. 부기장은 부기장대로 기장이 점검했을 것으로 믿었다. 아무도 조종실 점검을 하지 않았다는 사실을 발견하고 돌이키기에는 이미 늦어버렸다. 보조 날개가 이륙에 필요한 상태로 준비되어 있지 않았기 때문에 비행기는 이륙을 할 수가 없었던 것이다. 활주로 끝에 이스트 리버가 보이기 시작하자 이륙을 취소하기로 순간적 결정을 내렸다. 그들은 엔진을 역회전시키면서 브레이크를 밟았다. 착륙 기어가 파열되고 비행기는 앞부분부터 이스트 리버로 곤두박질쳤다. 이 사고로 2명이 사망하고 64명이 부상을 당했다.

사고 원인을 조사한 연방 항공 관리국은 악천후보다는 조종사의 과실에 의해 사고가 난 것으로 결론지었다. 사고 두 달 뒤 〈USA 투데이〉는 다음과 같은 보도를 했다.

'블랙박스 확인 결과 US 에어 조종사측 과실로 판명됨.'

이 사고가 발생하고 3주일 후 나는 시카고에서 다른 항공사의 비행기를 탔다. 사업상 이동하는 많은 사람들과 함께 1등석에 앉아 있었다. 이륙 전에 늘 그렇듯이 승무원이 안전과 관련해 안내를 하고 있었다.

승무원의 안내가 끝나자 마이크 켜지는 소리가 나더니 기장이 안내 방송을 하기 시작했다. 기장이 한 말을 그대로 옮기면 이렇다.

"승객 여러분, 저는 이 항공기의 기장입니다. 저희는 비록 업계 2위의 항공사이지만 저는 조종실 점검을 모두 마쳤습니다. 이제 승무원들도 모두 착석해 주시기 바랍니다."

비행기 여행이 잦은 승객들 가운데 기장의 색다른 안내 방송을 들은 사람들은 안심하는 듯 했다. 나도 몸이 느긋하게 풀어지는 느낌을 받았다. 안도의 한숨을 내쉬며 얼굴 표정이 밝아지는 사람도 몇 있었다. 그 순간 비싼 항공료를 아까워 할 사람은 아무도 없었다. 그 날 비행기를 타면서 느꼈던 불안감은 조종실 점검을 마쳤다고 안내를 한 기장의 멋진 '세일즈 프리젠테이션' 덕분에 누그러졌던 것이다.

◆ 큰 교훈 __
여러분이 프로라는 것을 고객이 알아줄 것이라고 짐작하지 말고 스스로 알려야 한다.

대부분의 기장들이 비행 전에 필요한 사전 점검을 마치지 않고 비행할 생각을 하지는 않을 것이다. 그러나 자신이 점검을 마쳤다는 사실을 승객에게 알려야 한다는 생각도 하지 않을 것이다. 그렇기 때문에 항공사의 기장이 해야 할 당연한 의무로 생각했던 그 일은 그의 승객들 다시 말해서 항공사의 고객들에게 큰 영향을 미쳤던 것이다.

　여러분이 하는 일을 구체적으로 고객에게 알리고 있는가? 불안해하는 승객들에게 그 기장이 자신의 전문성을 드러내 보였듯이 여러분도 고객에게 그들이 보지 않는 동안 무엇을 하는지 알림으로써 큰 감동과 믿음을 줄 수 있다.

　◆ 마법의 주문 _
　　"오늘 이렇게 만나 뵙기 위한 위해 제가 준비한 것은……"

　기장은 대부분의 시간을 승객들이 볼 수 없는 조종실에서 보낸다. 마찬가지로 여러분이 고객을 위하여 하는 일의 대부분은 고객이 볼 수 없는 곳에서 일어난다. 고객은 여러분이 그들을 생각하는 만큼 여러분을 생각해주지 않는다. 그들에게는 신경 써야 할 다른 문제 거리가 많이 있다. 조금이라도 더 가주는 것은 좋다. 그런데 그 사실을 알려야 여러분의 수고에 대한 마일리지를 받을 수 있다.

　다음에 잠재 고객이나 고객과 만나게 되면 이런 말로 시작하라.

　"오늘 이렇게 만나 뵙기 위해 제가 준비한 것은……."

　이어서 여러분이 만남을 위한 사전 작업으로 했던 두 세 가지 일에 대해 이야기하라. 그들은 여러분의 말에 더욱 주의를 기울이며 여러분을 존중하는 태도를 보일 것이다. 그러면 기껏 "이 제품으로 말씀드리자면……" 정도의 말로 시작하는 다른 경쟁자들을 날려버릴 수 있다.

여러분이 말해 주지 않으면 고객은 알 수가 없다. 여러분이 한 일에 대해 고객이 안다면 여러분과 더욱 편한 마음으로 거래를 하게 될 만한 일을 하고 있는가? 이 중요한 질문을 항상 잊지 말라. 여러분 스스로 대답할 수 있다면 고객에게 이야기 해주라.

고객 기업에 대한 정보를 얻기 위해 웹 사이트에 접속한 적이 있는가? 그렇다면 주저하지 말고 알려라. 고객의 문제로 기술부서 사람들과 30분에 걸쳐 고민하였는가? 그렇다면 그 사실을 혼자만의 비밀처럼 가슴에 묻어 두지 말라. 고객에게 보다 나은 서비스를 제공하기 위해 연수를 받거나 강의를 듣거나 책을 읽고 있는가? 고객을 만나면 일찌감치 그 이야기를 하라. 최근에 고객의 업계에 관한 책들을 읽었는가? 요점을 정리하여 고객과 의견을 교환하라.

학창시절 수학시간에 선생님들이 풀이 과정을 보이라고 요구했던 기억이 날 것이다. 선생님들은 정답을 원했지만 또 한편 그 정답을 얻어낸 과정에 대해서도 깨닫기를 바랐다.

같은 원리이다. 고객은 거래를 성사시키기 위해 열심히 노력한 사람과 거래를 하려고 한다. 여러분의 노력을 보여주는 것이 승리하는 전략이다. 여기에서 우리는 다음과 같은 교훈을 얻는다.

◆ 우연히 세일즈를 하게 된 사람을 위한 격언 _
전문가는 마땅한 준비를 중요하게 여긴다.

여러분이 어떤 준비를 했는지 고객에게 알린다면 고객은 여
러분의 노력을 알아줄 것이다.

최근에는 영화를 어떤 식으로 촬영하였는지 보여주는 단편 기
록 영화나 TV 프로그램을 흔히 볼 수 있다. 감독이나 영화 제작사가
자신들이 하는 일을 관객에게 알리자는 의도이다. 어떤 특수 효과
를 써서 공포심을 자아내고 때로는 영화관 밖으로 도망가고 싶을
정도의 섬뜩한 무서움을 느끼게 하였는지 말해주는 것이다.

그렇게 하는 이유는 어떤 제작 기법이 활용되었는지 알릴 때 관
객은 더 강한 인상을 받는다고 여기기 때문이다. 촬영 현장과 동원
된 기법 등 과정을 보여주는 것은 낯선 현상이 아니다. 과거 영화 팬
들은 연기와 거울 같은 효과가 동원되는 것을 봄으로써 자신들의
환상이 깨지는 것을 원치 않았다. 그러나 요즈음 사람들 대부분은
다르다. 특수 효과에 사용된 기술을 알수록 더 큰 재미를 느낀다.

내가 이 책을 기획하고 성공 가능성을 타진하던 시기에 언젠가
어느 항공사가 마련한 서비스 룸에 잠시 앉아 있었던 적이 있었다.
편안한 좌석에 전화기도 있고, 노트북 컴퓨터를 사용할 수도 있었
다. 두 사람과 전화 통화를 하였는데 그 중의 한 사람에게 우연한 세
일즈맨에 관한 원고를 쓰고 있다는 말을 했다. 전화를 끊고 나자 내
옆자리에 앉아 있던 여자가 나를 보고 말하였다.

"죄송합니다. 일부러 들으려고 해서 들은 것은 아닌데, 방금 통

화하신 내용을 듣게 되었습니다. 사실은 저도 어떻게 하다 보니 세일즈에 몸을 담게 된 사람입니다. 전에는 방사선과 간호사였는데 그 때 환자들에게 늘 사용하던 의료기기를 지금은 제가 팔고 있습니다."

나는 이 책 앞의 사본을 그녀에게 보내주었다. 그녀는 그것을 읽고 이런 이메일을 보내왔다.

"저는 고객과 만남이 있을 때면 언제든 철저한 준비를 합니다. 그렇지만 한 번도 그런 사실을 그들에게 밝힌 적은 없었습니다. 그렇지만 선생님의 원고를 읽고 나서 여러 사람한테 말을 했지요. 그랬더니 즉각적이고 긍정적인 반응이 나타나더군요."

그녀가 그것을 읽었을 때 자신의 노력에 대해 알리는 것이 의미 있는 일이라는 것을 공감했던 것이다. 노력에는 보상이 따른다. 그러나 고객이 여러분의 그런 노력에 대해 모르는데 어떻게 보상을 해 줄 수 있다는 말인가.

비행기를 탈 때는 여러 항공사 가운데 한 곳을 선택한다. 여러분의 고객도 많은 세일즈맨 가운데 한 사람을 선택한다. 어떤 제품이나 서비스는 모두 그게 그것 같아서 가격 차이 말고는 다른 점을 찾아보기 어렵다.

그러나 경쟁이 치열할수록 여러분이 파는 제품이나 서비스보다는 여러분이 그것을 어떻게 파느냐가 더욱 중요하다. 여러분이 '프로'라는 것을 고객이 어떻게 알 수 있는가? 여러분이 어떤 준비를 했는지 고객에게 알리라.

◆ 마법의 주문 —

"제가 일 처리하는 방식은 ……."

"오늘 고객님을 만나 뵙기 위한 준비로 저는……."

이 말은 고객이 모르는 사이에 여러분이 어떻게 일을 하였는지 알게 해준다. 그럼에도 불구하고 많은 세일즈맨들이 판매 과정에서 이렇게 중요한 두 단계를 무시하는 데에는 세 가지 이유가 있다.

1. 세일즈맨들은 자신이 고객과 만나는 이유를 고객도 잘 알고 있다고 생각한다. 그렇기 때문에 자신이 일 처리하는 방식에 대해 말하지 않는다.

2. 1단계 수준의 면담은 고객과의 관계가 아닌 제품에 중점을 둔다.

3. 만나기까지 너무 오랜 시간이 걸렸기 때문에 그 만남에서 끝장을 보려고 한다.

지금까지 여러분은 세일즈에 대한 철학을 마련하기 위한 이론적 근거들을 살펴보았다. 그러나 철학은 여러분을 일어 설 수 있게 할 뿐이다. 이제 여러분은 배운 것을 활용해야 한다.

이제 여러분은 고객이 원하는 것에 맞추어 행동할 때 고객이 여러분을 전문가로 인정하게 된다는 것을 깨달았다. 제품에 대해 언급하기 전에 판매 과정을 고객에게 이해시키는 일이 왜 중요한지 이해했을 것이다. 여러분이 알고 있는 것을 고객에게 알리는 손쉬운 방법이 있다. 다음의 [표 3-1]을 이용하여 고객에게 기사거리를 보내라.

여러분을 업계의 정보원이나 아이디어의 출처로 인식시키는 것은 3단계의 접근 방식인데, 이 접근 방식으로 여러분의 세일즈는 성공 가도를 밟을 것이다. 의식적으로 3단계의 모습을 보이는 것은 여러분의 전문성을 알리는 방법이기도 하다.

어떤 기사를 편지나 팩스로 보낼 때 처음에는 여러분의 회사나 여러분을 정보의 공급원으로 기억할 수 있도록 인식시킬 수 있는 용지에 붙여서 보내라. 편지지 크기의 표로 만들어, 빈 자리에 여러분 회사의 로고를 붙여라. 기사를 단순한 서비스로 생각할 수도 있고 만나기 어려운 고객과 약속을 잡는 세련된 방법으로 활용할 수도 있다. 자세한 것은 다음 장에서 알아 보겠지만, 여러분은 지금 당장 이것을 활용할 수 있을 것이다.

[표3-1]

수신:	
발신:	페이지수:

최근 업계 소식과 동향 가운데 알고 계시는 것이 좋겠다고 생각하여 보내드립니다.

[로고삽입, 회사를 대변하는 문구 삽입]   [여러분의 이름과 연락처]

PART 2

판매 부서를
판매 부대로 전환시키기

제4장

판매 부서인가, 판매 부대인가?

"크리스, 우리 회사에는 보수는 많이 받는데 하는 일이라고는 사무실에 앉아서 열심히 브로슈어나 보내는 게 고작인 세일즈맨들이 꽤 있어요. 그들이 제대로 된 판매 기술을 익혔으면 좋겠어요."

나에게 세미나를 의뢰한 어느 회사의 총무부장에게 어떤 성과를 바라느냐고 묻자 위와 같이 대답하였다. 스스로 그 차이를 알고 그런 말을 하였는지는 모르겠지만 그녀는 단 두 마디로 판매 부서와 판매 부대의 차이를 정확하게 집어냈다. 고객들을 직접 접촉하기보다는 사무실에서 팩스로 서류나 보내는 세일즈맨들이 회사 구석구석을 돌아다니며 관리하는 그녀의 눈에 띄지 않을 수 없었던 것이다.

그녀는 문제의 심각성을 알고 있었다. 그녀가 비록 [표 2-1]을 본

적은 없지만 많은 돈을 받는 세일즈맨들이 적극적으로 새 잠재고객을 찾아 나서고, 그들을 자신의 판매 과정에 적극적으로 동참시키는 대신 잠재고객의 요구에 기계적으로 반응하는 정도의 일을 하고 있다는 사실을 깨달았던 것이다. 그녀는 그들에게 지급되는 보수와 팩스를 보내는 일이 익숙한 아르바이트생에게 그 일을 맡길 때 절감되는 비용을 비교해 보았다. 1년에 1억 원 이상 가져가는 세일즈맨들 대신 시간 당 1~2만 원이면 그 일을 대신할 사람은 얼마든지 구할 수 있다. 그들에게 지급하는 인센티브를 줄인다면 판매에 관련되어 지출되는 비용을 엄청나게 줄일 수 있었다.

영화 스타워즈 시리즈의 2편인 《제국의 역습》을 보면 룩이 마스터 요다에게 이런 질문을 한다.

"적이 우리보다 더 강한가요?"

요다의 대답은 이렇다.

"아니…아니…아니야. 그렇지만 더 빠르고, 편하고 게다가 유혹적이지."

제 1단계 수준을 '판매의 적'이라고 한다면 너무 지나친가? 그러나 제 1단계 수준이 훨씬 편하고 유혹적이라는 것은 인정해야 할 것이다. 마지못해 세일즈를 하는 사람이라면 그날 그날 닥치는 대로 처리하고 싶은 유혹에 빠진다. 목적의식을 가지고 팔 때에는 단순히 잠재고객의 문의에 답하는 대신 새로운 고객으로 발전시키기 위해 노력할 것이다.

세일즈를 하는 것이 중요한 새 고객을 확보하는 것보다는 쉽다.

세일즈맨다운 세일즈맨이 되기 위해서는 헌신적 노력과 훈련, 몰두, 그리고 결의가 필요하다. 잠재고객은 날마다 여러분의 헌신적 자세를 점검해 보고 결의를 시험해 볼 것이다.

◆ 우연히 세일즈를 하게 된 사람을 위한 격언 _
여러분이 할 수 있는 일 가운데 가장 중요한 것은 잠재고객을
직접 대면하여 문제점에 대한 해결책을 제시하고 거래를 제
안하는 것이다.

◆ 부수적 조언 _
여러분이 할 수 있는 일 가운데 두 번째로 중요한 것은
가장 중요한 일을 할 수 있는 여건을 조성하는 것이다.

유나이티드 에어라인은 자신들이 할 수 있는 가장 중요한 일은 항공 운송 자체가 아니라 '커뮤니케이션' 이라는 것을 깨닫고 있었기 때문에 회사와 고객을 하나로 연결시킬 수 있었다. 몇 년 전 방영된 광고에서도 그 점이 잘 드러났다.

광고에서 어느 회사 사장이 판매 관련 회의를 주재한다. 그 회사의 최대 고객이 거래를 중단한 문제에 관한 내용이다. 최대 고객은 '인간적 냄새' 가 빠진 채 팩스로만 일을 처리하는 그 회사에 불만을 가진 것 같다. 여기서 사장이 제시한 해결책은 무엇일까? 그는 전 직원에게 비행기 표를 나누어주며 고객들을 직접 만나라고 말한

다. 그리고 자신은 거래 중단을 통보한 최대 고객을 만나러 가려고
한다.

비행기로 출장을 가거나 자동차로 먼 길을 가는 것보다는 팩스
나 이메일로 처리해 버리는 게 더욱 빠르고 쉽다. 그러나 빠르고 쉽
게 처리하는 것이 가장 효과적이라는 어리석은 생각은 하지 말기
바란다.

사실 어떤 잠재고객들은 "아, 그냥 팩스로 보내세요(또는 이메
일을 보내세요)"라는 말로 여러분을 1단계 수준에 머물게 함으로써
자신의 사무실에 찾아오지 못하게 하려고 한다.

잠재고객들은 시간을 절약하기 위해 세일즈맨 한 명 한 명을 만
나려고 하지는 않는다. 충분히 이해할 수 있는 일이다. 그들은 자신
들을 찾아오는 세일즈맨들이 하나 같이 시간만 잡아먹고 자기 상품
이 좋다는 이야기만 늘어놓는다고 생각하는데 그것도 사실 세일즈
맨들 책임이다. 그렇기 때문에 느닷없이 찾아와서 마구잡이 식으로
세일을 하는, 어쩌다 보니 세일즈를 하게 된 그들에게 금싸라기 같
은 시간을 내어 주느니 차라리 팩스로 정보를 받아보려고 한다. 하
고 싶은 말이 있으면 팩스로 내용을 보내라고 함으로써 시간만 축
내는 1단계 수준의 세일즈맨 하나를 안 만나도 된다고 생각한다.

이런 현실을 이해하고 잠재고객의 선입견을 분쇄하라. 목적의
식을 가지고 팔 경우에는 그렇지 않은 경우와 크게 다르다. 무엇보
다 고객이 모든 것을 다 알지는 못하며 난공불락도 아니라는 사실
을 충분히 깨닫고 임해야 한다는 것이다. 여러분에게는 고객의 문

제를 해결해 줄 수 있는 제품과 서비스가 있고 고객이 모르는 정보나 지식을 제공할 수 있다는 사실을 스스로 알아야 한다.

잠재고객과 통화가 되었다고 가정하자. 그 잠재고객이 "아, 그런가요? 관련 자료를 좀 보내 주시죠"라고 말하는 순간 이미 덫이 놓인 것이다. 마지못해 세일즈를 하는 사람이라면 이 자극에 반응하는 정도로 움직인다. 잠재고객이 관심을 보이는 것 같아 기쁘다. 그리고는 열심히 주소를 받아적은 뒤, 전화를 끊자마자 제품 설명서 같은 자료들을 찾으러 달려간다. 이것저것 뒤져 한 스무 장쯤 골라 서류 봉투에 담아 주소를 적고 우편물 발송함에 넣고는 '이제 다 잡았다' 라고 생각되는 잠재고객에게 배달되기를 기다린다.

이틀 뒤 '이제 다 잡았다' 라고 생각한 잠재고객이 그토록 열심히 준비해서 보내 준 자료를 전혀 읽어보지 않았다는 사실을 알게 되면서 또 상심한다. 사실 그 잠재고객은 그 우편물을 어디에 두었는지도 모를 것이다. "아마, 어디 있을 겁니다. 이렇게 하면 어떨까요? 한 1주일 쯤 후에 다시 한 번 전화해 주시겠어요?"

마지못해 세일즈를 하는 사람은 잠재고객의 문제나 욕구를 발견하는 것은 고사하고 잠재고객의 책략에 말려 1단계 수준의 덫에 걸린 채 단순한 반응 정도의 행동을 취한다. 앞으로는 절대 그 같은 책략에 말리지 않기 위해 다음 마법의 주문을 기억하라.

◆ 마법의 주문 __

"(아직도 이런 일이 있다니 믿어지지 않습니다!) 저희는 틀에 박힌 자료 같은 것을 미리 만들어 두지 않습니다. 고객에 따라 다르게 제공합니다. 어떤 내용에 대해 받아보고 싶으십니까?"

잠재고객이 여러분 회사의 브로슈어나 판촉용 자료를 요청할 때 바로 위의 마법의 주문을 외워라. 괄호 안의 말은 할 수도 있고 안 할 수도 있는데, 한다면 아직도 그런 것을 요청하는 사람이 있고 그런 것을 제공하는 구시대적인 세일즈맨이 있다는 사실에 여러분이 충격을 받았다는 것을 느끼게 하라. 이제는 그런 것을 주고받지 않는다고 생각하게 되면 맞춤형 정보를 제공하겠다는 제안에 반대하지 않을 것이다. 어떤 내용의 정보를 원하는지 물어봄으로써 여러분은 잠재고객이 의사 결정을 내리기 위해 어떤 것을 필요로 하는지 알 수 있게 된다. 잠재고객이 요구하는 정보의 유형으로 그가 어느 정도 알고 있는지도 판단할 수 있다. 잠재고객이 자신이 원하는 것을 스스로 짚어내지 못할 때는 여러분이 몇 가지 간단한 질문을 하면 된다. 지금 어떤 제품을 사용하고 있으며 어느 정도 만족하는지 물어보면 된다.

"지금 어떤 제품을 사용하고 계십니까?", "그 제품은 어떤 점이 마음에 드십니까?", "특별히 불편하신 점은 없습니까?" 그리고 이렇게 덧붙여라. "저는 고객에게 도움이 될 만한 것만 보내드립니다. 제품관련 자료를 수십 장쯤 읽으셔야 하는 수고를 덜어드리겠습니다. 꼭 필요로 하시는 정보만 두세 장 정도로 간추려서 보내드리겠습니다."

정보를 보내달라는 요구에 응하면서 한 가지 분명히 해 두어야 할 것이 있다. 보내주는 자료를 반드시 읽어보고 그에 대한 생각을 말해달라고 하는 것이다. 다음과 같이 말하여 약속을 받아두라.

"고객님께서 필요하신 정보를 최대한 성의껏 준비해서 보내드리겠습니다. 대신 제가 다음에 전화를 드리면 저의 고객이 되실 의향이 있으신지 없으신지 그것을 분명히 밝혀주시는 것입니다. 그렇게 되면 그 다음의 접촉이 필요한지 아닌지 알 수 있으니까요. 이런 식으로 일을 해 나가고 싶은데 마음에 드십니까?"

이 단계에서 잠재고객이 여러분의 제안을 받아들이지 않는다면 여러분이 취할 수 있는 길은 둘 중의 하나이다. 점잖게 통화를 끝내거나 여러분이 파는 물건을 절대 살 가능성이 없는 그 사람에게 아무 자료나 발송함으로써 시간과 우편료를 낭비하는 것이다.

잠재고객이 여러분의 제안을 받아들이면 앞으로 일이 어떤 식으로 진행될지 정확히 설명하라.

"자료 세 장을 간추려서 등기우편으로 보내겠습니다. 금방 알아보실 수 있도록 봉투에 '△△월 △△일 요청하신 자료입니다' 라고 써넣겠습니다. 우편물이 도착한 다음 날 다시 전화를 드려서 추가 정보를 제공하고 어느 정도 관심이 있으신지 알아보도록 하겠습니다."

'△△월 △△일 요청하신 자료입니다' 라는 스탬프를 크게 찍어 보내도록 하라. 얼마 안 되는 투자지만 효과는 크다. 잠재고객에게

[표4-1]
판매 부서의 구성원들은 대부분의 시간을 1단계 수준에서 보낸다. 판매 부대의 구성원들은 스스로 선택하여 2단계 수준에서 활동하며 의식을 가지고 3단계와 4단계 모습을 보이려고도 한다.

	1단계 그냥 파는 수준	2단계 세일즈맨 또는 문제해결사 수준	3단계 프로페셔널 세일즈맨 수준	4단계 세일즈 및 마케팅 전문가 수준
고객의 신뢰정도	신뢰도 없거나 불신	약간 신뢰	경력에 따라 신뢰에서 아주 신뢰까지 차이 남	그동안 형성된 인간관계에 따른 전적인 신뢰
목표/고객을 접촉하는 목적	현실...보는 것	설득, 판매 또는 잠재고객이...에 동참하...것	고객창출과 유지, 고객을 발전시키고 많은 정보 얻기	지속적으로 고객을 발전시키고 거래규모를 늘리는 것
접근 방식과 공감 정도	최소 또는 전혀 없음	잘 짜인 사전계획, 잠재고객이 판매과정을 ...	고객의 업계에 대한 중요하고 의미 있는 정보 공급자	지속적인 교류와 신뢰로 편하게 만남
세일즈맨 자신의 관심사 혹은 긍지를 느끼는 내용	호감을 사는 것	서비스를 하고 문제해결사 역할을 하는 것	도움의 원천	고객이 세일즈맨을 조직 내부인처럼 느낌
사전준비	상투...들을 암기하거나 즉흥적으로 대치	방문...결정, 질문 준비, 진행 과정, 고객이익을 밝힘	업계지와, 인터넷조사, 고객의 경쟁자들에 대한 분석	준비를 통해 경쟁자들이 모르는 독점적 정보를 얻음
프리젠테이션	제...특징, 가격 제시	제품, 고...가진 문제에 대한 해결책 제시	시스템 해결책 제시	이익증진 전략과 그 타당성을 입증할 자료 제시
접촉 대상	구매담당자, 구매부서	실수요자, 구매담당자	실수요자, 구매담당자 고객의 조직내 협력자 또는 우호적 지원자	고객의 조직내부에 네트워크를 구성, 여러 부서와의 거래도 가능

기정 값　　　　　　　　　　　세일즈맨에 대한 고객의 선호 정도

는 원치 않는 쓰레기 같은 우편물이 물밀 듯이 밀려오기 때문에 자칫 여러분의 귀한 우편물이 쓰레기 취급을 받을 수 있다. 그 스탬프가 찍힌 것을 보면 자신이 기다리는 우편물인줄 알 것이다.

판매 부서를 판매 부대로 바꾸어야 하는 것은 매우 중요하다. 판매 부서에는 1단계 수준의 세일즈맨들이 많다. 판매 부대에는 2단계 수준에서 활동하며 때로 의식을 가지고 3단계와 4단계 수준의 모습을 보이려고 하는 세일즈맨들이 있다. 고객은 2단계나 그 이상 단계의 행동들을 알아보며 그에 반응한다. 차이를 느끼는 것이다.

만일 여러분이 소수이지만 4단계 수준의 고객을 확보하고 있다면 행운이라고 할 수 있다. 고객으로부터 완전한 신뢰를 얻고 독점적인 정보를 얻을 수 있을 정도의 관계를 맺자면 몇 년이 걸린다. 그러나 2단계 수준의 관계를 맺는 일은 오늘 당장이라도 시작할 수 있다. 여러분은 1단계 수준에서 시간을 허비하거나, 더 이상 1단계에 머물고 싶지 않을 것이다.

첫 만남에서 잘못된 인상을 심어주었다고 하더라도 시간을 되돌리려 다시 시작할 수는 없다. 그러나 여러분이 1단계 수준의 인상을 심어주었다고 하더라도 2단계의 모습을 보여준다면 잠재고객들은 그 사실 자체를 인정할 것이다. 우리 회사는 업종에 따른 판매 부서 매니저들에게 [표 4-1]의 2단계 이상과 자신이 관리하는 세일즈맨들이 현재 처해 있는 위치 사이의 차이를 파악할 수 있는 프로그램을 제공하고 있다. 훈련 과정에서는 매니저들에게 자신이 관리하는 세일즈맨들에게 잠재고객을 대상으로 고객의 욕구에 맞추어 2단계 수준의 제안을 할 수 있도록 지도하는 과제를 부과한다. 그렇게 될 경우 세일즈맨이나 잠재고객 모두 전에는 전혀 겪어보지 못한 새로운 경험을 하게 될 것이다.

다음 이야기는 한 판매 부서 매니저가 자신이 관리하는 세일즈맨으로 하여금 그런 제안 과정을 밟을 수 있게 지도한 사례이다.

토미의 변신

토미는 자립심이 강한 반면 세세한 것에는 신경을 쓰지 않는 성격이다. 그는 잠재고객에게 할 프리젠테이션 초안을 잡아보겠다고 했다. 나는 그 제안을 받아들여 이틀 뒤 수요일에 초안이 준비되면 함께 그 내용을 검토해보기로 했다. 그러나 정작 수요일이 되었을 때 토미는 초안에 대해 생각조차 해보지 않은 상태였다. 문제가 좀 심각해졌다. 토미가 프리젠테이션 할 날은 다음 주 월요일인데 토미는 금요일에 월차를 신청해 놓은 상태였기 때문이다.

나는 열려 있던 사무실 문을 닫고 난 후, 제대로 준비하고 프리젠테이션하는 것이 판매에 얼마나 중요한 영향을 끼치는지, 자신의 수입과 얼마나 밀접한 관계가 있는 것인지 설명하였다. 그런 뒤 함께 초안을 잡아 나갔다. 그리고는 한 문장 한 문장 검토해 보았다. 토미는 그 초안을 그날 밤 잘 다듬어 다음날 나와 함께 점심식사를 하면서 보여 주기로 약속했다.

다음 날 토미가 내게 보여준 프리젠테이션 초안은 그 때까지 그가 작성했던 것들 가운데 최고였다. 스스로도 만족해하며 회의실에서 나를 상대로 연습을 하고 싶다고 말하였다. 토미는 정말 잘 해냈다. 나는 일부러 프리젠테이션을 반박하는 까다로운 질문을 던졌지만, 토미는 완벽한 준비로 반박들을 피해 나갔다.

월요일 오후 토미는 잠재고객을 만나러 가는 차 안에서 내게 전화를 걸어 '행운'을 빌어 달라고 하였다. 그리고 나서 얼마 후 다시 전화벨이 울렸다. 고객의 사무실에서 토미가 건 것이었는데, 자신이 직접 결정할 수 없는 문제에 대해 나의 의견을 묻기 위한 내용이었다. 15분 뒤 다시 전화벨이 울렸다. 이번에는 자기 차 안에서 건 전화였는데 토미는 전화기에 대고 "거래가 성사되었습니다"라고 소리를 질렀다.

이야기는 거기에서 끝나지 않는다. 미스터 그린(토미가 확보한 새 고객)이 주문에 대해 물어볼 것이 있어서 전화를 했는데 마침 토미가 사무실에 없었기 때문에 나와 통화를 하게 되었다. 내가 질문에 답을 하고 나자 미스터 그린이 물었다.

"그런데 그를 어떻게 하신 겁니까?"

내가 무슨 말씀이냐고 묻자 미스터 그린은 이렇게 대답하였다.

"토미가 나를 네 달이나 쫓아 다녔습니다. 당신네 회사와 서비스에 대해 여러 가지 정보와 자료를 제공했습니다. 그럼에도 불구하고 내가 그쪽 회사와 거래를 하지 않은 이유 가운데 하나는 그의 일 처리하는 방식이 도무지 체계적이지 않은데 비해 다른 회사 세일즈맨은 체계적으로 보였기 때문입니다. 나는 아무래도 토니보다는 그들이 내 돈 값을 해 줄 것으로 생각했지요."

"그런데 어제 본 토니는 준비가 제대로 되어 있더군요. 내가 궁금해 했던 것들에 주의를 기울였다는 것을 알 수 있었고, 제대로 준비된 프로그램을 갖춘데다, 내 질문에 대해 나중에 다시 알려 주겠다고 하는 대신 그 자리에서 전화를 걸어 바로 알려주더군요. 그 젊은이에게서 아주 새로운 면을 보았습니다. 아주 마음에 드는 젊은이입니다. 토미를 통해 당신 회사와 거래를 하게 되어서 기분이 좋습니다. 토미를 어떻게 가르치셨는지 모르겠지만 앞으로도 더 잘 가르쳐 주십시오."

미스터 그린은 토미의 1단계 수준에서 2단계 수준으로의 변신을 알아본 것이었다. 고객이 중요하다고 여기는 것에 맞추어 행동할 때 여러분은 판매 부대의 일원이 될 수 있다.

마케팅 전문가 J 에이브러햄은 '지렛대'를 이용하여 똑같은 노력과 비용을 들이고도 더 나은 결과를 얻으라고 조언한다. 토미는 1단계 수준에서 머물렀기 때문에 4개월을 허비했다. 다시 한 번 생각해 보라. 토미는 1단계에서 4개월을 허비하다가 2단계 수준의 프리젠테이션 한 번으로 상황을 완전히 역전시켜 버렸다. 한 단계 바꾸는 일의 지렛대 효과를 생각해 보라. 2단계로 옮겨감으로써 즉각 거래를 성사시켰다.

지렛대란 그런 것이다. 잠재고객을 만나기 위해 들이는 시간, 노력 그리고 비용 면에서 최대의 효과를 낼 수 있어야 한다. 고객과의 만남에서 적어도 2단계 수준이 기본이 되어야 한다. 그리고 때때로 3단계 수준이나 4단계 수준의 모습을 보여야 한다. 2단계의 접근 방식이 1단계의 접근 방식에 비해 100퍼센트 나은 것은 분명하지만 토미의 경우 2단계 접근 방식은 토미가 과거에 썼던 1단계 접근 방식에 비해 비교가 안 될 만큼 좋았다.

러닝 인터내셔널(Learning International)의 조사에 따르면 사람들이 무엇을 살 때 그 구매를 결정하는 세 가지 중요한 이유가 있는데 '가격'은 거기에 포함되지 않는다. 그 세 가지 이유는 모두 판매 일선에 있는 사람들의 인적 자질과 관계되어 있다. 그 조사에 따르면 가격보다도 중요한 세 가지 구매 결정 이유는 '전문성과 이미지, 고객에 대한 헌신, 그리고 고객에 대한 민감함과 고객을 이끄는 자세'였다.

미스터 그린은 "토미가 나를 찾아왔는데 준비가 제대로 되어 있더군요"라고 말했다. 그 말은 미스터 그린이 토미가 새로 갖추게 된 전문성을 알아보고 토미에 대한 좋은 이미지를 갖게 되었다는 뜻이다. 고객에 대한 토미의 헌신을 그는 이런 말로 표현하였다.

"내가 원한다고 말한 것에 대해 주의를 기울였다는 것을 알 수 있었습니다."

미스터 그린은 토미가 고객에 대한 민감함과 고객을 이끄는 자세를 갖추고 있다고 생각하였는데 그의 "제대로 준비된 프로그램을 갖춘 데다 내 질문에 대해 나중에 다시 알려 주겠다고 하는 대신 그 자리에서 전화를 걸어 알려주더군요"라는 말에서 그 사실을 알 수 있다.

그 조사는 계속해서 '잠재고객을 고객으로 만드는 것은 세일즈맨의 전문적 지식과 세일즈를 통해 고객에게 부가가치를 제공하는 능력과 같은 인적 자질이다' 라고 밝히고 있다.

여러분의 고객도 여러분의 완전히 다른 면을 볼 수 있다. 여러분의 행동에서 나타나는 미묘한 변화가 잠재고객에게 큰 영향을 미칠 수 있다. 아울러 여러분의 수입에도 큰 영향을 미친다. 세일즈를 다음 단계로 끌어올리는 가장 빠른 길은 여러분이 현재 각각의 잠재고객 그리고 기존 고객들과 몇 단계에서 접촉하고 있는가를 파악하는 것이다. 그 다음 [표 4-1]를 보고 현재 처해 있는 단계의 오른쪽에 있는 내용들 가운데 한두 가지를 실천에 옮기는 것이다.

2000원으로 배우는 세일즈
—《제국의 역습》

영화감독이자 제작자인 조지 루카스는 영화의 흥행 수입만 보아도 세일즈의 귀재라고 할 수 있다. 스타워즈 3부작만 해도 10억 달러 이상의 흥행 수입을 올렸다.

아주 오래 전 옛날 저 멀고 먼 은하계에서는 스타 워즈 3부작보다 더 큰 전쟁이 벌어졌다. 《제국의 역습》 시작 부분을 보면 다쓰 베이더가 제국의 반군을 섬멸하는 것을 돕는다. 제국은 얼음의 혹성 '호쓰' 에 있는 반군의 새 전초 기지를 공격한다. 한솔로, 레이아 공주 그리고 추바커는 구름의 도시로 탈출한다. 죽은 오비 완 케노비의 권유로 룩 스카이워커는 도그바 혹성으로 날아가고 어느 늪지에 불시착한다.

룩은 마스터 요다를 찾기 위해 도그바로 갔다. 반쯤 늪에 잠긴 자신의 엑스윙 전투기에서 빠져 나왔을 때 그의 앞에 '이상한 생명체' 가 나타난다.

이상한 인형처럼 생긴 그 생명체의 겉모습을 보고 하찮게 생각한 룩은 그 생명체에 가까이 가지 않으려고 주의하며 요다를 찾아 나선다. 룩은 그 생명체에게 자신이 누군가를 찾고 있다고 말한다.

"찾았다고?"

"내가 말해 두는데 너는 벌써 찾았어."

이상하게 생긴 생명체가 말했다.

"말도 안돼. 나는 위대한 전사를 찾고 있어."

"위대한 전사라니! 전쟁은 누구를 위대하게 하는 것이 아니야."

결국 룩은 그 자그마하고 기괴하게 생긴 존재가 자신이 찾는 요다라는 것을 알게 되고 제다이 수련이 시작된다.

자신이 관리하는 세일즈맨들로 하여금 커다란 목표를 추구하게 하는 세일즈 매니저처럼 요다는 룩이 가진 잠재력을 최대한 발휘할 수 있도록 몰아 부친다. 룩이 '기' 라고 불러도 좋을 포스(Force)를 사용하여 바윗돌을 움직이는 훈련을 끝내자 요다는 늪에 빠져 있던 엑스윙 전투기를 꺼내라고 시킨다. 전투기는 늪에 빠져 머리만 물 밖에 나와 있는 상태였다.

"안 되요. 전투기를 끌어낼 수 없어요."

"너는 부정적인 생각에 사로잡혀 언제나 안 된다고만 하는구나. 내가 하는 말은 듣지를 않는구나."

"마스터, 바윗돌을 움직이는 것하고는 차원이 다릅니다. 전투기는 정말 안 된다고요."

"아니야! 다를 게 없어! 네가 다르다고 생각하고 있을 뿐이다. 그동안 배운 것을 다 잊었구나."

마지못해 룩은 이렇게 말한다.

"좋습니다. 한 번 해보지요."

"안 된다. 그냥 해보는 것으로는 안 된다. 하거라. 그렇지 않으면 아예 하지를 마라. 해본다는 것은 있을 수 없어."

룩은 눈을 감고 정신을 집중하여 전투기를 들어 올리려고 한다. 전투기가 서서히 움직인다. 그러나 룩은 계속해서 정신을 집중하지 못하고 결국 전투기는 다시 첨벙덩 소리를 내며 물 속에 처박힌다.

"못하겠습니다. 너무 커요."

"크기는 중요한 게 아니야. 나를 보거라. 너는 나를 크기로 판단하느냐? 그런 게야?"

요다는 우주 삼라만상에 포스(force)가 있다고 설명한다. 바위는 물론 전투기에도 포스가 있는데 그것은 같은 것이라고 말한다.

룩이 말한다.

"불가능한 것을 원하시는군요."

요다는 아무 말 없이 전투기 쪽을 향하여 돌아선다. 눈을 감고 고개를 숙인 다음 손을 들어 전투기 쪽을 가리킨다. 그러자 전투기가 물

밖으로 모습을 나타내고 앞으로 움직인다. 전투기는 멋지고 힘차게 위로 솟는다. 요다는 나무뿌리 위에 서서 전투기가 사뿐히 늪지에 내려앉도록 한다.

룩은 너무 놀라서 전투기가 늪가에 내려앉는 것을 지켜본다. 그리고 요다를 보며 말한다.

"미…믿을 수가 없군요."

"바로 그렇기 때문에 너는 실패했던 거다."

제다이 수련을 하는 동안에 룩은 한과 레이아가 구름의 도시에서 위험에 처해 있는 사실을 알게 된다. 요다는 타이른다.

"룩! 수련을 끝내야 한다."

요다의 말에도 불구하고 룩은 친구들을 구하기 위해 떠난다. 룩은 다쓰 베이더와 대면한다. 앞으로 벌어질 전투는 후속《제다이의 복수》편을 예고하고 막을 내린다(이 역시 얼마나 멋진 세일즈 기법인가).

---·-·-·-·-·-·-·-·---

이 영화에서 요다는 마치 자신이 관리하는 세일즈맨들에게 원대한 목표와 꿈을 갖고 그것을 달성하도록 촉구하는 세일즈 매니저에 비유할 수 있다. 바로 여기서 여러분의 전술을 '초공간'에 올려놓아줄 세 가지 교훈을 얻을 수 있다.

1. **최고의 스승은 전혀 스승처럼 보이지 않을 가능성이 있다.** 룩은 요다의 겉모습 때문에 요다가 자신에게 무엇을 가르칠 수 있는 스승

이라는 것을 인정하려 들지 않았다. (오 헤이어 공항의 구두닦이 이야기를 아직 기억하는가?) 정말 소중한 세일즈 교훈은 세일즈 훈련 강사가 아닌 의외의 사람들에게서 얻는 경우가 더 많다.

2. **전쟁이 여러분을 위대하게 만들어 주지는 않는다.** 세일즈에서 성공하는 열쇠는 반대를 극복하는 것이 아니라 방지하는 것이다. 싸우지 않고 이기는 것이 상책이다.

3. **믿음이 중요하다.** 룩은 자신이 전투기를 들어 올릴 수 있다고 믿지 않았기 때문에 실제로 그렇게 할 수 없었다. 여러분의 제품과 회사 그리고 자신에 대한 믿음이 세일즈의 성공에 절대적으로 중요하다.

세일즈맨다운 세일즈맨이 되기 위해서는 헌신적 노력과 훈련, 몰두, 그리고 결의가 필요하다. 잠재고객은 날마다 여러분의 헌신적 자세를 점검해보고 결의를 시험해볼 것이다. 재능은 있지만 훈련을 하지 않는, 할 수 없이 세일즈를 하는 사람은 결의를 다졌다가도 곧 마음이 풀어져 쉬운 길로 가려고 한다.

다쓰 베이더와 싸우기 위해 떠나는 룩에게 요다는 마지막으로 이런 말을 한다. "네가 배운 것을 마음에 새겨 두어라. 그것이 너를 구할 것이다."

스타워즈가 한창 인기이던 시절에 친구들끼리 이런 인사를 주고받는 모습을 자주 볼 수 있었다. "포스가 함께 하기를." 그 말을 응용해 이 말을 해주고 싶다. 여러분의 회사와 고객에게 "여러분이 포스가 되기를."

| 제5장 |
'여행'에서 얻은 교훈
이윤을 높이려는 자세 갖추기

영화 《시티 슬랙커즈》에서 빌리 크리스탈이 맡아 연기했던 주인공 미치는 이렇게 말한다. "아니, 그만두지 않을 거요. 그 대신 더 잘 할 거요."

크리스탈 이야기가 나와서 하는 이야기이지만 워터포드 (Waterford) 사는 크리스탈 용기를 제조 판매하면서 그동안 더 잘 해온 기업이다.

사라 맥캔은 나의 아내이자 동업자이다. 어느 날 그녀는 아일랜드에서 세 번의 세미나 일정이 잡혀 있다고 말하였다. 그러나 여행 일정 가운데 워터포드 크리스탈 공장을 방문하는 일정도 잡아 두었다는 이야기는 하지 않았다.

아일랜드에 가 있는 동안 사라가 말했다.

"오늘은 워터포드 사를 방문할 거예요. 공장 견학을 하고 싶은데 어때요?"

"우리 집에 있는 크리스탈 그릇으로 부족하오?"

"무슨 소리에요? 늘 모자랐어요. 게다가 공장에 가면 워터포드 크리스탈 용기를 어디에서보다 싸게 살 수 있어요."

이 말을 잘 기억해 두라. 워터포드 크리스탈 공장 견학은 우리가 생각했던 것과는 전혀 다른 방향으로 풀려 나갔다. 그 사연을 알아보자.

우연히 배우게 된 세일즈
─워터포드 크리스탈 공장 견학

관목이 양쪽으로 늘어선 아일랜드의 좁은 도로를 따라 약 67킬로미터를 달린 끝에 우리는 워터포드 크리스탈 공장에 도착했다. 공장에 도착하여 '견학'이라고 쓰인 이정표를 따라가자 공장 견학 매표소가 있었다. 우리는 오전 11시에 시작하는 견학반의 입장권을 일인당 4천 원씩 주고 샀다. 유쾌한 기분으로 입장권을 파는 사람이 "자, 갤러리로 들어오셔서 기다리시지요"라며 우리를 안내해 주었다.

교훈 1. 세일즈 초기 과정에 관심과 구매력을 갖춘 잠재고객을 선정하라.

갤러리의 분위기는 눈부시다는 한 마디로 표현할 수 있었다. 갤러리에 전시된 물건들은 팔기 위한 것이 아니고 그저 보고 감탄하라는 것이었다. 워터포드 사의 장인들이 디자인한 커다란 샹들리에와 예술품 수준의 크리스탈 용기들이 진열되어 있었다. 프로 골프 대회 우승컵을 크리스탈로 복제한 것들과 미국 전국대학 체육협회 산하 축구협회가 대회 우승팀에게 수여하는 트로피도 진열되어 있었다.

교훈 2. 잠재고객이 여러분의 고객 가운데 명사도 포함되어 있다는 사실을 알게 하라. 다른 명사들이 품질을 인정했다는 사실을 알게 되면 잠재고객들의 마음은 편해진다.

오전 11시에 견학객들은 세 대의 버스에 나누어 올라탔다. 이 공장을 견학하고 가는 사람들은 연간 25만 명 정도라고 하는데 그 날 아침 우리 일행은 120명 정도였다. 첫 번째 목적지를 향하여 버스가 움직일 때 유니폼 차림의 안내원이 매혹적인 아일랜드 액센트로 워터포드 사의 목표는 '세계 최대의 크리스탈 제조사'가 되는 것이 아니고 '세계 최고 품질의 크리스탈 제조사'가 되는 것이라고 말하였다.

1783년 처음 문을 연 이래 워터포드 크리스탈의 제품 하나하나는 완벽한 제품을 목표로 제작되어 왔다는 이야기를 들었다. 조지 펜로스와 윌리엄 펜로스가 1783년 유리 공장을 시작한 뒤 변한 것이 거의 없다는 설명이었다.

우리는 유리를 부는 작업장으로 들어갔다. 커다란 용광로가 모래 규토와 가성 칼리, 그리고 레싸지를 녹여 크리스탈 용액을 만든다. 용광로마다 주위에 유리를 부는 사람들과 도제들이 서 있는데 1,200도의 크리스탈 용액을 주형에 부어 입으로 분다. 우리가 견학한 날은 와인 잔을 만들고 있었다. 유리를 부는 장인들의 기술이 워터포드 크리스탈 제품에 아주 중요한 영향을 미치는데 깊이 잘 불어 주어야 나중에 제대로 각면을 새기고 깎을 수 있기 때문이다. 안내원의 설명에 따르면 제품으로 출시할 수 있게 유리를 부는 장인이 될 때까지는 5년의 도제 기간을 거쳐야 한다고 한다.

교훈 3. 설립자와 그의 이상에 얽힌 이야기를 하라. 단지 제품만을 팔려고 하지 말고 제품에 얽힌 인간적 사연까지 팔아라. 기업이 인간적인 냄새를 풍기면 고객은 그것을 무언가 더 특별한 의미가 있는 것으로 받아들인다.

다음에는 유리를 깎는 커팅 작업장으로 갔다. 커팅을 하는 장인들은 불어진 모양 안에 고열로 인해 남아 있는 발광 현상을 제거한다. 아무 무늬가 없는 크리스탈에 단순한 기하학적 밑그림이 그려져 있다. 정말 단순하다. 커팅 장인들은 자신의 눈썰미와 느낌으로 깎는 정도를 결정한다. 깎는 방식은 쐐기 모양과 평면 모양 두 가지이다. 끄트머리에 다이아몬드가 달린 '윙' 소리를 내며 돌아가는 회전 톱으로 정교하게 깎아낸다. 바로 여기에서 워터포드 크리스탈의 명성이 유래한다. 수백에 달하는 작업대 위에서는 고압의 진공 흡입기가 크리스탈 먼지를 빨아들인다. 워터포드 제품들은 커팅 기술자의 기억에 의존하여 모양이 만들어지기 때문에 오랜 세월의 경험이 필요하다고 한다.

하루 아침에 익힐 수 있는 기술이 아니다. 결국 똑같은 것이 만들어질 수 없다. 커팅 장인이 되려면 8년의 도제 기간을 거쳐야 하며 힘이 세야 한다고 한다. 크리스탈을 회전톱에 대고 깎아 내려면 힘이 필요하다는 것이다. 하나 더 중요한 요소가 있는데 그것은 집중력이다. 한 순간을 놓쳐버리는 어리석은 실수를 하면 고속으로 돌아가는 회전톱의 다이아몬드 날이 크리스탈에 구멍을 내버리기 때문이다. 워터포드 사에서는 똑같은 것을 제작하지 않기 때문에(견학 도중에 이 사실을 알았다), 구멍을 낸 장인은 그 물건에 대해서는 공임을 받지 못한다. 구멍이 난 크리스탈은 다시 용광로로 보내어 녹인다.

교훈 4. 세일즈나 제조의 모든 과정에서 제품에 가치를 부가하라.

안내원은 제품 가운데 결함이 있어 출하될 수 없는 것들도 보여주었다. 그리고는 그들 말로 '졸업 작품' 이라고 부르는 것들도 보여주었다. 도제 기간을 끝내고 커팅 장인이 되려면 대접 모양의 크리스탈을 그 동안 연마한 커팅 기술을 총동원해 깎는다. 한 번에 20시간씩 모두 세 번의 시험을 치루어 워터포드 사의 기준에 도달하였는지 심사한다. 실패하면 커팅 장인이 되지 못한다. 통과하면 커팅 장인이 되며 자신이 깎은 작품을 돌려받아 소유한다. 8년의 도제 기간을 끝낸 졸업장이라고 할 수 있다.

교훈 5. 제품뿐 아니라 관련자들이 받는 교육 훈련 그리고 그들의 목표 수준에 대해서도 긍정적으로 받아들일 수 있도록 알려라.

다음으로 우리는 여러 형태의 크리스탈 용기에 장식 무늬를 새겨 넣는 작업실로 갔다. 구리로 된 회전톱으로 장식 무늬를 새겨 넣는 워터포드 사의 이 작업장은 세계적으로 보아도 업계 최대 규모를 자랑한다고 한다. 무늬 장식 장인은 유리를 부는 장인이나 커팅 장인에 비해서 더 수준 높은 전문가로 인정받는다. 무늬를 새겨 넣는 장인이 되려면 12년의 도제 기간을 거쳐야 한다.

다음으로 제품 출하실로 들어갈 때 손목시계를 들여다보니 우리 일행이 견학을 시작한 지 45분이 지났다. 제품 출하실에서는 작업자들이 제작되어 나온 제품에다 그 유명한 워터포드 사의 해마 로고를 붙이고 있었다. 안내원은 우리 일행들에게 그 때까지 우리가 제작의 전 과정을 견학한 제품을 직접 손으로 만져보도록 하면서 해마 로고가 붙어 있는지 확인해 보라고 하였다.

교훈 6. 제품에 대하여 일종의 유대감을 갖도록 만들어라. 보통 사람들에게는 잘 알려지지 않은 '내부 정보'를 알려주어라.

제품 출하실에서 안내원은 워터포드 사의 가격 정책에 대해 알려주었다. 워터포드 사는 주문을 받기 전까지는 제품을 제작하지 않는다고 한다. 결국 견학 당일 기념품 매장에서 제품을 구입해도 바로 물건을 넘겨받아 가지고 갈 수 없다는 이야기였다. 제품을 구입하겠다고 주문을 하고 나면 우리가 돌아본 공장의 장인들이 제품을 제작하고, 그렇게 하여 완성된 제품이 배달된다는 것이었다.

안내원은 또 기념품 매장의 제품 가격이나 시카고에서의 제품 가격이 모두 같다는 설명을 하였다. 그런데도 불구하고 이 공장을 견학하고 공장에서 제품을 주문하는 사람들이 있는 까닭은 이 곳에서 워터포드 사 제품들 가운데 한 가지 도안으로 구성된 세트 제품 전체를 볼 수 있기 때문이라고 한다. 백화점이나 보석상 가운데 세트 제품 전체를 진열할 수 있는 곳은 거의 없다고 한다.

우리 일행은 다시 버스에 올라타고 기념품 매장으로 향하였다. 매장으로 들어설 때 이미 똑같은 물건도 없고 가격 할인도 없다는 사실을 깨닫고 있었다. 워터포드 본사에 왔지만 조금의 가격 할인도 없는 것이었다. 우리 부부뿐만 아니라 함께 견학한 일행의 대부분이 올 때 예상했던 것보다 더 많은 크리스탈 제품을 완전 소매가격으로 구입하였다.

교훈 7. 제조 과정 전체를 이해하고 제품에 대한 가치를 인정하게 되면 가격은 문제가 되지 않는다. 보고 들어 알게 된 고객은 자신있게 그리고 아낌없이 산다.

나는 처음에는 다른 곳보다 크리스탈 제품을 좀 싼 값에 살 수 있지 않을까라고 생각했던 사람들이 크리스탈 제품 감별가로 변하는 현상을 지켜보았다. 우리 부부와 함께 견학을 한 일행이 계산대 앞에 줄을 지어 섰다. 담당 직원이 신용 카드를 넘겨받아 긁는 속도가 어찌나 빠른지 저렇게 하다 카드의 마그네틱 선이 손상되지 않을까 걱정이 될 정도였다. 할인을 기대했던 사람들이 정찰가격을 내면서도 그렇게 길게 줄을 서서 기다리는 것을 보며 놀랐다.

교훈 8. 생산 시설이나 설비는 좋은 시청각 교재이다. 제품만 가지고 파는 것보다는 견학을 시키는 것이 잠재고객으로 하여금 구매 의욕을 갖게 한

다. 몸소 보고 나면 판매가 쉬워진다.

나는 워터포드 사 공장 견학을 위해 4천 원을 지불했다. 그러나 더 많은 돈을 들여 와인 잔, 얼음 담는 그릇, 브랜디 잔, 케이크 나이프, 한정 수량 꽃병 등 해마 로고가 붙은 워터포드 사 제품을 구입했다. 그러나 세일즈 훈련은 공짜였다.

— · — · — · — · — · — · — · —

여러분의 잠재고객이 가격표와 카탈로그만 가지고 비교를 한다면 여러분과 여러분의 경쟁자 사이의 차이를 알아보기 어려울 것이다. 오늘날 통용되는 말 가운데 '일용품화' 라는 말이 있다. 어떤 상품이 일용품으로 자리매김하게 되면 그 상품의 가격을 결정하는 주도권은 고객에게 넘어가고 기업은 이익 창출에 관한 통제력을 상실하게 된다는 뜻이다. 중요한 잠재고객들이나 우수고객들에게 티켓을 보내 초청을 해서라도 생산 시설을 견학시키는 것은 좋은 전략이라고 할 수 있다. 잘 짜여진 견학 프로그램은 같은 예산으로 총천연색 카탈로그를 제작하고 업계지에 광고를 싣는 것보다 더 큰 판매 수익을 가져다 줄 것이다.

생산 시설과 직원들을 고객을 교육하는 '시청각 교재' 로 활용하면 고객과 회사 사이의 유대감을 생성시킬 수 있고 고객이 구매하는 제품이 지불하는 돈만큼의 값어치가 있다는 것을 깨닫게 할 수 있다. 제품에 대해 알면 알수록 고객은 더 많이 산다.

견학은 단순히 여러분의 회사를 보여 주는 이상의 의미가 있다.

그것은 고객으로 하여금 제품의 뒤에 가려져 있던 기업의 실체를 보게 하는 것이다. 제품이 어디에서 생산되는지, 누가 만드는지, 그리고 어떻게 제작되는지 보여줌으로써 제품에 가치를 부가하는 것이다.

♦ 우연히 세일즈를 하게 된 사람을 위한 격언 ＿
세일즈는 고객을 교육시키는 것이다. 고객 교육이 세일즈의 전부이다.

♦ 부수적 조언 ＿
교육을 받지 못한 고객은 '가격' 때문에 사지만 교육을 받은 고객은 여러분이 제시한 '가치' 때문에 산다.

워터포드 사는 견학 온 사람들에게 제조의 전 과정을 돌아보게 함으로써 소매 정찰가를 받을 수 있었다. 몇 과정을 생략하거나 건너뛰면 고객과 보다 많은 마찰이 생기고 가격에 대한 불만을 듣게 된다.

세일즈 과정에서 몇 과정을 생략해 본 적이 있는가? 모든 과정을 제대로 밟았더라면 부딪치지 않아도 되었을 저항에 부딪혔던 적은 없는가? 워터포드 사처럼 충분히 예상할 수 있는 세일즈 과정을 밟는 것이 더 좋은 방법이라고 생각하지 않는가? 여러분도 이제 곧 그런 방법을 알게 될 것이다.

워터포드 사 견학을 하고 난 다음 나는 새로운 판매 기법을 고안하기 시작했다. '가장 거래하고 싶은 고객 열 명의 명단'을 활용하여 세일즈의 과정을 밟아 나가는 이 기법은 고객들로 하여금 여러분의 판매 과정에 동참하도록 하고 또 그들과의 판매 과정이 어느 정도 진척되었는지 쉽게 판단할 수 있도록 해줄 것이다. 또한 그 과정에 소요되는 예산을 통제할 수 있도록 해준다. 이 기법을 활용하게 되면 거래 액수가 크다고 하여도 고객 한 사람 때문에 전전긍긍하고 노심초사하는 일은 없게 될 것이다.

세미나를 진행하다 보면 자주 듣는 말과 질문이 있다. 세미나 참가자 가운데는 자신의 상황, 업계, 고객이 워낙 독특하기 때문에 세미나에서 이야기하는 내용들이 적용될 수 없다고 주장하는 사람이 꼭 나온다. 한편 강사인 나를 시험하려고 그러는 것인지 속이 들여다 보이는 질문을 하는 사람들도 있다. 그런 사람들이 이야기를 시작할 때는 공식이 있다. "크리스, 정말 사람 미치게 만드는 고객이 한 사람 있습니다······." 그리고는 정신병자 같거나 안하무인으로 상스러운, 아니면 그 두 가지를 모두 갖춘 도저히 세일즈를 할 대상이 아닌 고객에 대하여 자세히 늘어놓는다. 그리고는 묻는다. "당신이라면 어떻게 하겠습니까?" 그럴 때면 나는 대개 이렇게 답한다. "열 명의 고객을 상대로 판매의 과정을 밟아 나간다면 그런 고객 한 사람 때문에 걱정하지는 않을 겁니다." 여러분에게는 두 가지 선택이 있다.

1. 그런 고객 한 사람 때문에 노심초사한다.

2. 판매 과정을 밟아 나가는 자신의 판매 기법에 대해 확신을 가진다.

물론 과정을 밟아 나가야 하는 판매 기법에 대해 신념을 갖기 위해서는 하나하나의 구체적 과정에 대해 분명히 이해해야 하고 또 각 과정에 대해 실천율이나 성공률 등을 측정해 볼 수 있어야 한다.

[표 5-1]은 '가장 거래하고 싶은 고객 열 명의 명단'의 예이다. 거래하고 싶은 고객 열 명을 선정하고 그 고객들을 상대로 16가지 과정을 밟아 나가는 것이다. 이 예에서 보여주고 있는 16가지의 과정을 꼼꼼히 읽어보기 바란다. 물론 여러분이 밟아 나가는 과정은 더 짧을 수도 있고 길 수도 있다. 실제로는 길 가능성이 더 많다(예를 들어 여러분 회사의 엔지니어가 고객 기업의 엔지니어를 만나는 과정이 들어갈 수도 있다). 어떤 경우에나 분명한 사실은 여러분이 고객과 함께 밟아 나가는 과정들을 분명히 구분할 수 있다는 점이다.

이 방법을 활용하면 여러분은 각각의 고객과 어떤 과정에 있는지, 그리고 앞으로 밟아 나가야 할 과정이 어떤 과정인지 알 수 있게 된다. 또 각각의 과정에서 실천율이나 성공률 등을 알 수 있게 된다. [표 5-1]을 보면 이 세일즈맨은 프리젠테이션을 하여 현재 75퍼센트의 판매 마무리 비율을 보이고 있는 것을 알 수 있다. 그러나 열 명의 잠재고객을 대상으로 활동을 시작하여(네 명에게 프리젠테이

선을 하고) 30퍼센트가 실제로 구매하게 만들었다.

열 명을 대상으로 판매의 과정을 밟아 나가서 세 건의 판매를 성사시킬 것을 미리 안다면 어떤 특정한 고객 한 사람 때문에 노심초사하지 않게 되며 판매 과정을 밟아 판매하는 방법의 효과에 대해 믿게 될 것이다.

어떤 잠재고객이 살지는 알 수 없다. 그러나 누군가는 산다. 여러분이 공을 들인 잠재고객이 다른 선택을 할 수도 있고, 아니면 다른 기업이 그 잠재고객의 기업을 인수하고 그 인수한 기업의 구매 담당자를 여러분의 새로운 잠재고객으로 삼을 수도 있다. 앞일이 어떻게 될지는 아무도 모른다. 다만 여러분이 확실히 알 수 있는 것은 열 사람을 대상으로 과정을 모두 밟아 나가다 보면 누군가는 끝까지 그 과정을 따라 움직여 결국 사게 될 것이라는 점이다. 그러니 한 사람 한 사람의 잠재고객을 목적의식을 가지고 대하며 판매의 전체 과정을 밟아 나가야 한다.

16과정을 밟아 나가기
__제 1과정과 제 2과정

16과정을 자세히 들여다보면 판매를 성사시키기 위해 거쳐야 하는 과정 가운데 그 어떤 과정도 건너뛸 수 없다는 것을 알게 될 것이다. 제 1과정에서는 여러분이 접촉하고 싶은 기업을 찾아낸다. 다음으로 제 2과정에서는 사람의 이름을 알아내야 한다. 그 이름은 웹 사이트, 보고서, 안내 부서 등을 통해 알아 낼 수 있다. 담당자의 이름과 전화번호를 알아내야 한다. 어떤 사람을 만나 봐야 하는지 일단 알게 되면 실제로 그 사람과 만날 약속을 잡기 위한 일곱 가지의 과정을 거치게 된다([표 5-1]의 제 3과정에서 제 9과정까지(이 과정들에 대해서는 뒤의 다른 장들에서 자세히 다룰 것이다). 일단 약속을 잡게 되면 팩스, 이메일, 엽서 등을 이용해 약속을 분명하게 해 놓는다. 잠재고객을 실제로 만나는 시기는 제 10과정이다. 첫 만남의 목적은 상품을 파는 것이 아니라 여러분의 판매 과정을 납득시키는 것이다. 여러분은 과정을 순서대로 따라 움직이면 된다. 한 과정을 완수할 때마다 날짜를 기록해 두라.

뒷부분에서는 각 과정에서 활용할 수 있는 구체적인 내용에 대해 배우게 될 것이다. 인상적인 편지를 써서 제 5과정을 완수할 수 있게 될 것이다. 또 안내 부서 담당자에게 전달하여 효과를 낼 수 있는, 또는 잠재고객에게 보이스 메일을 남겨 인상을 줄 수 있는 스크립트를 작성할 수 있게 될 것이다. 이런 모든 역량들을 갖추면 여러분은 더 많은 잠재고객에게 다가갈 수 있고, 보다 확실한 약속을 잡을 수 있으며, 강한 첫 인상을 심어줄 수 있고, 나아가 짧은 시간에 유능한 거래상대로 인정받을 수 있을 것이다.

〈가장 거래하고 싶은 고객 열 명의 명단〉을 작성하여 활용한다면 그것은 여러분 자신의 세일즈에 대해 많은 것을 알게 될 것이다. 야구 경기의 점수판에는 다른 경기의 점수판에서는 볼 수 없는 내용이 많이 들어 있다. 〈가장 거래하고 싶은 고객 열 명의 명단〉은

[표 5-1]

〈가장 거래하고 싶은 고객 열 명의 명단〉 전체 16과정의 판매 과정 평점표. 여러분의 판매 과정을 고려하여 16과정을 모두 밟을 수 있는 시간 폭을 정하라.

1.대상선정(잠재고객/고객) 2.의사 결정자 알아내기	3.씨뿌리기(내용)	4.씨뿌리기(내용)	5.편지	6.전화 걸기	7.의사 결정자 접촉	8.첫약속 잡기	9.첫약속 확인하기	10.첫면담-판매 과정 이해시키기	11.고객 욕구분석을 위한 면담잡기	12.고객 욕구분석 완결	13.계안을 위한 약속 잡기	14.계안서 작성	15.계안	16.주문 받기
고객 A (6/10)	6/10	6/10	6/18	6/24										
고객 B (6/10)	6/12	6/15	6/21	6/24										
고객 C (6/12)	6/12	6/15	6/18	6/21, 6/24	6/24	6/24-28	6/24	6/28	6/24-7/7	7/7	7/7-18	7/10	7/18	7/18
고객 D (6/14)	6/15	6/19	6/25	6/21, 6/24										
고객 E (6/12)	6/12	6/16	6/21	6/28, 7/8										
고객 F (6/13)	6/13	6/18	6/22											
고객 G (6/14)	6/15	6/18	6/21											
고객 H (6/15)	6/16	6/18	6/21											
고객 I (6/16)	6/16	6/19	6/23	6/28		6/28-7/1	6/28		7/1					
고객 J (6/17)	6/17	6/21	6/25	6/29		6/29-7/3	6/29		7/3					
총점														

의사 결정자를 신원 +전체 잠재고객 100

2. 의사 결정자 알아내기 100

씨뿌리기+전화걸기 80

약속잡기 87.5

약속 확인+약속 잡기 100

고객욕구분석 약속+ 첫만남 57

첫만남 100

약속확인 100

첫만남 100

제안 약속+고객욕구 100

제안서 작성 100

제안+계안서 100

거래종결 75

판매종결+새로운 잠재고객 30

야구 경기의 점수판처럼 점수 이외의 다른 내용에 대해서도 알려준다. 즉, 어떤 식으로 점수가 났는지 알 수 있게 해준다.

과정에 신경을 집중하다 보면 판매를 마무리짓는 성공률에 대해서는 큰 걱정을 하지 않게 된다. 그 대신 내가 '진보율'이라고 부르는 내용에 대해서 신경을 쓸 것이다. 결정 권한을 가진 사람에게 접근하였을 때 초기 협의 과정으로 진입하게 된 경우가 몇 퍼센트나 되는가? 그런 협의 가운데 몇 퍼센트가 프리젠테이션으로 이어졌는가? 프리젠테이션 가운데 몇 퍼센트가 판매로 귀결되었는가?

과정을 중시하게 되면 마음에 여유가 생기고 과정을 평가하다 보면 의욕이 생긴다. 너무나 많은 세일즈맨들이 잠재고객을 찾아내는 일, 사전 약속 없이 방문하여 대화를 나누는 일, 관련 정보나 자료를 보내는 일, 초기 면담, 프리젠테이션, 그리고 사후 관리 등을 '필요악' 정도로 생각하고 있다. 그들은 될 수 있는 한 위와 같은 일들은 하지 않으려 하고 그들이 중요하다고 생각하는 판매를 마무리짓는 일에만 놀누하려고 한다. 그러나 나는 정반대의 입장을 취하고 있다. 과정에 집중하면 판매는 자연스럽게 마무리된다.

◆ 1주일 단위로 과정 밟기

〈가장 거래하고 싶은 고객 열 명의 명단〉은 여러분 앞에 세일즈에서 성공에 이르는 직선 도로를 깔아줄 것이다. 이제 한 사람의 고객에게 팔기 위해서는 그

고객과 함께 16가지 과정을 거쳐야 한다는 것을 알게 되었다. 〈가장 거래하고 싶은 고객 열 명의 명단〉 표에서 빈 칸을 모두 채운다면 판매를 성공시키게 된다. 그렇지만 어떤 고객 한 사람을 상대로 1주일에 16과정을 모두 완수할 가능성은 적다. 통계적으로 볼 때 가장 효과적인 방법은 주일 단위로 몇 가지 과정을 밟는 것이다.

〈가장 거래하고 싶은 고객 열 명의 명단〉에 여러분이 완수한 과정들의 날짜를 푸른색이나 붉은색 펜으로 써 넣어라. 그리고 1주일 단위로 그 수를 세어 보라. 여덟 명의 잠재고객을 대상으로 네 과정을 완수했다면 여러분은 새로운 고객을 창출하기 위해 32가지의 행동을 취한 것이다. 〈가장 거래하고 싶은 고객 열 명의 명단〉 맨 밑에 있는 합계란에 그 수치를 기입하라.

그것을 복사하여 새로운 과정의 행동들에 대해 기입하라. 복사를 했기 때문에 앞서 행동을 취한 날들은 다시 검정색 글자로 나타나 있다. 월요일에는 어떤 잠재고객을 상대로 어떤 과정의 행동을 실천할 것인지 결정하라. 그 행동을 실천에 옮기고 나면 푸른색이나 붉은색 펜으로 날짜를 써 넣어라.

이렇게 하면 여러분은 자신이 어떤 잠재고객을 상대로 활발히 움직이고 있는지 어떤 잠재고객과 교착 상태에 빠져 있는지 한눈에 알 수 있다. 판매를 성사시키기 위해 취한 행동들의 점수를 합산해 보는 일은 아주 간단하다. 열 명을 상대로 기사를 보냈다면 거기에 대해서 10점씩 준다. 열 장의 편지를 보냈다면 거기에 대해서도 10점씩 준다. 열 명을 상대로 열 통의 전화를 했다면 거기에 대해서도 10점씩 준다. 거기까지만 갔다면 아직 판매는 이루어지지 않고 있다. 그러나 여러분이 열 명의 잠재고객을 대상으로 표의 16가지 과정을 따라 계속해서 전진해 나아간다면 그것은 여러분이 잠재고객을 판매 과정에 동참시켜 함께 나아가고 있다는 뜻이며 판매가 이루어질 날이 멀지 않았다는 뜻이다.

1주일 단위로 판매를 성사시키기 위해 취한 행동들을 합산해 보면 자신이 1주일 동안 한 일에 대해 긍정적인 의미를 부여할 수 있다. 판매는 과정이라는 것을 이해하게 되면 스스로를 통제하는 힘과 자신감을 얻을 수 있다. 한 사람 한 사람의 잠재고객에 대해 다음에는 어떤 행동을 취해야 하는지 알게 되면 목적의식이 없었던 세일즈맨이더라도 분명한 목적의식을 갖게 된다. 그것도 매일 그런 목적의식을 가지고 활동하게 된다.

한 잠재고객을 상대로 15과정을 거친 후, 결국 판매를 하는 방식으로 추진할 수도 있고, 열 명의 잠재고객을 상대로 두 과정씩 움직여 나갈 수도 있고, 다섯 명의 잠재고객을 대상으로 세 과정씩 행동을 취할 수도 있다.

그것은 결국 큰 틀 안에서 나름대로 변화를 주어 실행할 수 있다는 의미이다. 여러분이 현재 어느 위치에 있으며 어떤 과정에서 조언이 필요한지도 알 수 있게 된다. 여러분이 모든 잠재고객과 제10과정에 정체되어 있다면 그것은 잠재고객에게 접근해 가고 유대감을 형성하는 데서 문제를 안고 있기 때문에 그 부분에 대한 조언이나 공부를 필요로 한다는 뜻이다. 판매를 마무리짓는 기술이 부족한 것이 아니라 판매를 개시하는 기술이 부족한 것이다. 그런 문제점은 얼마든지 바로 잡을 수 있다.

한 가지 과정을 완수한 날짜를 써 넣으면 다음 과정을 취해야 한다는 의무감을 스스로에게 지우는 효과도 있다. 또 한 과정을 완수하는 데 평균 어느 정도의 시간이 걸리는지도 파악할 수 있다.

열 명의 잠재고객을 대상으로 과정들을 밟아 나가 네 명에게 프리젠테이션을 하고 그 가운데 세 명인 75퍼센트에게 판매를 했다는 사실을 알게 되면 과정에 집중하는 일이 얼마나 효과적인지 이해하게 될 것이다. 어떤 특정한 한 사람 때문에 노심초사할 필요가 없게 된다. 스스로 대상의 수치를 구체적으로 정해 놓고 움직이기 때문에 이미 할당된 몫을 채운 사람처럼 행동할 수 있다.

할당된 액수를 이미 채운 사람의 심리에 대해 잠시 생각해 보자. 일단 할당된 액수나 목표를 완수한 다음 새로운 잠재고객을 접촉할 때 얼마나 마음이 편했는지 기억나는가? 그럴 때 마음이 편한 다섯 가지 이유가 있다.

1. 새로운 잠재고객을 상대로 판매를 마무리지어야 한다는 압박감이 없기 때문에 흐름에 따라 자연스럽게 처신할 수 있다. 잠재고객은 물론 자신에게도 밀어붙일 필요가 없다.

2. 진행하고 있는 상담에 자신감을 가지고 임한다. 그 상담을 꼭 성사시켜야 할 필요가 없기 때문에 여유있게 처신을 한다. 사람들은 자신감 있고 잘 나가는 세일즈맨과 거래하고 싶어한다.

3. 권위를 가지고 협상할 수 있다. "요청하시는 가격에 대해 상사와 상의해 보겠습니다"라고 말하는 대신 "가격은 얼마입니다"라고 말할 수 있다.

4. 돈을 벌기 위해서가 아니라 고객을 위해 그 자리에 있는 사람이 될 수 있다.

5. 일을 즐길 수 있고 잠재고객은 당신의 그런 기분을 느끼게 된다. 이것은 세일즈를 성공시키는 중요한 요인이다.

〈가장 거래하고 싶은 고객 열 명의 명단〉은 여러분의 판매 과정에 참여하게 하는 공식을 일러주고 있다. 이 같은 접근 방식의 효과는 연방 수사국의 수사에서도 이미 오래 전부터 입증되어 활용되고 있다. 연방 수사국은 각종 사건의 수사를 위해 수천에 달하는 수사 요원을 확보하고 수십 억 달러의 예산을 쓰고 있다. 그런 가운데 여전히 효과적인 수사 방법 중 한 가지로 활용하는 방식이 바로 '유력 용의자 열 명'을 추려 수사를 진행하는 것이다. 물론 여러분들이 상대하는 잠재고객들은 범죄자가 아니다. 그러나 용의자들이 그저 용의자였던 것으로 나중에 결론이 날 수 있듯이 여러분의 잠재고객들도 그저 잠재고객으로 끝날 수 있다. 문을 걸어 잠그고 여러분을 피할지도 모른다.

여러분이 세일즈에 대해 좀더 진지한 자세를 갖는다면 보다 많은 잠재고객을 대상으로 활동해야 한다. 워터포드 크리스탈 공장에서 우리 부부와 함께 견학을 했던 사람들은 크리스탈 용기의 모든 제작 과정을 직접 보았고 결국 기념품 매장에서 소비자 정찰가를 주고 물건을 샀다. 잠재고객을 여러분의 판매 과정 전체에 참여시킨다면 비싼 가격도 문제가 되지 않는다.

체계적으로 과정을 밟고 지속적으로 되풀이하는 것이 효과적인데도 불구하고 그 방식을 마다하는 세일즈맨들이 있다. 코미디언 어니 코바크스가 이런 말을 했다. "영화 오락 산업에서 성공을 거두는 고전적인 공식이 있다. 효과가 있다면 끝까지 우려먹어라." 워터포드 크리스탈 공장을 견학하고 가는 사람의 숫자는 연간 25만 명이라고 한다. 우리 부부도 그랬지만 매년 25만 명이나 되는 사람이 똑같은 크리스탈 용기 제작 과정을 견학하고 간다. 효과가 있다면 끝까지 우려먹어라.

공식을 따르는 것이 정말 효과적인지 알고 싶다면 다음 비디오를 권하고 싶다. 《록키》를 빌려 보라. 그리고 《록키》 2편, 3편, 4편, 5편을 보라. 《람보》를 보라. 역시 2편, 3편도 보라. 그래도 여전히 공식의 위력을 믿지 못하겠다면 《백 투 더 퓨처》 시리즈를 보아라. 똑같은 배우가 똑같은 역을 하고 줄거리도 거의 비슷하다. 끝까지 우려먹어라.

똑같은 공식으로 우려먹는 이야기를 하다 보니 생각나는 유명한 TV 드라마가 있다.

《제시카의 추리극장》을 보면 항상 정해진 공식에 따라 이야기가 흘러 간다. 이야기가 시작되면 주변 사람들을 자극하고 괴롭히는 인물이 나온다. 15분 정도 지나는 동안 그 주변 사람 모두가 살해 동기를 갖고 있다는 식으로 이야기가 전개된다. 25분쯤 되면 누군가가 그 문제 인물의 사체를 발견한다.

제시카 플레처는 우연히 살인 사건이 일어난 현장 근처에 있다. 메인 주의 캐벗 코우브가 되었든 뉴욕이 되었든 로스앤젤레스가 되었든 그런 것은 중요하지 않다. 어느 날 오후 제시카의 추리극장을 보던 나는 아내를 돌아보며 물었다. "어째서 사람들이 제시카를 안성맞춤으로 불러다 놓는 거지?"

"제시카, 우리 대학에 와서 창의적인 글쓰기에 대해 강의 좀 해 주시겠습니까?" 제시카가 강의 제의를 받아들이면 누군가가 대학 체육관에서 죽는 사고가 난다.

"제시카, 우리 딸 결혼식에 꼭 참석해 줘요." 결혼식 피로연이 열리고 있을 때 호텔 수영장에서 죽어 있는 시체가 발견된다.

어디에서 살인 사건이 일어나든 제시카는 언제나 우연히 그 근처에 있다. 제시카가 살해 현장을 관찰하는 것을 보며 관할 경찰은 처음엔 어쩔 줄 몰라 한다. 그러다 곧 제시카가 자신보다 수사를 더 잘 한다는 것을 알게 된다. 그들은 함께 수사를 진행한다. 끝나기 5분 전 그들은 살인자와 마주한다. 그리고 살인자는 자신의 범죄에 대해 샅샅이 털어 놓는다. 그리고는 다음 주 편 예고가 나온다. 그것 역시 그 때까지 본 것과 별 다르지 않은 공식을 따라 전개될 이야기이다.

---·---·---·---·---·---·---

《제시카의 추리극장》은 11년 동안이나 시청률 순위 10위 안에 들었던 프로그램이다. 〈가장 거래하고 싶은 고객 열 명의 명단〉을 활용하는 것은 제시카의 추리극장처럼 공식을 사용하는 것이다. 〈가장 거래하고 싶은 고객 열 명의 명단〉을 활용하는 것은, 워터포드 크리스탈 공장이 제작 과정을 견학시키듯 잠재고객들을 여러분의 판매 과정에 참여시키는 것이다. 이제 여러분은 판매 과정에 대해 맑은 수정을 들여다보듯 분명히 이해하게 되었을 것이다.

제6장

똑같은 '고객 방문'이라면
집어치워라

세일즈에 관한 책들 가운데 고객 방문을 그만두라고 주장하는 것은 이 책이 처음일 것이다. 세일즈 매니저 가운데도 어떻게 하다 보니 그 지위에 오른 사람들이 있는데 그런 사람들은 자신이 관리하는 세일즈맨들에게 이전보다 더 열심히 고객을 방문하라고 권한다. 그들은 방문 횟수로 자신이 관리하는 세일즈맨들의 능력을 평가하고 그것이 관리다운 관리라고 생각한다.

마지못해 세일즈를 하는 세일즈맨들은 자신들이 하는 일 대부분을 '고객 방문'이라고 말함으로써 자신을 속인다. 오랜 세월 동안 세일즈 매니저였다는 사람들은 세일즈맨들에게 하루에 몇 번이나 고객을 방문하였는지 보고서를 작성하여 제출하게 했다. 결국 세일즈맨들은 그들의 구미에 맞을 내용의 보고서들을 작성하여 제

출하였다. 자신들이 하는 일 대부분을 고객 방문이라고 불렀던 것
이다. 사실 이렇게 하면 세일즈맨들은 그저 바쁘기만 할 뿐인데 마
치 생산적인 일을 하는 것처럼 매니저들을 속이고 자신들을 기만했
던 것이다.

그러나 목적의식을 가지고 판다면 세일즈는 결국 다음의 두 가
지가 전부라는 것을 알게 될 것이다.

1. 살 만한 잠재고객을 대면하여 제안을 하는 것
2. 살 만한 잠재고객을 대면하여 제안을 할 기회를 만드는 것

위의 두 가지 목표를 달성하는 데 도움이 되지 않는 일이라면
어떤 일이라도 그것은 시간 낭비일 뿐이다.

1996년에서 1997년 사이에 실시한 다트넬즈 조사에 따르면 현
대의 세일즈맨이 하루에 고객을 방문하는 횟수는 세 번 미만이라고
한다. 물론 이 통계도 어떤 진실을 암시하고 있지만 세일즈를 잘 하
기 위해 우리가 알아야 할 것을 모두 말해주지는 않고 있다. 정오쯤
세 사람의 고객을 방문했다면 그 날은 일을 그만해도 된다는 뜻인
가?

처음 세일즈를 시작할 당시 나는 고객 방문 횟수는 적을지언정
살 가능성이 더 많고 계약 액수도 클 것 같은 잠재고객들을 접하는
것이 더 많은 거래와 더 큰 액수의 계약을 성사시킬 수 있다는 것을
깨달았다. 그러나 나의 매니저에게 그 같은 생각을 이해시킬 수는

없었다. 그는 '더 많은 잠재고객을 만날수록 더 많이 팔 수 있다' 고 철석같이 믿는 사람이었다.

얼마 전 영국의 세일즈 매니저 몇 사람과 모든 행위를 고객 방문이라고 불러서는 안 된다는 점에 대해 이야기를 나눌 기회가 있었는데 누군가가 새로운 용어를 제시했다. '눈도장 찍기' 라는 말이 좋을 것 같다는 것이다. 잠재고객과 함께 축구장에 가서 함께 응원을 하고 가끔씩 서로의 얼굴을 쳐다보는 일은 '눈도장 찍기' 에 불과하다고 해야 할 것이다.

"흔히들 말하는 그런 '고객 방문' 이라면 집어치워라." 세일즈를 더 잘하는 방법을 알려주겠다는 책에서 듣게 되리라고는 꿈도 꾸어보지 못한 말일 것이다. 그러나 정말 좋은 충고이다. 내가 자신 있게 그런 결론을 내렸던 날이 지금도 기억난다.

나는 어떤 기업의 세일즈 컨설턴트로 일했던 적이 있다. 나는 회사 측에 어떤 판매 체계와 기법 등을 활용하고 있는지 알려달라고 하였다. 그것으로 그들이 어떤 과정을 밟는지 이해할 수 있을 것이기 때문이었다.

세일즈 매니저가 걱정스럽다는 투로 말했다. "이게 지난 주 고객 방문 보고서입니다. 제 부하들은 고객 방문은 부지런히 하는데 판매는 시원치 않습니다. 아무래도 고객 방문을 더 하라고 다그쳐야 할 것 같습니다."

세일즈와 관련된 어떤 문제점에 대해서는 고객 방문을 늘리는 것이 해결책이 되는 경우도 있겠지만 잘못된 생각을 가지고 있는 세일즈 매니저들 가운데는 세일즈맨들이 바쁘기만 하면 무조건 판매가 늘어날 것으로 믿는 사람들이 있다.

몇몇 보고서를 읽다가 나는 다음과 같은 내용을 보게 되었다. '△△회사에 들렀다. 에드는 나가고 없었다. 다른 세일즈맨과 점심식사를 하러 나갔다고 한다. 내일 다시 방문해야겠다.'

나는 도저히 믿을 수 없어서 그 보고서를 다시 읽어 보았다. 판매에 조금도 보탬이 되지 않은 행동을 무엇 때문에 보고서에 적어 넣었는지 이해할 수가 없었다.

내가 그 세일즈맨에게 시간 낭비한 내용을 무엇 때문에 보고서에 기록하느냐고 묻자 그는 이렇게 대답하였다. "저희는 하루에 최소 다섯 번 고객 방문을 해야 합니다. 그런데 그게 한 번이었으니까요." 자기가 한 일은 무엇이나 고객 방문이라고 부름으로써 그는 자신을 속이고 매니저가 자신이 일을 하고 있다고 믿도록 기만한 것이다.

또 한 사람의 보고서에는 이렇게 적혀 있었다. '들러서 커피 잔을 선물로 주고 왔다.' 이것도 고객 방문이었던 것이다. 그러니 그녀는 그런 식으로 네 건 더 채우고 나서 자기가 열심히 일했다고 생각하며 퇴근할 수 있었던 것이다.

그 때부터 나는 그 회사 세일즈맨들에게 자신이 한 일에 대해 있는 그대로 이름을 붙이게 하였다. 하는 일이 고작 흔히들 말하는 고객 방문 횟수나 세는 것이라면 자신이 실제 하는 일의 의미를 잘못 이해하게 된다. 판매를 하는 대신 불필요한 고객 방문이 먼저 해야 할 일이 되고 만다. 그런 식의 고객 방문 횟수를 세지 않게 되면 정말 의미 있는 일을 하는 횟수를 셀 수 있게 된다.

그리스의 정치가이자 웅변가였던 데모스테네스는 말했다.

"자기 자신을 속이는 일보다 쉬운 일은 없다. 자신이 바라는 것을 사실이라고 믿어버리면 그만이기 때문이다."

목적의식을 갖고 팔기 위해서는 자신이 하는 일의 의미와 가치를 판단하는 데 냉혹할만큼 정직해야 한다. 잠재고객에게 제안을 하기 위해서는 여러 가지 일을 해야 한다. 여러분이 한 일이 모두 같은 의미와 가치를 지니지는 않는다. 비록 그것이 모두가 해야 할 일들이기는 해도 말이다.

판매를 위한 노력에 어떤 성과들이 있을 수 있는지 알아보고 거기에 합당한 이름을 붙여 보자. 이 원칙을 지킨다면 여러분은 더 이상 자신이 하는 일은 아무것이나 고객 방문이라고 부르지 않게 될 것이다.

아래에는 '판매를 위한 노력의 성과 일곱 가지' 가 나와 있는데 오늘부터 다음과 같은 '성과의 수' 를 헤아려 보기를 권한다.

1. 씨뿌리기 : 잠재고객의 업계와 관련된 기사를 우편이나 팩스로 보낸 일. 잠재고객이라고 부를 수 있는 잠재고객에게 기사를 하나 보냈다면 '씨뿌리기' 를 한 번 한 것이다.

2. 편지 보내기 : 자신을 소개하는 편지나, 감사 편지, 문제점

에 대해 설명해 주는 편지 등을 보냈을 때 '편지 보내기'를 한 번 한 것이다.

3. 전화 걸기 : 잠재고객이나 고객과 통화하기 위해 전화를 했다면 '전화 걸기'를 한 것이다. 전화를 걸었다고 해서 반드시 통화를 하게 되는 것은 아니지만 일단 다이얼을 돌려야 하기 때문이다.

4. 접촉 : 운 좋게 여러분이 통화하고 싶은 그 사람이 직접 전화를 받을 수도 있고, 누군가를 거쳐 통화를 할 수도 있지만 어쨌든 통화를 했다면 한 번 '접촉'한 것이다. 전화 걸기를 해도 접촉은 못하는 수가 있지만 전화 걸기를 하지 않고는 접촉을 할 수 없다. 물론 직접 찾아가는 경우는 제외하고 하는 이야기이다.

5. 약속 잡기 : 전화를 걸어서 잠재고객과 이야기를 하고 약속을 잡는다면 '약속 잡기'를 한 번 한 것이다.

6. 고객 욕구 분석 실시 : 잠재고객을 만나 정보를 교환하고 욕구를 파악한다면 '고객 욕구 분석'을 한 번 실시한 것이다. 잠재고객의 공장이나 설비시설을 돌아보는 것도 여기에 해당된다.

7. 제안 : 해결책을 제시하고 구체적 액수의 주문을 요청했다면 '제안'을 하나 한 것이다. '제안'이야말로 판매를 위한 노력의

성과들 가운데 가장 중요한 성과이다. 6번까지의 성과들은 바로 제안을 할 수 있도록 도움을 주는 성과이다.

하루 일과를 끝내고 그 날의 성과를 헤아려 볼 수 있다. 예를 들어 다음처럼 하루를 보낼 수 있다. 아침에 출근하여 다섯 번의 씨뿌리기를 하고, 편지를 두 통 써서 보내고, 열 군데에 전화 걸기를 하여 세 번의 접촉을 하고, 한 건의 약속을 잡는다. 그리고는 사무실에서 나와 세 사람의 잠재고객을 만난다. 그 가운데 두 군데서 고객 욕구 분석을 실시하고 한 곳에서 제안을 한다. 그러면 판매를 위한 24가지의 성과를 올린 것이다. 24회의 고객 방문을 한 것이 아니다.

◆ 우연히 세일즈를 하게 된 사람을 위한 격언 _
하는 일을 있는 그대로 부르는 것이 성공에 큰 힘이 된다.

◆ 부수적 조언 _
의미 있는 일을 한 횟수를 헤아릴 때 당연히 해야 할 일들을
하게 될 가능성이 커진다.

이제 우리가 보게 될 비디오에 나오는 유명한 대사는 우연히 세일즈를 하게 된 세일즈맨에게 큰 깨우침을 줄 것이다. "자네는 진실을 다룰 수 없어." 너무나 많은 세일즈맨들이 시장의 냉엄한 현실을 제대로 깨닫지 못한다. 《어퓨 굿 맨 A Few Good Men》은 법정의 이야기를 다룬 영화이지만 자신의 일을 진지하게 받아들이라는 교훈을 주는 영화이기도 하다. 자, 어떤 내용인지 보도록 하자.

 ## 2000원으로 배우는 세일즈

—《어 퓨 굿 맨》

쿠바의 관타나모 만 미군 기지 내 윌리엄 산티아고의 방에 두 명의 해병대원이 침입해 폭행을 가한다. 산티아고는 사망한다.

워싱턴 DC에서는 산티아고를 사망하게 한 두 해병대원의 군사 재판을 위해 다니엘 캐피(톰 크루즈)를 변호인으로 지명한다. 캐피는 하버드 법과 대학원을 나왔지만 상대적으로 게으른 해군 법무관이다. 그는 지난 9개월 동안 44건의 사건 변호를 맡으면서 검찰과 거래를 하여 유죄를 인정하는 대신 형량을 줄여 받는 식으로 사건을 처리해 왔다. 조앤 켈러웨이(데미 무어)는 캐피의 상관인데 그녀 자신이 이 사건 변론을 맡고 싶어했다. 그러나 캐피가 그 전처럼 거래해 주기를 기대하는 또 다른 상관으로 인해 사건은 캐피에게 맡겨진다.

캐피가 사건 변론을 위한 준비를 제대로 하지 않았다는 사실을 안 캘러웨이는 이렇게 말한다. "더 깊이 파고 들어야 한다. 내 임무는 귀관이 자기 일을 제대로 하게 만드는 것이다."

캐피는 자신이 변호해야 할 두 사병이 유죄라는 것을 알고 있다. 그런데 그들이 자신들에게 명령을 내린 상관이 누구인지 진술하기를 거부하는 바람에 변호는 어려워진다. 캐피는 어떻게 해서든 그 두 사람이 자신들의 독단으로 행동한 것이 아니라 상관의 명령을 따랐다는 것을 입증해야 했다. 캐피를 중심으로 한 변호인단은 나탄 제섭 대령(잭 니콜슨)이 '코드 레드' 명령을 내렸다고 의심한다. 코드 레드는 상관이 명령하는 불법 기합을 말한다. 병영 수칙에도 없는 불법 기합이지만 군기를 잡는 데에는 아주 효과적이다.

문제는 사고를 낸 두 장본인이 자기 과실을 인정한 것 이외에는 사건의 본질을 규명할 증거도, 증인도 없다는 것이다. 그러나 두 사람은 마침내 캔드릭 중위가 산티아고에게 코드 레드 기합을 주라는 명령을 내렸다는 사실을 인정한다.

상부의 기대와는 전혀 달리 자신이 변호하는 피고인들을 위해 무죄를 주장하고 법정 밖으로 나온 캐피는 웃으며 말한다.

"법정이란 게 이런 거로군."

캐피는 이제 자신이 맡은 이 사건을 진지하게 대한다. 한 편 그는 자신이 변호사로서 명성을 날린 아버지를 뛰어넘을 수 없다는 패배의식과도 싸운다.

변호인단은 록키가 아폴로 크리드와 싸우기 위해 맹훈련을 하듯 재판 준비를 한다. 3주에 걸쳐 하루 20시간씩 일을 한다. 캐피는 변호인단에게 말한다.

"이 사건은 세일즈와 같습니다. 법이 문제가 아니에요. 결국은 변호인들이 이기게 되어 있습니다."

영화가 절정에 이르면 캐피가 제섭 대령을 증인으로 신청한다. 그리고는 자극적인 질문을 계속 퍼부어 제섭 대령으로 하여금 자신이 코드 레드 명령을 내렸다는 사실을 인정하게 만든다.

제섭 대령이 캐피에게 말한다.

"우리는 명령을 따르네. 알겠나? 우리는 명령대로 하네. 그렇지 않으면 여러 사람들이 죽게 되네. 아주 간단한 이야기지. 알아듣겠는가?"

"확실히 알아들었습니다."

"만일 캔드릭 중위가 산티아고에게 손을 대지 말라는 명령을 내렸다면 어째서 그가 전근을 가야만 합니까?"

"대답을 원하는 건가?"

"진실을 원합니다."

"자네는 진실을 다룰 수 없어. 자네는 진실을 원하지 않아. 다만 내가 최종 명령자라고 밝히고 싶어할 뿐이야."

그리고 제섭 대령은 (멋진 연기로) 무너져 내린다. 그는 자신이 코드 레드 명령을 내렸다는 사실을 자백한다. 이로써 스스로를 기소하는 결과가 된다.

---·-·-·-·-·-·-·---

이 영화에 등장하는 배우들의 연기도 좋았지만 세일즈에 대한 큰 교훈을 안겨주기도 한 영화였다.

1. 조사와 질문 준비에 많은 시간을 들일수록 확실한 우위에 설 수 있다. 검사 측보다 더 많은 사실을 알기 위해 깊이 파고 들어감으로써 사건에서 승소할 수 있었다.

2. **분명한 목표를 세우는 것이 성공의 열쇠다.** 캐피는 자신이 해야 할 일은 자신이 변호를 맡은 피고인들이 명령을 수행하였다는 사실을 입증하는 것이라는 사실을 분명히 알고 있었다. 우선 그 사실을 가슴 깊이 새긴 다음 끈질기게 그 증거를 찾아 나섰다.

3. **시각적 보조 수단이 판매에 도움이 된다.** 제복을 입은 두 명의 장교가 기습적으로 법정 안으로 걸어 들어오는데 이는 마치 제섭 대령이 그토록 감추려고 애쓰는 한 가지 중요한 증거를 입증하려는 사람들과 같은 인상을 준다. 비록 증언은 안 했지만 그들이 그 자리에 있다는 사실 자체가 재판의 결과에 영향을 미쳤다.

4. **자신이 하는 일을 진지하게 받아들인다.** 여러분은 진실을 다룰 수 있다. 사실 목적의식을 가지고 파는 유일한 길은 자신과 자신의 매니저에게 진행되고 있는 일을 있는 그대로 말하는 것이다.

"똑같은 고객 방문이라면 집어치워라." 이 말이 놀랍게 들릴 것이다. 이 말을 하는 이유는 여러분이 얼마나 제대로 하고 있는지 있는 그대로의 현실을 파악하게 하기 위해서이다. 의미 있는 행동들을 헤아리는 것이 중요하다. 세일즈다운 세일즈를 할 수 있는 일들을 계속할 때 시간을 제대로 쓰고 있는 것인지 아닌지 알 수 있다.

우리가 살고 있는 이 '방해의 시대'에는 의미 없는 사소한 것들에 파묻히기 쉽다. 주의를 산만하게 하는 기술들과 제품들을 생각해 보라. 팩스, 이메일, 음성메시지, 휴대 전화, 호출기 등은 때에 따라서 일을 방해한다. '진동으로 인한 주의의 분산'은 새로운 질병이다. 진동으로 전환시켜 놓은 휴대 전화기가 주머니 속에서 부르르 떨고 있을 때 고객에게 주의를 집중하기는 쉽지 않다. 눈의 초점이 흐트러지고 주의는 산만해진다. 고객은 눈치채지 못할지 모르지만 그 바람에 고객이 하는 말을 놓친다. 이것은 심각한 문제이다. 그렇게 오는 전화를 받느라고 "잠깐만 실례하겠습니다"라면서 허비한 시간이 하루에 20분은 될 것이다.

그런 식으로 일을 하면 할 일을 다 해서 퇴근하는 것이 아니라 피곤해서 퇴근하게 된다. 어떤 조사에 따르면 현대인들의 상당수가 200시간 내지 300시간을 쏟아 붓고도 자신이 맡은 프로젝트를 끝내지 못하는 경우가 많다고 한다. '모든 것을 다 할 수는 없다'는 현실을 받아들이면 보다 중요한 일부터 할 수 있을 것이다.

사람들은 여전히 세일즈맨에게서 무엇을 산다. 그러나 잠재고객을 만나기는 점점 더 어려워진다. 이 책이 제시하는 모든 행동들은 잠재고객이 여러분을 만나고 싶어하도록 만들려는 것이다.

축구 중계방송을 보다 보면 해설자가 '볼 점유율'이라는 말을 하는 것을 들을 수 있을 것이다. 상대 팀에 비해 더 오랜 시간 공을 가지고 있는 팀이 이기는 것이 일반적이다.

여러분이 판매에 들인 시간([표 6-1] 참조)은 쉽게 알아볼 수 있다. 한 주일 동안 구매 결정권자 앞에서 보낸 시간을 분 단위나 시간 단위로 체크해 보라. 고객 욕구 분석을 하였거나 제안을 하였거나

[표6-1]

고객과 얼굴을 맞댄 시간을 측정해 보면 어떻게 해야 판매를 늘릴 수 있는지 알 수 있다.

판매에 들인 시간

	월	화	수	목	금	토
AM						
PM						
AM						
PM						
AM						
PM						
AM						
PM						
AM						
PM						

월 판매액 합계 ÷ 고객과 함께 보낸 시간 합계 = 고객을 대면한 시간의 화폐가치

보상 월 합계 ÷ 고객과 함께 보낸 시간 합계 = 시간당 임금

어떤 것이라도 좋다. 중요한 것은 잠재고객과 실제 얼굴을 맞대고 보낸 시간이냐, 아니면 운전을 한 시간이냐, 그렇지 않으면 컴퓨터 앞에 앉아 있었던 시간이냐를 구분하는 것이다.

어느 날 늦게까지 일하고 퇴근하여 집에 돌아갔을 때 부인이 "여보, 오늘 하루는 어땠어요?"라는 말로 맞아준 적이 있을 것이다. 화재가 발생해 진압하고 났더니 다른 곳에서 또 불이 나서 그 불도 잡았다고 말할 수 있다면 소방관으로서는 하루를 잘 보낸 것이다. 그러나 여러분은 세일즈맨이지 소방관이 아니다. 여러분은 사무실에 처박혀 있는 대신 밖으로 나가 돌아다녀야 한다.

판매에 들인 시간은 계속해서 살펴보아야 할 중요한 통계이다. 잠재고객을 만나는 일과 판매를 성사시키는 일은 직접적인 상관관계가 있기 때문에 판매에 들인 시간은 여러분의 소득이 어느 정도인지 말해 준다. 그 시간을 늘려라. 그냥 일만 하면서 시간을 보낸다고 판매가 되는 것이 아니다. 판매에 들인 시간이야말로 여러분이 어느 정도 생산성 있는 세일즈맨인지 알려 주는 정확한 평가 자료이다. 다음과 같은 일들에 들인 시간은 의미 없는 시간이다.

— 비행기 탑승
— 운전
— 로비에서 기다리기
— 보고서 작성
— 호텔투숙

- 이메일, 음성메시지, 우편물 체크
- 상사의 메모 읽기
- 판매 회의 참석
- 새로운 소프트웨어 연습
- 세탁물 찾은 일
- 동물 병원에 개 데리고 간 일

판매라는 목적을 향해 나아가는 여러분의 시간을 잡아먹고 주의를 산만하게 만드는 일들이 이렇게 많은데도 용케 무엇을 판다는 사실을 생각하면 참으로 신기하다. 고객과 함께 보낸 시간을 1주일 단위로 기록할 것을 권한다. 그리고 그 다음 주에는 그 시간을 15분 늘리려고 애써 보라.

판매에 들인 시간보다 중요한 것은 없다. 여러분은 팩스 앞에 앉아 있을 때보다 밖에서 돌아다닐 때 진가를 발휘한다. 독서도 해야 하고 서류 정리도 해야겠지만 그런 것 때문에 고객을 등한시해서는 안 된다.

판매에 들인 시간 기록표를 활용하려면 잠재고객이나 고객과 함께 보낸 시간을 분 단위나 시간 단위로 측정하라. 스톱워치를 이용한다면 더 정확하게 잴 수 있을 것이다. 여러분의 판매를 늘릴 수 있는 가장 빠른 방법은 판매에 들인 시간을 늘이는 것이다. [표 6-1]의 양식을 그대로 써도 좋고 여러분이 현재 시간을 관리하기 위해 사용하고 있는 양식이어도 좋다.

이제 여러분은 〈가장 거래하고 싶은 고객 열 명의 명단〉도 확보하게 되었고, 판매를 위해 노력할 때 추구해야 할 7가지 성과에 대해서도 알게 되었다. 그리고 판매에 들인 시간의 막중한 의미도 알게 되었다. 이와 같은 현실에 대한 인식은 여러분을 스스로 돌아보게 만들어 지속적으로 목적의식을 가지고 팔 수 있게 해줄 것이다.

PART 3

모든 것을 더 낮게 하기 –
판매의 모든 과정을 체계적으로 처리하기

|제7장|
만나지 못할 사람은 없다

제 3과정에서 제 9과정까지

 우연히 배우게 된 세일즈

—공항의 세일즈맨

1995년 7월 13일의 일이다. 나는 미니애폴리스 세인트 폴 공항의 패스트푸드점에 앉아 늦은 점심을 먹고 있었다. 바로 그 순간 세미나가 시작되었다. 강사를 환영하는 박수도 없었다. 그는 청바지와 티셔츠를 입고 있었다. 세상 사람들의 기준으로 볼 때 그의 옷차림은 성공한 사람같아 보이지 않았다. 근사한 서류 가방도 들지 않았다. 전대처럼 보이는 불룩해 보이는 주머니를 허리춤에 차고 있을 뿐이었다.

그는 식탁에 앉아 점심을 먹고 있는 손님 하나 하나에게 다가가 숙달된 동작으로 무엇인가를 내밀더니 세일즈 프리젠테이션을 시작했다. 2분 동안 열 번의 프리젠테이션을 한 것이었다. 그의 판매 과정은 마무리를 위해 한 번 더 식탁에 앉아 있는 손님들에게 다가가 의향을 묻는 것이었다. 그리고는 그 곳에 있던 열 명의 잠재고객 가운데 네 명으로부터 현찰을 거두어 들여 허리춤에 차고 있던 주머니에 쑤셔 넣었다. 그리고는 식당에서 나갔는데, 또 다른 잠재고객들을 찾아 나서는 것 같았다.

그 자리에 있던 나는 눈 앞에서 일어났던 일에 놀라 잠시 의미를 더듬어 보았다. 잦은 이동으로 지쳐 보이는 열 사람을 상대로 2분 만에 체계적인 판매 과정을 밟아 40퍼센트의 성공률을 달성하며 8천 원을 거두어 갔다. 그런 물건을 사리라고는 꿈에도 생각해 본 적이 없던 나도 기분 좋게 2천 원을 주고 그 것을 샀다.

밥도 다 먹었고 시간 여유도 조금 있고 하여 나는 식당의 냅킨 하나를 꺼내어 다음과 같은 계산을 해 보았다.

2분에 8,000원 = 시간당 240,000원

240,000원 × 8시간 = 하루에 1,920,000원

1,920,000원 × 주 5일 = 한 주일에 9,600,000원

9,600,000원 × 연 50 주 = 1년에 480,000,000원

※전액 현찰

공항에는 90군데의 게이트와 20여 군데의 식당이 있었다. 비행기들이 착륙하고, 이륙 준비를 하는 한 시간이나 한 시간 반 단위로 엄청난 수의 새로운 잠재고객이 그 세일즈맨을 위해 제공되고 있었다. 내가 짐작하건데 그 물건의 원가는 천 원을 넘기 어려울 것 같았다. 결국 원가를 제외한 천 원이 순이익이라는 이야기였다. 이쯤 되면 여러분은 지금 하는 일을 걷어치우고 공항으로 달려가 그것을 팔고 싶다는 생각이 들 것이다. 그렇다 해도 나머지 이야기는 마저 듣고 가면 좋겠다.

그가 판 것은 드라이버였다. 길이 5센티미터쯤 되는 드라이버 세 개가 한 세트로 플라스틱 케이스에 담겨 있었는데 그 케이스는 열쇠고리로도 사용할 수 있게 되어 있었다. 명함보다 조금 큰 카드에 자신이 하고 싶은 말을 적어 넣었는데 그 내용은 다음과 같다.

> 안녕하십니까? 저는 청각 장애인입니다. 열쇠고리 겸용 드라이버 세트를 단돈 2천 원에 팔고 있습니다. 안경, 시계, 컴퓨터 등의 나사를 풀고 조일 수 있는 드라이버입니다. 수익금은 저희 가족 생활비와 교육비로 씁니다. 하나 사주시겠습니까?
> "하느님의 가호가 함께 하기를 빕니다!"

그 카드에는 수화로 '사랑합니다' 라는 뜻의 손가락 그림이 그려져 있었다. 내가 앉아 있는 식탁에 그 드라이버 세트와 카드를 올려놓은 다음 다른 식탁으로 가서도 같은 동작을 반복하였다. 그런 다음 판매를 마무리짓기 위해 다시 내게 돌아왔을 때 그는 드라이버 세트를 한 번 보고 그리고는 나를 쳐다보았다. 계속해서 눈을 크게 뜨고 손바닥을 내밀었다. 이렇게 묻는 것 같았다. "사시겠습니까?" 나는 2천 원을 건네주었고, 그는 고맙다는 뜻으로 보이는 수화 동작을 한 다음 다른 식탁쪽으로 갔다. 어떤 사람들은 만국 공용의 싫다는 의미인 고개를 가로저었다. 그러면 그는 미소를 지으며 물건을 집어 들고 다른 식탁으로 다가가 같은 동작을 되풀이했다.

나는 2천 원을 주고 드라이버 세트를 샀지만 세일즈에 관한 일곱 가지 교훈을 공짜로 얻었다. 정말 소중한 교훈이다.

---·—·—·—·—·—·—·—·---

1. **자신에 대하여 미리 밝혀라.** 여러분이 어떤 사람인지, 왜 여러분한테 사야 하는지 일찍 이해시켜라. 스스로에 대해 어느 정도 밝히는 것은 잠재고객에게 여러분이 단순히 세일즈를 하는 기계가 아니라 살아 숨쉬는 인간임을 깨닫게 해준다. "오늘 이렇게 찾아뵙기 위한 준비로 저는……"와 같은 말로 간단하게 할 수도 있고, 좀더 구체적으로 "저는 청각 장애인입니다. 이것을 팔고 있습니다"라고 말할 수도 있다.

2. **거절을 당했을 때는 빨리 잊고 계속하라.** 드라이버를 팔던 그 사

람은 40퍼센트의 판매 성공률을 거두는 과정에서 여섯 번의 거절을 당했다. 그러나 주저하지 않고 물건을 집어들고 다음 식탁으로 옮겨갔다. 누워서 상처를 달래지 않았고, 서러움을 삭이기 위해 술을 마시지도 않았다. 다른 동료들을 모아 놓고 일이 너무 힘들다고 넋두리를 늘어놓지도 않았다. 그저 바로 다음 잠재고객에게 다가가 살 것인지 물었다. 쉬지 않고 세일즈를 계속했다.

나는 그가 1주일에 1,920,000원을 벌 수 있기 때문에 거부 반응을 잘 소화해 내는 것인지, 거부 반응을 잘 소화해 내고 계속 팔려고 노력하기 때문에 한 주에 1,920,000원 벌 수 있는 것인지 생각해 보았다. 너무나 당연한 이야기겠지만 그가 거부 반응을 잘 소화해 내고 계속 팔려고 노력하기 때문에 그 정도의 보상을 받을 수 있는 것이다.

3. **자신의 제품을 존중하라, 그러면 잠재고객도 그럴 것이다.** 바쁘게 움직이면서도 그는 드라이버 세트를 식탁 위에 조심스럽게 올려놓았다. 분명한 의식을 가지고 세심하게 행동했다.

4. **하고 싶은 이야기를 글로 쓰면 더 강한 느낌을 전할 수 있다.** 물론 드라이버를 팔던 그 사람은 자기가 하고 싶은 이야기를 글로 써서 전할 수밖에 없었다. 그러나 어쨌든 시시콜콜한 이야기 대신에 자신이 파는 물건에 대해 확실하게 납득할 수 있는 이야기를 하였다. 물건 자체에 대한 설명 대신에 물건의 효용을 말했다. "안경, 시계, 컴

퓨터 등의 나사를 풀고 조일 수 있는 드라이버입니다."

물건 자체가 아닌 물건이 가진 효용을 팔아라. 나는 최근 그 드라이버 세트를 아주 유용하게 쓴 적이 있다. 세미나 수강자 가운데 한 사람이 안경의 나사가 풀려 곤란했는데 그 드라이버로 풀린 나사를 다시 조일 수 있었다.

5. 고객의 의견에 귀기울여라. 판매에서 '말하기'의 효과가 과대평가되어 있다. 그 청각 장애인은 한 마디도 하지 않았지만 접촉했던 잠재고객 중 40퍼센트를 고객으로 만들었다. 말을 할 줄 아는 세일즈맨들은 자주 말할 수 있는 능력을 남용한다. 그러나 판매에서는 듣는 것이 중요하다. 귀로만이 아니라 눈으로도 들을 수 있다. 그 청각 장애인은 상대의 눈을 마주 보며 생각을 읽었다.

6. 더 많은 사람에게 프리젠테이션을 할수록 판매는 늘어난다. 호출기, 휴대 전화, 노트북 컴퓨터, 팩스, 인터넷, 장황한 수식어 등이 없이도 팔 수 있다. 여러분이 어떤 사람인지, 또 여러분이 파는 것이 어떤 것인지 꼭 필요한 내용만을 추려서 전달하라.

7. 효과적인 판매 체계를 찾아내고 끝까지 써먹어라. 여러분에게 맞는 효과적인 판매 방식을 찾아내고 그 방식이 굴러가게 하라. 매일 자신이라는 사람을 내세워야 하는 부담에서 벗어날 수 있다. 똑같은 드라이버를 비슷한 내용으로 이 사람 저 사람에게 파는 일이 지

루할 수도 있다. 그러나 1주일에 1,920,000원이라는 보상이 있지 않은가?

물론 드라이버를 파는 그 청각 장애인에 비해 여러분의 제품은 더 비싸고 훨씬 복잡한 과정(적어도 16 과정)을 거쳐야 한다. 그렇다고는 해도 각 과정을 목적의식을 갖고 체계적으로 진행시킨다면 효과를 볼 수 있다. 이번 제 3부에서는 고객과 교류하는 모든 과정을 여러분이 주도적으로 진행시킬 수 있도록 해주는 기법들에 대해 알아볼 것이다.

"모르는 사람하고는 이야기하지 말거라"

어릴 때 자주 듣던 이 말이 여러분의 잠재의식에 남아 잠재고객과의 대화를 주저하게 만든다. 서너 살짜리 아이들에게는 좋은 충고였던 그 말이 세일즈에 몸담은 여러분에게는 독이 된다. 여러분은 모르는 사람과 이야기를 해야 한다. 물론 느닷없이 전화를 해야 하는 일이 내키지 않는다는 것은 나도 안다. 모르는 사람에게 전화를 걸어 이야기를 하는 것보다는 여러분을 알고 있고 이야기하는 것도 좋아하는 사람에게 전화를 거는 것이 훨씬 쉬운 것은 사실이다.

그런데 세일즈맨이 낯선 사람과 대화하기 어려운 이유는 세일즈맨의 부모만이 자녀에게 모르는 사람과 이야기하지 말라고 교육시키기 때문이 아니다. 잠재고객의 부모들 역시 자녀들에게 모르는 사람하고는 이야기하지 말라고 가르쳤기 때문에 어려움은 배가 되는 것이다.

예전에는 잠재고객이 세일즈맨을 피하기 위해 '문지기'를 두어 세일즈맨의 출입을 막았다. 이제는 낯선 사람을 만나지 않기 위해 보이스 메일까지 이용한다. 그러나 걱정할 것 없다. 제 3과정, 제 4과정, 제 5과정을 모두 밟을 때 여러분은 잠재고객 주변에 몰려드는 흔한 낯선 세일즈맨들과 달라 보인다. 전화를 걸기 전에 이미 3단계 수준의 모습을 세 번(이 횟수를 세는 것을 잊지 말라)이나 보여주었기 때문이다. 잠재고객이 전화를 받을 때쯤이면 그는 이미 여러분의 이름을 알고, 또 여러분이 왜 전화를 했는지도 알고 있다.

잠재고객에게 여러분은 더 이상 낯선 사람이 아니다. 그렇기 때문에 여러분과 이야기를 하려고 할 것이다. 운 좋게도 잠재고객이 먼저 여러분에게 전화를 하여 만나자고 할 때는 당연히 제 3과정에서부터 제 9과정까지를 밟을 필요가 없다. 이미 첫 만남을 약속했기 때문이다(제 10과정). 그런 잠재고객이 아닌 다른 대상에게는 제 3과정에서부터 제 9과정까지 밟아 나가야 한다.

제 3과정: 최초의 3단계 모습

잠재고객에게 업계에서 문제나 동향에 관련된 기사를 우편이나 팩스로 보내라. 그렇게 하는 까닭은 여러분이나 여러분의 회사를 흔하디 흔한 세일즈맨 중 한 사람이나 기업으로 생각하게 하는 대신 잠재고객에게 의미 있는 존재, 즉 사업상 교류할 필요가 있는 대상이라는 인식을 심어주려는 것이다.

경제 신문이나 잡지 혹은 업계지에서 기사를 오려 내고 거기에 여러분의 명함을 붙여라. 그리고 명함에는 다음과 같은 내용을 간단히 써 넣어라. '이 기사가 도움이 되시길 바랍니다,' '이 기사를 읽다가 고객님 생각이 나서 이렇게 오려 보냅니다.' 직접 오린 기사만 복사해서 보내는 것보다 더 강한 인상을 줄 것이다.

좀더 간단하게 해보자. 앞서 보았던 [표 3-1]의 양식을 이용하는 것이다. 여러분의 이름과 회사의 로고가 인쇄되어 있는 양식에 기사를 붙이고 명함에 적어 넣으라고 했던 간단한 사연을 적어 넣어 보내라.

기사는 한 문단이나 한 단 정도로 짧은 것이 적당하다. 다른 경쟁자들이 제품 설명서나 가격표 등을 홍수처럼 보낼 때 여러분은 자신을 잠재고객의 업계를 알고 있는데 더하여 잠재고객의 귀한 시간까지 배려할 줄 아는 사람으로 인식시킬 수 있을 것이다. 이미 여러분이 그렇게 느꼈으리라고 짐작하지만 [표 3-1]의 양식은 기존 고객에게도 여러분의 이름을 계속 기억시키는 효과가 있다.

잠재고객을 상대로 이렇게 '씨뿌리기'를 함으로써 여러분은 다음 세 가지 일을 완수한 것이다.

1. 가치 있는 정보를 제공함으로써 잠재고객을 상대로 한 여러분의 첫 조치가 3단계 수준이 되게 하였다.

2. 잠재고객이 몸담고 있는 업계의 문제나 동향에 관해 누구보다 앞서 있다는 사실을 입증하였다(설마 기사를 보내기 전에 읽어보지도 않고 보내지는 않았을 줄 믿는다).

3. 처음으로 잠재고객에게 여러분의 이름을 알렸다.

제 4과정: 제 3과정의 반복 (경우에 따라 생략 가능)

기사를 보내고 나서 2~3일 뒤에 다른 기사를 찾아 오려라. 명함을 붙여서 우편으로 보내든가 [표 3-1]의 양식에 붙여 팩스로 보내라. 이 두 번째 '씨뿌리기'는 잠재고객에게 여러분이 심어주었던 첫 인상, 즉 자신에게 관심을 가져 주고 시간 좀 내달라고 아우성치는 다른 세일즈맨들과는 어딘지 다르고 나은 것 같다는 첫 인상을 더 확실하게 해준다.

모든 경우에 이 제 4과정이 필요한 것은 아니다. 가장 거래하고 싶은 고객 열 명의 명단 가운데서 다섯 명을 골라 두 번째 '씨뿌리기'를 해보라. 그리고 나머지 다섯 명에게는 첫 번째 '씨뿌리기'만 하고 바로 제 5과정으로 들어가라. '씨뿌리기'를 한 번 더 한 것 때문에 잠재고객과의 관계가 더 돈독해졌는지 퍼센트로 비교하여 할 만한 가치가 있는지 판단하라. 제 4과정을 밟든 안 밟든 제 5과정은 생략해서는 안 된다.

제 5과정: '편지'를 보내라

씨뿌리기를 한 다음 이틀 뒤 '편지'를 보내라([표 7-1]참조). 편지 양식을 만들어 놓고 이메일로 동시에 여러 사람에게 같은 편지를 발송할 수 있는 '첨부 기능'을 이용하는 것도 좋은 방법이다.

제 5과정 후속 조치: 약속한 대로 전화해라

당연한 말이지만 시간을 내어 전화를 하라. 편지가 효과를 낼 것인데, 그럴 만한 네 가지 이유가 있다.

1. 편지는 잠재고객에게 여러분이 무엇을 할 것인지(전화를 걸 것이라는 사실) 미리 알게 해줄 뿐 아니라 여러분이 예고한 시간에 전화를 걸 때 신뢰할 수 있는 사람이라는 인상을 준다.

2. 편지는 잠재고객이 여러분에게 전화하는 번거로움을 덜어준다. 여러분이 전화할 것이라는 사실을 미리 알리는 것이기 때문에 상식적인 사람이라면 당연한 조치를 취할 것이다.

3. 잠재고객이 여러분의 전화를 기다리게 만든다.

4. 마법의 주문을 담고 있다.

[표7-1]

[날짜]
[이름과 직함]
[회사명]
[내부 주소]

안녕하십니까 △△씨.

경영이나 관리란 많은 업무 방해로 인해 끊임없이 업무가 중단되는 일입니다. 그렇기 때문에 이 편지는 27초만에 읽을 수 있도록 짧게 썼습니다. 저와 만나시게 되면 프리젠테이션은 미리 준비된 것이기 때문에 간단히 끝날 것입니다. 저와의 대화가 고객님의 업무를 방해하는 시간이기보다는 유익하고 정보를 얻는 시간이 되기 바라기 때문입니다.

△△일 △△시에 전화를 드려 약속 시간을 잡고 싶습니다. 시간은 25분이면 됩니다. 그 자리에서는 아무 것도 결정하실 필요가 없습니다. 사실을 확인하기 위한 시간입니다. 전화를 드리면 저를 기억하시리라고 기대하겠습니다. 저와 만나게 되시면 고객님의 회사에 '도움이 될, 예를 들이 이익 증대' 정보에 대해 설명드리게 될 것입니다. 제가 드리게 될 전화를 업무 방해로 여기지 않으시리라 믿으며 미리 감사드립니다.

안녕히 계십시오.

[이름]
[직함]

※ 고객을 위한 저희의 목표: 고객의 성공을 돕는 세일즈, 경영, 관리, 체제를 창조하고
보급하는 일

우연히 배우게 된 세일즈
─공짜 정보

◆ 마법의 주문 _

"무엇을 결정하기 위한 것이 아니라 있는 사실을 확인하기 위한 만남입니다."

나는 언젠가 독창적인 사업 기회를 모색하는 사람들에게 필요한 정보를 무료로 제공한다는 광고를 보고 거기에 응답한 적이 있었다. 그 광고를 낸 회사는 약속대로 나에게 무료로 카세트 테이프를 하나 보내 주었다. 나머지 판단은 내가 알아서 할 몫이었다.

적당한 시간이 흐르고 난 다음 그 회사의 세일즈 담당자가 다음 조치를 해왔다. 그녀는 그 같은 사업 기회에 관심을 갖고 있고, 사업을 추진할 만한 역량이 있는 사람들이 모이는 세미나에 참석하라고 나에게 권하였다. 나는 거절했다. 그녀는 나에게 믿음을 주기 위해 이렇게 말했다. "크리스, 그 세미나에서는 사업 기회의 가능성에 대해 상세히 설명합니다. 세미나에 참석해 보아야만 정말 가능성 있는지 아닌지 판단할 수 있습니다. 무엇을 결정하시라는 자리가 아닙니다. 그저 있는 사실을 확인하는 자리입니다." 나는 더 이상 거부하지 않고 세미나에 참석하였다.

─ ─·─·─·─·─·─·─·─ ─

나에게 효력을 발휘했던 그 마법의 주문은 여러분의 잠재고객들에게도 효력을 낼 것이다. 그 마법의 주문은 첫 만남을 부담감을 느낄 필요가 없는 만남으로 이해시키기 때문에 잠재고객으로 하여금 방비적인 태세를 갖추지 않아도 되게 한다. '무엇을 결정하기 위한 자리가 아니라 사실을 확인하기 위한 만남입니다' 라는 이 마법의 주문을 편지에도 써 넣고 전화를 걸었을 때도 외워라. 잠재고객이 여러분을 만나는 일에 부담을 가질 필요가 없게 함으로써 얼마나 더 그를 만날 수 있게 되는지 헤아려 보라.

[표 7-1]의 편지는 우리 회사 세일즈맨들이 잠재고객에게 전화를 걸기 위해 활용하는 편지이다. 우리 회사의 고객이 된 사람들은 자신들이 우리 세일즈맨들의 만나자는 제의에 응한 것은 그 편지 때문이었다고 말한다. 매출액 규모가 수십 억 달러에 이르는 어느 대기업의 세일즈 매니저 한 사람은 언젠가 내게 우리 편지를 복사하여 자신의 회사 세일즈맨들에게 쓰게 해도 괜찮겠느냐고 묻기도 하였다.

이제 여러분은 잠재고객과 처음 만나는 자리에서도 여러분을 전혀 모르는 사람으로 느끼지 않게 해줄 만큼 강한 인상을 심어 줄 수 있는 세 가지 조치를 취하였다.

제 6과정: 전화 걸기

여러분은 편지를 통해 언제 전화를 걸겠다는 이야기를 했다. 전화를 걸어라. 잠재고객이 직접 받을 수도 있지만, 비서가 받거나 보이스 메일이 작동할 가능성이 더 많다. 비서는 이렇게 말 할 것이다. "안녕하세요? △△ 회사 △△ 부서의 비서 헤이디입니다." 이제 여러분이 말할 차례이다. 이렇게 말하라. "안녕하세요, 헤이디 양? 존 키팅 씨 좀 부탁합니다. 크리스 라이틀이 전화했다고 하면 아실 겁니다." 바로 바꾸어 주거나 이렇게 되물어 올 것이다. "실례지만 무슨 용건이신지 여쭈어봐도 괜찮을까요?"

마지못해 세일즈를 하는 사람이라면 이 말을 무서워한다. 그러나 여러분이 목적의식을 가지고 팔면 이 말이 반갑게 들릴 것이다. 우연히 세일즈를 하게 된 그 흔한 경쟁자들과 여러분을 차별화시킬 절호의 기회가 온 것이기 때문이다. 이 때 하는 말이 문지기 역할을 하는 비서들이 여러분에 대한 의심을 풀고 전화를 연결시키게 만든다.

(비록 상대방은 보지 못하지만 미소를 지으며) "그럼요. 존이 내게서 편지를 한 통 받은 게 있습니다. 그 편지 때문에 전화하는 겁니다. 오늘 오전에 전화를 한다고 했거든요." 이렇게 말하게 되면 "아, 네. 저는 ○○회사에 근무하는데 존 씨에게 저희 회사 신상품을 보여 드릴 수 있도록 약속을 잡을까 해서 전화했습니다"라고 말하는 것에 비해 훨씬 위엄이 있다.

이 말을 할 때 미소를 짓고 목소리에 힘을 주어라. 전화를 연결시켜 줄 것으로 믿어라. 대부분 연결이 될 것이다. 전화를 걸기 전에 보낸 기사들과 편지가 효력을 내기 시작한다. 간혹 잠재고객이 회의 중이거나, 다른 전화를 받는 중이거나 자리를 비운 경우도 있을 수 있다.

그런 경우까지 고려하더라도 결과는 둘 중 하나일 것이다. 어떻게든 잠재고객과 통화를 하게 되거나 아니면 보이스 메일에 메시지를 남기게 될 것이다. 어느 경우가 되었든 여러분은 이렇게 말해야 한다.

"안녕하십니까? 크리스 라이틀입니다. 제가 보낸 편지 받아 보셨지요? 또 그 전에 보내 드린 기사도 읽어 보셨으리라 믿습니다. 편지에서 말씀드린대로 무엇을 결정하기 위해서가 아니라 있는 사실을 확인하는 차원에서 25분 정도 만나 뵈었으면 좋겠는데 언제가 편하시겠습니까? 1주일 뒤 오전 9시 20분이면 어떻겠습니까?" 보이스 메일을 남기는 경우라면 한 마디 덧붙여도 좋다. "제 연락처를 다시 한 번 알려드리겠습니다. △△△-△△△△, 크리스 라이틀입니다. 안녕히 계십시오."

이 때 중요한 것은 1주일 뒤에 만나자고 하는 것이다. 그 말로 전하고 싶은 의미는 여러분이 바쁘고 계획성 있게 일을 한다는 것이다. 전화를 건 그 날 오후에 만나자고 하거나 다음 날 만나자고 하면 정 반대의 인상을 주게 된다. 잠재고객들은 바쁘고 잘 나가는 세일즈맨들과 거래하고 싶어한다. 약속이 많지 않다면 바쁠 리가 없다. 잠재고객이 생각하기에 바쁘지 않은 세일즈맨은 별 볼일 없는 세일즈맨이다.

1주일 뒤에 만나자고 하는 데는 또 한가지 이유가 있다. 잠재고객의 사정을 고려해 주려는 것이다. 경영이나 관리란 끊임없이 업무를 방해받는 직업이다. 전화를 건 그 날이나 다음 날 만나자고 하면 잠재고객은 조금도 과장하지 않고 이렇게 말할 것이다. "바빠서 옴짝달싹 못할 지경이오. 한 달 뒤에 전화하시오."

1주일이나 2주일 뒤에 만나자고 하면 잠재고객은 어떻게든 빨리 여러분에게서 벗어나려고 하는 대신 여러분이 제시한 날짜에 자신의 시간을 맞추어 보려고 할 것이다. 1주일 뒤로 약속을 잡으면 여러분에게는 제 9과정을 밟을 시간이 주어진다.

제 9과정: 약속을 상기시키기

만날 약속을 잡으면 곧바로 제 9과정으로 들어가라. 물론 제 9과정에 이르기 전에 이미 잠재고객이 여러분을 만나겠다고 했다면 모든 과정을 다 밟을 필요는 없다. 엽서나 팩스, 이메일 등으로 약속을 확인시켜 주어라. [표 7-2]는 약속을 상기시키는 엽서의 예이다.

약속을 상기시켜 줌으로써 잠재고객과 얼굴을 맞대기 전에 또 한 번 강한 인상을 심어 주게 된다. 그 인상은 잠재고객의 기억 속에 간직될 것이다.

잠재고객이 만나자는 제안에 내켜하지 않을 가능성이 있다. 프로답게 체계적으로 3단계 수준의 접근 방식으로 다가갔음에도 불구하고 그런 일이 있을 수 있다. 이럴 때 명심해야 할 것은 여러분이 이런 과정에서 제품이나 서비스를 팔려고 하는 것이 아니라는 사실이다. 잠재고객을 접촉하는 과정의 목적은 만날 약속을 잡으려는 것이다. 조급한 마음에 초기 과정부터 프리젠테이션을 하려는 유혹에 빠지지 않기 바란다.

[표7-2]

○○께

약속을 상기시켜 드립니다. xx월xx일, 오전 xx시에 만나 뵙기로 한 약속을 혹시 잊으실까 해서 엽서를 보냅니다. 만약 약속 일시를 바꾸어야 할 사정이 생기시면 △△△-△△△△로 전화 해주십시오.

고맙습니다.

서명　　　　　　　　　　　　　*이름, 직함*
　　　　　　　　　　　　　　　 회사
　　　　　　　　　　　　　　　 주소

잠재고객이 다음과 같은 말로 만나자는 여러분의 제안을 점잖게 거절할 수 있다. "전화하느라고 애쓰셨소만 이미 예산이 확정되어 있어서 달리 생각해 볼 길이 없소."

그럴 때는 이렇게 말하라. "이해할 수 있습니다. 앞으로 저희와 거래를 하게 될지 어떨지 알 수 없습니다만, 지금 당장 도움이 되는 정보를 가지고 있습니다. 저는 당장이나 아니면 앞으로 도움을 드릴 수 있는 분들은 늘 만나 뵙습니다. 몇 가지 여쭈어 보고 그저 듣기만 합니다. 그런 만남이 무엇을 결정하는 자리는 아니고 있는 사실을 확인하려는 자리입니다. 다음 주 목요일은 어떻겠습니까?"

어쩌면 단도직입적으로 거절하지는 않지만 싸늘한 느낌이 들 정도로 무관심하게 나올 수도 있다. "현재로서는 관심이 없소." 그럴 때는 이렇게 말하라. "이해가 됩니다. 처음에 관심이 없다고 말씀하셨던 분들 가운데 지금은 제 고객이 된 분이 많기 때문에 고객님을 만나 뵙기 위해 제가 투자하는 25분과 수고는 감수할 수 있습니다. 그런 분들에게 저는 어떤 실질적 이득을 볼 수 있는지 납득시켜 드렸습니다. 그러니 한 번 약속을 잡아 보시지요?"

이 때 잠재고객이 이렇게까지 말할 수도 있다. "끔찍하게 밀어붙이시는구먼." 그럴 때는 이렇게 말하라. "제가 기사를 두 건 보내드리고, 편지를 쓰고, 그리고 지금 이렇게 전화를 드리는 이유는 과연 고객님께서 저희 상품을 살 필요가 있는지 알아보기 위해서입니다. 저는 많은 기업들과 거래를 하고 있는데 모두들 이익이 늘었습니다. 제가 밀어 붙인다기보다는 직업 정신이 투철하다고 이해해 주셨으면 좋겠습니다. 그 점을 이해하신다면 만나실 수 있을 것 같은데 어떻습니까?"

여러분이 전화를 건 상대가 대표이사나 고위 경영진이라면 이 말을 덧붙여도 좋다. "회장님 회사의 세일즈맨들이 저처럼 잠재고객들을 대하기 바라지 않으십니까?" 자신감 넘치는 목소리로 유머

러스한 말을 했기 때문에 분위기가 바뀔 가능성이 크다. 대부분 이렇게 답한다. "물론 그래야지요. 그런데 우리 회사로 옮기고 싶소?" 고위 경영진이라면 당연히 자기네 세일즈맨들이 여러분처럼 목적의식을 가지고 자기주장을 펴기 바란다.

거절을 잘 소화해 내야 한다. 잠재고객이 그래도 만나고 싶지 않다고 한다면 "잘 알았습니다. 안녕히 계십시오"라고 말하고 전화를 끊어라.

잠재고객과 처음으로 대화를 하다 말다툼으로 끝내고 싶지는 않을 것이다. 예의를 갖추면서도 끈질기다는 인상을 주고 싶을 것이다. 거절을 여러분의 인격에 대한 거부로 받아들이지 않아야 한다. 우연히 세일즈를 하게 된 사람이 세일즈에서 성공하기 위해 명심해야 할 것이 있다.

◆ 우연히 세일즈를 하게 된 사람을 위한 격언 _
잠재고객에게 여러분 '자신'을 제시하는 것이 아니다.

◆ 부수적 조언 _
잠재고객을 대하는 여러분의 접근 방식을 제시하는 것이고
그 방식은 언제든지 바꿀 수 있다.

공항에서 드라이버를 팔던 사람을 생각해 보라. 그는 불과 2분 사이에 여섯 사람으로부터 거절을 당했다. 그것은 단순한 거부였을 뿐이다. 대신 그는 네 사람에게서 성공을 거두었다.

그는 '자신'이 아닌 '자신의 물건'을 제시하였다. 자신의 카드를 테이블 위에 올려놓았다. 자신의 판매 방식을 제시한 것이다.

일곱 가지 과정을 거쳐 약속을 잡는 이 방법은 효과가 있다. 거절을 소화해 내는 것도 세일즈의 일부이다. 거절을 미리 방지할 수 있다면 소화하는 데 드는 시간을 줄일 수 있다. 지금까지 우리가 보아 온 일곱 가지 과정은 거절을 미리 막아 주는 역할을 한다.

여기서 잠시 뒤로 돌아갈 필요가 있다. 잠재고객과 직접 통화를 하는 대신 메시지를 남겨 두었다고 가정해 보자.

제 6과정의 다른 형태 : 잠재고객이 전화를 해주었을 때

지금까지 보아 온 과정을 밟아 나가다 보면 잠재고객이 여러분에게 전화를 걸어올 가능성이 많다. 잠재고객이 먼저 전화를 해오면 거의 모든 세일즈맨들이 "고맙습니다. 이렇게 전화를 해주셔서"라고 말하는 경향이 있다.

그러나 그런 말은 하지 말라. 그런 말은 할 수 없이 세일즈를 하게 된 사람이나 하는 말이다. 목적의식을 가지고 판다면 어떤 일도 마지못해, 되는 대로, 운에 맡기고 하지 않는다. 고객과 접하는 순간마다 여러분이 보통 흔한 세일즈맨들과는 다르다는 것을 느낄 수 있게 말 한마디도 지혜롭게 할 줄 알아야 한다. "이렇게 전화주셔서 고맙습니다"라는 말은 여러분에게 전화를 걸어주는 고객이 별로 없다는 말도 내포하고 있다. 그 말의 실질적 의미는 "놀랐습니다. 귀하신 분이 저같이 별 볼일 없는 세일즈맨에게 전화를 해주시다니 정말 너무나 친절하십니다"라는 뜻이다. 그런 말은 하고 싶지 않을 것이다. 대신 이렇게 말을 하라.

◆ 마법의 주문 _
"아, 여보세요! 전화주실 줄 알았습니다."

"전화주실 줄 알았습니다." 이 말의 가장 큰 효과는 여러분은 다르다는 인상을 심어준다는 것이다. 그 말은 여러분이 고객들에게 베풀 수 있는 좋은 것을 갖고 있기 때문에 많은 귀한 사람들이 여러분에게 전화를 한다는 의미까지 내포한다.

처음으로 이 마법의 주문을 외우면 어색하겠지만, 일곱 번만 사용하게 되면 그 말을 할 때 기분이 좋다는 것을 스스로 느낄 수 있을 것이고 앞으로 다시는 "전화주셔서 고맙습니다"라는 말을 하고 싶지 않을 것이라고 장담한다.

잠재고객이 전화를 해주면 그 즉시 제 6과정에서 하는 말을 하라. "제가 보내드린 기사하고 편지는 받아 보셨지요? 언제 만날 약속을 잡는 것이 좋으시겠습니까? 내일로부터 1주일 뒤가 좋을까요? 오전 9시 20분 어떻습니까?" 거부 반응이 나타나면 잘 대처하라. 약속을 잡아라.

잠재고객을 찾고 그와 접촉하여 만날 약속을 잡는 이 방식이 효과가 나려면 효과가 나는 데 필요한 일들을 해야 한다. 전과는 달리 첫 번째 접촉에서 약속을 잡는 경우가 점점 더 늘어날 것이다. 어떤 이유에서인지 여러분이 약속을 잡지 못한다고 하더라도 그에 대한 보완적 과정이 남아 있다.

세상에 흔한 세일즈 강사들은 이렇게 말한다. "판매라고 하는 것은 대부분 글자 그대로 칠전팔기 끝에 이루어진다. 그러나 대다수 세일즈맨이 두 번째 거절에서 손을 들고 만다." 가장 거래하고 싶은 잠재고객 열 명을 선정하여 과정을 밟아 나가는 방식은 어떤 잠재고객 한 사람을 포기하고 더 가능성 있는 새로운 잠재고객을 찾아 나서기 이전에 적어도 여덟 번 접촉해 보게 한다.

첫 통화에서 약속을 끌어 내지 못했다면 1주일을 기다렸다가 다음 과정으로 나아가라.

제 7과정: 제 1과정을 반복하라 – 다른 기사를 보내라

여러분은 잠재고객에게 포기하지 않았다는 사실을 보여주고 싶을 것이고, 또 잠재고객에게 줄 좋은 것을 갖고 있다는 믿음을 버리지 않았을 것이다. 그렇다면 제 8과정으로 나아가라. 여기에서는 천 원을 투자해야 한다.

제 8과정: '즉석 복권'을 붙여 편지를 보내라

편지와 함께 보낸 복권은 잠재고객의 흥미를 자극하여 그 편지를 기억에 남는 편지로 각인시킨다. 정상적인 사람이라면 즉석 복권의 유혹을 물리치지 못한다. 다만 얼마라도 맞지 않을까 하는 기대감으로 긁어 보게 되어 있다.

많은 잠재고객들이 아예 휴지통을 옆에 갖다 놓고 편지들을 뜯어본다. 그러나 복권과 함께 보낸 편지는 잠재고객이 읽고, 보관하고, 동료들에게 보여 주기까지 한다. 어떤 세일즈맨은 일곱 명의 잠재고객에게 복권을 동봉한 편지를 보내고 곧바로 그 사람들 모두와 약속을 잡았다고 한다. 복권의 효과를 믿고, 복권을 동봉한 편지를 보내고 나면 전화를 걸어 다음 수순을 밟아라. 보통 편지를 보내고 나서 전화를 걸어 하던 말과 똑같은 말을 하면 된다.

"안녕하세요? △△ 회사 △△ 부서의 비서 헤이디입니다."

"안녕하세요, 헤이디 양? 존 키팅 씨 좀 부탁합니다. 크리스 라이틀이 전화했다고 하면 아실 겁니다."

"실례지만 무슨 용건이신지 여쭈어 봐도 괜찮을까요?"

"(비록 상대방은 보지 못하지만 미소를 지으며) 그럼요. 존 씨가 내게서 편지를 한 통 받은 게 있습니다. 복권이 동봉된 편지입니다. 내 전화를 기다리고 있을 겁니다. 오늘 오전에 전화를 한다고 했거든요."

"연결시켜 드리겠습니다."

따르릉. 따르릉.

"여보세요."

"여보세요, 아, 안녕하십니까? 크리스 라이틀입니다. 제가 복권과 함께 보내드린 편지 받아 보셨지요? 뭐가 맞았습니까?(고객의 말은 듣는다) 저하고 만날 약속을 언제로 잡는 게 편하시겠습니까? 내일부터 1주일 뒤에 어떻습니까? 오전 9시 20분이면 괜찮겠습니까?"

복권을 함께 보냈기 때문에 여러분이 잠재고객에게 전화를 걸 명분이 더 확실해졌다. 물론 그 잠재고객이 복권에 당첨될 확률은 지극히 낮지만 당첨 여부를 물어볼 명분이 선다는 것이다. 반면에 복권을 동봉해 편지를 보낸 여러분이 약속을 잡게 될 확률은 엄청나게 높아진다.

약속을 잡기 위해 이런 과정들을 밟았는데도 잠재고객이 만나주려고 하지 않는다면 다른 잠재고객을 상대로 이런 과정들을 밟아라. 너무 쉽게 이 방식을 포기하지 말라. 세일즈맨들의 만나자는 제안을 거부하는 잠재고객이 많은 만큼이나 준비된 말과 체계적 접근 방식을 활용하기를 거부하는 세일즈맨들도 많다.

할 말을 지혜롭게 선택하는 것도 프로 세일즈맨이 갖추어야 할 덕목이다. 여러분은 잠재고객에게 전화를 걸어 할 말들을 몇 가지 준비해 두고 있다. 마지못해 세일즈를 하는 사람이라면 서로 다른 잠재고객들을 상대로 같은 말을 한다. 목적의식 없이 말을 꺼내기 때문에 말에 무게가 실리지 않는다.

유명 토크쇼 진행자들도 그런 카드를 가지고 연습을 하거나 쇼를 진행한다. 남의 저녁 식사 시간에 전화를 걸어 전구를 파는 텔레마케터의 말처럼 어색하게 들리고 싶지 않을 것이다. 자연스럽게 평상시에 말하는 것처럼 들리고 싶을 것이다. 여러분이 그 대본을 여러분의 업계와 여러분의 스타일에 맞추어 적용한다면 그렇게 들릴 것이다.

씨를 뿌리고, 편지를 보내고, 전화를 거는 이 체계적인 방식은 여러분이 약속을 잡는 비율을 두 배, 세 배, 아니 그 이상 여러 배로 높여줄 것이다. 그러나 일단 이런 체계를 확립하게 되면 그 체계는 여러분을 남들과 달라 보이게 하고 자유로움마저 느끼게 해줄 것이다.

제대로 된 접근 방식과 공감대 형성은 세일즈맨에게 가장 필요한 자질이라는 사실이 800개 이상 기업의 9만 명 이상의 세일즈맨들을 상대로 한 여론 조사에서도 확인되었다. 여러분이 일곱 가지 과정을 거쳐 약속을 잡는다면 그것은 전문가다운 접근 방식이다. 여러분은 다른 사람을 속여서 억지로 만나고 안 좋은 것을 팔아넘기고 싶지는 않을 것이다. 예수 그리스도가 말씀하셨던 '황금률'을 받아들인다면 남들이 자신에게 하지 않기를 바라는 행동을 다른 사람에게 하기는 어려울 것이다.

영화 《캐딜락 공방전Tin Men》에서 리처드 드레이퓨스는 바로 이 황금률을 생각나게 하는 이중적인 인물로 나온다.

2000원으로 배우는 세일즈

─《캐딜락 공방전》

영화《캐딜락 공방전》의 첫 장면은 캐딜락 대리점에서 한 영업사원이 드레이퓨스가 연기한 비비 바보우스키에게 담청색 새 캐딜락을 팔기 위해 세일즈의 마무리 절차를 밟는 데서 시작한다.

영업사원이 묻는다.

"마음에 드십니까?"

"자꾸 밀어붙이지 마시오."

이미 사기로 마음먹은 캐딜락 위에 안내 책자를 올려놓고 넘겨 보며 이렇게 덧붙인다.

"그렇게 마구 몰아붙이는 듯한 대접을 받고 싶지 않소. 무슨 말인지 아시겠소? 난 그런 게 정말 싫소. 끔찍하게 싫소. 난 그저 합당하고 정직한 가격을 제시해 주길 바라오. 아시겠소? 나는 특별난 혜택이니 뭐니 하는 것들에는 관심이 없소. 그저 솔직하고 합당한 가격을 불러 보라는 것이오. 내 말 뜻을 분명히 알아들었습니까?"

"물론입니다, 손님."

영업사원은 펜과 주문서를 내밀며 이렇게 묻는다.

"금액은 어느 정도 선을 예상하셨습니까?"

"또 시작이군. 이게 바로 밀어붙이는 게 아니고 뭐란 말이오? 나보고 금액을 말하라니."

"저는 그저 어느 정도까지 예상을 하고 계신지 궁금해서 여쭈어 본 것입니다."

"4달러요. 한 달에 4달러면 만족하겠소."

영업사원이 말한다.

"손님, 그건 농담이시지요."

"어떤 대답을 듣고 싶은 거요? 나에게서 받고 싶은 액수가 있을 것 아니오. 그 액수를 말하시오. 그러면 내가 그 정도라면 지불할 의향이 있는지 없는지 말하겠소. 그러면 더 이상 가격 가지고 왈가왈부할 필요 없을 것이오. 나는 그것이 정말 싫소. 내가 얼마까지 낼 생각이 있느냐고? 솔직히 말하면 한 푼도 안 내고 싶소."

비비에게는 캐딜락을 사야만 할 이유가 있다. 하지만 영업사원에게 농락당한 기분으로 사고 싶은 생각은 없다. 그런데 비비와 같은 알루미늄 세일즈맨들은 물건을 팔기 위해 손님을 농락하고 뻔뻔스런 술책을 마다하지 않으니 아이러니컬하다. 사실 영화 전반에서 이미 주택개량 위원회라는 기구가 설립되어 그 같은 행위들에 대한 조사가 진행되고 있는 상황이다.

잠시 후 비비가 캐딜락을 사서 올라타고 대리점 밖으로 후진하여 나오다가 대니 디비토가 연기하는 어니스트 틸리의 캐딜락과 충돌한다. 충돌로 잠시 정신을 차릴 수 없다는 효과를 주기 위한 것인지 화면에서는 순간 검정색 이외에는 아무 것도 안 보이다가 장면이 계속된다.

비비가 새로 산 캐딜락 계기판의 주행 거리계는 불과 100미터도 안 가리키고 있는데 벌써 뒷편 펜더가 우그러져 버렸다. 비비와 어니스트는 그 자리에서 원수지간이 되어버린다. 비비와 어니스트는 밀어붙이는 방식으로 주택 외장재인 알루미늄을 파는 세일즈맨들인데 그들을 '틴맨(TinMen)'이라고 부른다. 그들은 그런 식으로 세일즈를 하는 자신들의 열등의식을 캐딜락이라는 고급 승용차를 타는 것으로 상쇄하려고 한다. 볼티모어의 순박한 주민들에게 사기에 가까운 협잡질로 물건을 팔기 때문에 자신에 대한 긍지를 가질 수 없는 것이다.

사기성이 짙고 강압적인 판매 술책으로 물건을 팔면서도 스스로 위로하며 이렇게 말하는 것이다.

"밀어붙이는 식으로 팔면 안 된다고 어느 법전에라도 나온다는 말이야?"

그들은 고객에게 못하는 말이 없다. 사실 어느 틴맨은 고객과 상담하던 중 심장 마비를 일으켰는데 그것이 진짜인지 연극을 하고 있는 것인지조차 구분이 안 될 정도이다. 그들 가운데 전설적인 인물로 평가되는 어느 틴맨은 주문량을 늘리기 위해 줄자에서 15센티미터를 잘라낸 자로 집의 길이를 잰다.

틴맨들은 식당이나 술집에서 자신들이 어떤 책략을 써서 주문을 받았는지 이야기하고 떠벌이는 것을 좋아한다. 그럼에도 불구하고 그들은 고객의 신뢰를 받는 일이 중요하다는 것을 알고 있다. 그들이 고객의 신뢰를 얻기 위해 쓰는 책략 가운데 하나는 집 주인인 고객과 앉아서 이야기할 응접실 바닥에 미리 교묘하게 5달러짜리 지폐를 하나 떨어뜨려 놓는 것이다. 자연스럽게 집 주인과 응접실로 돌아와 이야기하려고 할 때 그 5달러짜리 지폐를 주워서는 집 주인에게 넘겨주며 말한다.

"제 것이 아니니 이 집 주인 되시는 분 것이겠지요."

집 주인이 그 5달러를 받아 가지든 자기 것도 아니라고 하든 세일즈맨으로서는 신뢰심을 심어준 결과가 된다. 집 주인은 자연히 이렇게 생각한다. '마루 바닥에서 주운 돈을 모른 척하고 슬쩍 갖지 않는 것을 보니 정직한 사람이구나.'

또 다른 협잡은 잠재고객으로 점찍은 사람의 집 앞에서 벌인다. 그 집 앞뜰의 잔디밭에 카메라를 설치하고 사진을 찍어대며 소란을 떤다. 무슨 일인가 하여 나온 주인에게 알루미늄 외장을 사용하여 집을 개조하고 치장하기 이전의 볼썽사나운 집 모델로 이 집 사진을 찍어 잡지에 낼 것이라고 말한다. 순진한 집 주인은 자기 집이 '시공 전' 집 대신 '시공 후' 집 모델로 잡지에 나갈 수 없는지 묻는다. 그러면 세일즈가 시작된다. 몇 번 협상도 하고 이야기가 중단되기도 하다가 틴맨은 할 수 없다는 듯 이 집을 시공 후 집 모델로 내겠다고 한다. 그 대신 '서둘러야 한다'는 말을 덧붙인다.

이 영화는 원수 같은 경쟁자와 옳지 못한 세일즈기 종말을 맞는 내용을 다루고 있다. 주택 개량 위원회는 조사관 한 사람을 세일즈맨으로 가장시켜 비비의 회사에 위장 취업하게 한다. 그는 비비의 회사가 어떤 부당 행위를 하였는지 정보를 수집한다. 결국 영화는 비비와 어니스트 둘 다 영업 허가증을 빼앗기고 앞으로 무엇을 해야 하나라고 똑같이 고민하는 신세가 되는 것으로 끝난다.

— · — · — · — · — · — · — · — · — ·

우연히 세일즈를 하게 된 사람이라면 영화 《캐딜락 공방전》에서 보여주는 세일즈맨의 모습에 흠칫 놀랄 것이다. 그러나 그 사기꾼 같은 세일즈맨들은 판매의 과정에서 고객의 선입관을 불식시키고 적극적으로 동참시키기 위해 강한 인상으로 다가가야 한다는 사실은 알고 있었다. 또 이미 고객들이 세일즈맨들에 대한 안 좋은 이야기를 듣고 있기 때문에 고객과의 접촉 초기 단계에서 믿음을 심어주어야 한다는 것도 알고 있었다. 그러나 5달러짜리 지폐를 떨어뜨려 놓는 협잡질로 고객의 신뢰를 얻으려 했기 때문에 사실 그들은 세일즈맨들을 욕되게 하였다.

영화 《캐딜락 공방전》은 세일즈의 어두운 면을 보여 주고 있다. 그러나 요즈음의 세일즈맨들에게도 인상적인 첫 출발은 중요하다. 나는 오 헤어 공항의 구두닦이가 "선생님, 콜한을 신으셨군요. 제가 잘 닦아드리겠습니다"라고 말했을 때 깜짝 놀랐다.

고객과 접촉하는 단계에서 깊은 인상을 심어 주는 또 한 가지 방법은 정말 당연한 이야기를 하는 것이다. 당연한 이야기는 순간적으로 사람들이 여러분과 공감하게 한다. 그런데 지당한 이야기가 틀에 박힌 상투적인 이야기가 될 수도 있고 귓전을 울리는 의미 있는 이야기가 될 수도 있다. 여러분의 입장에서는 귓전을 울리는 의미 있는 이야기가 되어야 할 것이다.

여러분은 뻔뻔스런 협잡질을 하지 않아도 되니 다행이지만, 영화 《캐딜락 공방전》은 첫 접촉에서 강한 인상을 심어 주어야 하는 중요성에 대해 가르쳐 준다. 틴맨들은 잠재고객들이 그들을 집 안에 받아들이게 하는, 시험을 거쳐 효과가 입증된 접근 방식을 알고 있었다.

여러분이 목적의식을 갖고 팔려고 한다면 언제든 되풀이해서 효과를 내는 그런 접근 방식을 갖추어야 한다. 그것은 정직한 방식이어야만 한다. 그러나 한편 상대로 하여금 생각하게 하고 관심을 집중하게 하는 그런 방식이어야 한다.

여러분이 잠재고객을 접촉하는 일에서 '재미있다' 는 느낌을 받는다면 틴맨처럼 하지 않아도 된다는 사실에 기뻐하고 감사하라. 여러분은 윤리적이면서도 효과적인 그리고 친절하고 부드러운 접근 방식을 갖추고 있는 것이다.

이런 접근 방식을 말할 때 나는 3단계 수준의 방식을 말하는 것이다. 예를 들어 "경영이나 관리란 많은 업무 방해로 인해 끊임없이 업무가 중단되는 일이지요"라는 당연한 말을 담은 편지를 보내는 접근 방식이다. 당연한 말이지만 진실이 담겨 있기 때문에 사람들은 공감할 수 있다. 여러분이 사용할 수 있는 또 다른 낭연한 말에는 어떤 것들이 있는지 생각해 보라.

제 8 장

'어떻게 하다 보니' 약속을
잡았을 때 어떻게 할 것인가?

제 10, 11, 12과정

방망이에 제대로 맞은 공이 센터필드의 벽을 향해 날아간다. 새미 소사가 열심히 공을 쫓아 뛰어가서는 공이 벽에 맞고 튀어 나올 것을 계산하고 벽에서 어느 정도 떨어진 위치에서 그 공을 잡을 태세를 갖추었다. 공이 벽에 맞았다. 그런데 어찌된 일인가? 튀어 나오질 않고 담쟁이덩굴 잎새들 사이로 미끄러지며 떨어진 것 같은데 도무지 보이지 않는다. 소사는 벽까지 다가가 미친 듯이 공을 찾으려고 한다. 없어졌다. 3루 주자 코치는 타자주자에게 3루를 돌라고 연신 팔을 휘돌린다. 소사는 아직도 공을 찾지 못했다. 장내 홈런이 될 것 같다. 소사는 어이없다는 듯 머리만 절레절레 흔들 뿐이다.

공을 못 찾는 바람에 장내 홈런이 되는 것은 공정하지 못한 것처럼 보인다. 그러나 시키고 커브스 팀의 감독은 항의하지 않는다.

리글리 필드 구장의 특별 규정은 야구장 담벽의 담쟁이덩굴을 경기장의 한 부분으로 인정하고 있기 때문이다.

매번 경기가 시작되기 전, 양팀 감독과 심판들이 홈 플레이트에 모여 리글리 필드 구장의 특별 규정에 대해 이야기를 주고받는다. 그 날 시합을 하는 구장의 특별 규정이기 때문에 알고 시작해야 한다. 공이 담쟁이덩굴에 얽히는 일이 일어나면 어떻게 될지 미리 알고 시합에 임하기 때문에 실제 그런 일이 일어나도 다툼이 생기지 않는것이다.

이 리글리 필드 구장의 예에서 우리는 큰 교훈을 얻을 수 있다. 경기가 시작되기 전 특별 규정에 대해 미리 안다면 마찰이나 갈등이 거의 생기지 않는다. 여러분과 약속을 잡고 나면 잠재고객은 속으로 이런 의문을 품는다. '얼마나 걸릴까?,' '무슨 일이 생길까?,' '내가 왜 그 사람을 믿어야 하나?,' '언제쯤 판매를 마무리지으려고 할까?'

내가 여러분에게 해 줄 수 있는 최선의 충고는 잠재고객과 처음으로 얼굴을 맞대는 자리에서 가급적 빨리 그런 의문을 해소해 주라는 것이다. 그리고 잠재고객이 여러분의 고객이 되고 난 다음에도 계속 그렇게 하라고 권하고 싶다. 영화《캐딜락 공방전》을 보았기 때문에 여러분은 잠재고객들이 왜 세일즈맨을 믿지 않고 세일즈맨의 의도를 의심하는지 이해할 수 있을 것이다. 잠재고객과 어떤 과정을 거쳐 어떤 식으로 일을 진행해 나갈 것인지 일찌감치 알려주라. 비록 사소해 보이지만 굉장히 중요한 과정이다. 그로 인해 잠재고객은 여러분과 어떤 식으로 일을 해 나가야 할지 알게 된다.

제 10과정에서 여러분은 앞으로 어떤 과정을 거쳐 판매할 것인지, 여러분 구장의 특별 규정은 무엇인지, 잠재고객에게 중요한 것들이 무엇인지 알려 줌으로써 신뢰를 구축하게 된다. 많은 세일즈맨들이 앞으로 나아가지 못하는 것은 이 과정을 생략하기 때문이다.우연히 세일즈를 하게 된 세일즈맨들은 약속을 잡으면 운이 좋다고 생각한다. 그리고 그들은 구장의 특별 규정을 알려주고 어떤 과정을 거쳐 일이 진척되어 나갈 것인지 알려 주는 이 중요한 과정을 건너뛴다. 목적의식을 가지고 판다면 제품에 대해 설명하기 이전에 판매 과정에 대해 설명해야 한다.

나는 예전에 3년 동안 위스콘신에 있는 어떤 소매 회사의 마케팅 이사를 지낸 적이 있다. 광고 계약을 하는 것도 업무의 일부였는데 처음 여섯 달 동안 나는 업무와 관련된 숫자 자료들을 보관하였다. 여섯 달 동안 나를 방문한 세일즈맨의 숫자는 168명이었다. 그러나 20년이 지난 지금 뒤돌아 보아도 '프로' 라는 소리를 들을 만큼 전문가다운 자세로 나에게 접근했던 세일즈맨은 탐 피위거와 마크 스트래초타 단 둘뿐이었다. 그들은 나를 만날 때 앞으로 어떻게 할 것이라는 계획이 분명히 서 있었다. 또 어떤 결과를 낳고 싶은지, 어느 정도의 기간이 필요할지 나에게 분명히 말하였다. 그러니 마지못해 세일즈를 하는 무리들에 비해 나의 주의를 더 끌 수밖에 없고 내가 관장하는 예산 가운데 상당 부분을 가져갔다.

마지못해 세일즈를 하는 세일즈맨들 가운데 몇몇은 내 책상 맞은 편 의자에 앉아 내 사무실이 휴게실이라도 된다는 듯한 자세로 앉아 있었다. 다음에 만날 다른 잠재고객과의 약속에 가기 전에 기력을 회복하기 위해 내 사무실에 앉아 있는 것 같았다. 나와의 만남을 위해서는 전혀 준비가 되어 있지 않았다.

"크리스, 어떻게 되어 갑니까? 뭐, 제게 좋은 소식 없습니까?"

마크 해넌이 지은 세일즈 관련 책들 가운데 『차 안에서 충분히 생각해 보지 않았다면 If you don't Have a plan stay in the car』이라는 책이 있다. 그 책은 제목만 보고서도 교훈을 얻을 수 있을 만큼 훌륭하다. 여러분이 그 책을 직접 읽어 보지 않았다고 하여도 이제 여러분은 사전 준비 없이는 잠재고객과 접촉하지 않으려고 할 것이다.

여러분이 차 안에서 곰곰이 생각해 보고 계획을 세우지 않았다면? 잠재고객과 얼굴을 마주 대하였을 때 여러분의 계획에 대해 밝혀라. 처음으로 얼굴을 마주 대하였을 때가 "제가 일처리하는 방식은 이렇습니다"라는 마법의 주문을 외우기 가장 좋은 시점이다.

잠재고객과 어떤 성과를 얻고 싶은지 이야기하라. 시간을 얼마나 원하는지 말하라. 제대로 된 제안을 하기 위해 어떤 과정을 밟아 나갈 것인지 밝혀라. 더 이상 계획을 감추지 말라. 일찌감치 다 털어 놓아라. 진실을 말하라. 그리고 무슨 일을 하든지 잠재고객을 방문한 일로 사과하거나 "시간을 내주서서 고맙습니다" 따위의 말은 하지 말라. 잠재고객의 시간이 귀하면 여러분의 시간도 귀하다. "무엇을 팔려고 온 것은 아닙니다" 같은 판에 박힌 말은 하지 말라. 사실 팔기 위해서 간 것 아닌가?

어떻게 하다 보니 세일즈를 하게 된 세일즈맨들이 위와 같은 말들을 하는 것은 달리 할 말을 모르기 때문이다. 그러나 여러분은 알고 있다. 그런 사람들과 달라 보이게 만드는 마법의 주문을 말이다.

"이렇게 만나 뵙기 위한 준비로 저는……," "제가 일처리 하는 방식은 이렇습니다," "무엇을 결정하시라는 자리가 아니고 있는 사실만 확인하시라는 자리입니다."

목적의식을 가진 세일즈맨의 접근 방식에 사는 사람들은 차이를 느낀다. 내 말을 믿어라. 잡지 〈퍼처싱 Purchasing〉의 조사에 따르면 구매자가 판매자에게서 가장 보고 싶지 않은 모습은 준비되어 있지 않은 모습, 자신의 일에 무관심한 모습, 목적의식이 없는 모습 등이라고 한다. 자신의 일에 흥미도 없고 목적의식도 없는 세일즈맨은 잠재고객을 만나서도 잠재고객의 일에 무관심하다. 그들의 목적은(그런 것도 목적이기는 하니까) 무슨 일이 생기게 하는 것이 아니라 무슨 일이 일어나고 있는지 그저 구경하는 것이다. 내 사무실을 찾았던 세일즈맨 가운데 하나는 이런 식으로 말하기도 하였다. "고객님이 제 담당으로 정해져서요." 나는 속으로 이렇게 말하였다. '또 새로운 침입자로군.' 자신의 일에 관심도 없고 목적의식도 없다는 것을 가장 확실히 드러내는 말은 이런 것이다. "제가 마침 이 지역 담당이 되었는데 지나는 길에 혹시 뭐 필요하신 것이 없으신가 알아보려고 들렀습니다."

나는 늘 실질적인 도구를 개발해 왔다. 세일즈에 대해 이야기하고 책을 쓰는 것만으로는 충분하지 않다는 것을 오래 전에 깨달았다. 배운 것을 실천에 옮길 수 있는 도구를 제시해야 그저 알기만 하는데서 나아가 행동에 옮길 수 있다.

실천에 옮겨지지 않는 교육은 놀이에 불과하다. 알고 실천하지 않으면 모르느니만 못하다.

고객 면담에 앞선 사전 계획표

[표 8-1]의 고객 면담에 앞선 사전 계획표는 여러분이 즉시 활용할 수 있는 도구이다. 닐 랙햄은 자신의 저서 『스핀 셀링 SPIN Selling』에서 단순한 세일즈와 복잡한 세일즈를 구분하고 있다. 여러분 대부분은 고가의 제품이나 서비스를 팔기 위해 여러 번에 걸쳐 잠재고객을 만나고 오랜 시간에 걸쳐 헌신적 노력을 해야 하는 복잡한 세일즈에 종사하고 있을 것이다. 판매 과정에서 한 명 이상의 의사결정자와 만날 가능성이 클 것이다.

여러분은 잠재고객이 여러분의 판매 과정을 따라 움직이도록 해야한다. 계약을 하자고 청하기 이전에 여러 가지를 요구해야 한다. 잠재고객으로 하여금 여러분이 요청을 들어주는 것에 익숙해지게 만들어라. 합당하다고 생각되고 크게 무리가 되지 않다면 잠재고객은 여러분의 요청하는 대로 해주는 것이 자기에게 득이 된다고 생각하여 협조할 것이다. [표 8-1]의 세 번째 질문 '이 잠재고객을 만나기 전에 어떤 일을 부탁하였거나 부탁할 수 있는가?' 에 주의를

[표8-1] 고객 면담에 앞선 사전 계획표

프로와 아마추어의 차이는 준비하는 방식이다. 고객을 만나기 이전의 사전 준비는 단지 어떤 말을 할 것인지 생각해보는 차원이 아니다. 제대로 된 질문을 준비하고 나누어야 할 정보에 대해 판단하는 것이다. 여러분은 제품이나 서비스를 파는 것이 아니다. 잠재고객의 문제에 대한 해결책, 즉 솔루션을 파는 것이다. 그러자면 우선 잠재고객의 문제를 발견해야 한다. 문제를 발견하기 위해서는 전략적 질문을 해야 한다. 고객을 만나기 이전의 사전계획은 고객을 만나고 나서가 아니라 만나기 이전 단계에서 성공이란 무엇인지 이해할 수 있게 한다.

이번 세일즈를 어떻게 관리할 것인가?

1. 이 잠재고객과는 16과정 가운데 현재 어느 과정에 있나?

2. 오늘 이 잠재고객에게 어떤 새로운 조치를 취할 수 있는가?

3. 이 잠재고객을 만나기 전에 어떤 일을 부탁하였거나 부탁할 수 있는가?

4. 이 과정까지 이르는 동안 모든 과정을 다 밟았는가? 확실히 해 두어야 할 과정은 없는가?

5. 이 잠재고객에게 3단계 수준의 인상을 주기 위해 해야 할 것은 무엇인가?

6. 이 만남이 성공적이라면 무슨 일이 일어날까?

7. 잠재고객에게 어떤 일을 해달라고 요청할 것인가?

8. 잠재고객이 나의 첫 요구에 대해 거절한다면 어떻게 대처할 것인가?

9. 내 주장을 뒷받침할 자료로 어떤 것을 가지고 갈 것인가?

10. 나의 제안이 잠재고객에게 어떤 이득이 되는가?

11. 어떤 질문들을 할 것인가?

12. 어떤 정보를 나눌 것인가?

13. 내가 준비한 것 가운데 어떤 것에 대해 말할 것인가?

14. "오늘 이렇게 만나 뵙기 위한 준비로 저는…"이라는 말로 시작할 것인가?

15. 문제점들을 어떻게 정리할 수 있는가?

16. 잠재고객의 회사에 대해 내가 알고 싶은 것은 무엇인가?

17. 잠재고객에 대하여 알고 싶은 것은 무엇인가?

18. 잠재고객이 나에 대해 어떤 정보를 알았으면 하고 바라는가?

19. 1단계 수준과 2단계 수준은 물론이고 3단계 수준과 4단계 수준의 정보도 갖추고 제시할 준비가 되어 있는가?

기울이기 바란다. 마지못해 세일즈를 하는 사람이라면 잠재고객에게 너무 많은 것을 부탁하거나 너무 많이 알려고 하는 것을 부담스러워 한다. 그러나 목적의식을 가시고 판다면 잠재고객에게 여러분을 위해 작은 수고를 해 달라고 부탁할 수 있을 것이다. 처음에는 쉽게 대답해 줄 수 있는 것들을 부탁해야 하지만 차차 좀더 많은 수고를 해야 하고 여러분에게 그만큼 많은 도움을 줄 수 있는 일들을 부탁하고 싶어질 것이다. 이것은 중요하다. 준비된 잠재고객은 여러분의 입장에서 훨씬 좋은 잠재고객이다. 그러나 여러분이 준비를 해 달라고 부탁하지 않는 한 스스로 준비할 가능성은 거의 없다.

우리가 확실히 알고 있는 사실은 무엇인가? 잠재고객은 바쁜 사람들이라는 것이다. 가만히 앉아서 여러분이 무슨 일을 하는지, 다음 만남이 어떻게 흘러갈지 생각하고 있지 않다는 뜻이다. 여러분이 그렇게 해달라고 요청하지 않는 한 말이다.

이메일이나 팩스를 통해 잠재고객에게 면담 이전에 작은 수고를 해달라고 청하는 일은 여러분에게 그만큼 득이 된다. 이메일이나 팩스를 통해 다음과 같이 부탁해 보라.

> 존 씨
>
> 내일 있을 9시 약속을 준비하다가 몇 가지 생각을 하게 되었습니다. 현재 거래하고 있는 공급업자의 서비스 수준을 어떻게 평가하십니까? '만족할 만한 수준' 이라고 생각하신다면 그 기준은 무엇입니까? '탁월한 수준' 이라고 생각하신다면 그 기준은 무엇일까요? 내일 면담 때 시간 절약을 위해 오늘 그 점에 대해 잠시 생각해 주시겠습니까? 고맙습니다.
>
> 크리스 올림

> 메리 씨
>
> 화요일 오전 11시에 뵙겠습니다. 면담을 준비하다가 함께 논의해 보고 싶은 기사를 발견했습니다. 한 번 훑어보시고 특히 제가 밑줄 쳐 놓은 부분에 대해 어떻게 생각하시는지 만날 때 말씀해 주시겠습니까?
>
> 크리스 올림

잠재고객에게 면담 이전에 과제 성격의 작은 수고를 부탁하는 일은 위와 같은 간단한 내용을 이메일이나 팩스로 보내는 방식으로 해결할 수 있다. 또 잠재고객이 여러분에게 어떤 요청을 할 수도 있다. 비록 잠재고객이 어떤 요청을 하지 않는다고 해도 이 과정을 통해 잠재고객이 약속에 대해 생각하게 된다는 데에 의미가 있다. 그 점이 중요하다.

여러분이 통제할 수 있는 것은 면담 이전이나 면담중에라도 통제하도록 하라. 얼마나 준비를 해야 할지도 스스로 결정할 수 있다. 면담을 계획하고 그 날 만남의 목적에 대해서도 정할 수 있다. 그 만남의 성과를 최대한 얻기 위해 잠재고객에게 준비를 하도록 요청할 수 있다. 잠재고객에게 여러분이 어떻게 과정을 이끌고 나갈 것인지 알려줄 수 있다. 이런 작은 것들이 큰 차이를 만든다. 사실 잠재고객의 입장에서 기사 하나 읽는 것은 그리 큰 수고가 아니다. 잠재고객으로 하여금 여러분이 요청하는 작은 수고들을 기꺼이 하게 하라. 여러분이 계약을 하자고 요청할 때쯤이면 잠재고객은 여러분이 요청하는 일을 하는 데 익숙해져 있을 것이다.

면담 전 사전 계획표에 면담에 임하는 여러분의 목적을 기재해 넣고 그 목적에 따라 미리 머리 속에서 예행연습을 해 보라. 앞으로 어떤 식으로 만남을 이끌고 갈 것인지, 또, 고객에게 필요한 정보를 제공하는 여러분의 모습을 머리 속으로 그려 보라. 특히 첫 만남이라면 고객 욕구 분석에 들어가기 전에 문제 제기를 하고 싶은 생각이 들 것이다. 문제 제기는 중요한데 거기에는 이유가 있다.

누구나 잘 모르는 사람하고 이야기할 때는 어려움을 느낀다. 잠재고객이 잘 모르는 낯선 사람에게 자신의 문제들을 밝히는 일이 얼마나 어려울지 생각해 보라.

내가 보았던 만평 가운데 꽤 재미있어서 아직도 기억하는 것이 하나 있다. 한 부부가 부부문제 상담가 앞에 앉아 있는데 그들이 하는 말은 이렇다. "선생님, 금전 문제와 고부간의 갈등, 그리고 성 생활 문제 말고는 저희 부부간에 아무 문제가 없습니다."

상담사를 통해 심리 치료를 하는 과정을 보면 우스운 일면이 있다. 많은 돈을 받고 자신들의 문제를 들어주는 상담사에게 진짜 문제점을 이야기하지 않고 몇 달 동안, 심한 경우에는 몇 년씩 감추기도 한다. 그러다가 진짜 문제점을 털어놓아도 좋을 만큼 편한 느낌을 갖게 될 때에야 비로소 문제를 털어놓는 사람들이 있다.

여러분은 심리치료사가 아니고 여러분이 만나는 잠재고객들도 심리치료를 받아야 하는 사람들이 아니다. 그렇기는 해도 구매자들은 처음 만나는 데다 믿을 수 있는 사람인지 아닌지도 모르는 세일즈맨에게 자신들의 진정한 욕구와 문제들을 밝히기를 꺼린다. 당연하지 않겠는가?

세일즈 강사들은 무엇보다 먼저 고객의 욕구와 문제를 알기 위해 질문을 하라고 가르친다. 고객의 문제와 욕구를 알고 난 다음에 제품, 판매 과정, 서비스 등에 대해 이야기해야 한다. 그래도 문제는 여전히 남는다. 잠재고객이 세일즈맨의 물음에 답하여 자신의 문제를 드러내야 할 의무가 있는가? 난생 처음 보는 사람에게 말이다.

여러분이 영화《더 뮤직 맨 The Music Man》은 못 보았더라도 영화에 나오는 유명한 노래 '트러블 Trouble'은 들어 보았을 것이다. 영화의 주인공 해롤드 힐은 고객 욕구 분석이나 프리젠테이션에 앞서 문제 제기가 얼마나 중요한 것인지 잘 보여준다.

2000원으로 배우는 세일즈
—《더 뮤직 맨》

해롤드 힐은 순박한 사람들이 사는 곳이라면 어디든 찾아가는 떠돌이 세일즈맨이다. 기차 안에서 어떤 세일즈맨 하나가 이렇게 푸념을 한다.

"나는 그 해롤드 힐이라는 인간 때문에 그동안 공들였던 마을에서 도망치듯 떠나는 겁니다. 그자는 떠돌아다니면서 악기를 파는데 음정도 구별할 줄 모르는 음치가 악기를 팝니다. 더러운 짓이나 하고 다니는 그런 자가 없어도 가뜩이나 지역마다 경쟁이 심한데 그런 자가 왔으니 오죽했겠습니까? 그 자는 완전히 야바위꾼입니다."

독립 기념일인 7월 4일이 가까운 어느 날 해롤드 힐은 아이오와의 리버 시티를 찾아온다. 이 곳에서 그는 우연히 전에 자기와 한통속이었던 마셀러스와 마주친다. 마셀러스는 이렇게 말한다.

"이 곳에서는 소년 악대 같은 것을 필요로 하지 않는다네. 아이오와 사람들은 무엇이 없으면 없는 대로 살 줄 알고 있거든."

그러나 해롤드 힐은 쉽게 포기하지 않는다.

그는 문제점을 찾아본다. 즉, 시발점을 찾는 것이다. 세일즈를 위해 떠벌일 계기를 모색하는 것이다. 힐이 마셀러스에게 말한다.

"예전에 우리가 물건을 팔려고 할 때 어떻게 시작했는지 자네 아직도 기억하고 있지 않은가? 이 곳에 전에 없던 새로운 것으로 어떤 것이 있나? 이 곳에 어떤 심각한 문제가 있는지만 알 수 있다면 소년 악대를 만들 필요가 있다는 논점을 부각시킬 수 있을 텐데."

결국 해롤드 힐은 이 곳에 '플리즈 올 당구장'이 새로 생겼다는 사실을 알게 된다. 그것이면 충분하고도 남는다. 해롤드 힐은 그 당구장을 세일즈의 시발점으로 삼는다.

"저는 지금 여러분들을 크게 두 부류로 나누어 볼 수 있습니다. 인정하고 싶지 않지만 앞으로 어떻게 될 것인지 알면서도 못 본 척 눈감고 계신 분들이 한 부류입니다. 또 한 부류는 당구장이 들어선 사실이 앞으로 어떤 악의 온상이 될지 전혀 깨닫지 못하는 분들입니다. 여러분 이것은 문제가 아닐 수 없습니다."

지역 주민들을 당구장의 등장으로 야기될지도 모르는 문제들에 대해 불안하게 만든 다음 힐은 트럼본 주자만 해도 76명이나 되는 소년 악대가 마을을 행진하는 멋진 장면을 사람들에게 상상해 보게 한다. 그는 걱정하는 사람들을 모으고, 시 의회를 자기편으로 끌어들인 다음 결국 악대가 필요로 하는 악기를 트럭 단위로 팔아넘긴다. 그리고는 예전처럼 떠나는 대신 이 곳 도서관 사서인 마리안과 사랑하는 사이가 되어 이 곳에 남는다.

—·—·—·—·—·—·—·—·—·—

영화 《더 뮤직 맨》은 한 마을이 안게 될 문제를 제기하는 것의 여파가 어떻게 미치는지 잘 보여주고 있다. 힐은 자기 제품으로 판매를 시작하는 대신 리버 시티에 당구장이 들어섬으로 인해 생길 수 있는 문제점을 알리는 것으로 판매를 시작한다.

교훈 1. 문제를 제기하라.

내가 이 영화를 열 번이나 다시 보면서도 발견하지 못했다가 나중에서야 깨달은 교훈이 두 가지나 더 있다.

교훈 2. 쉽지 않은 곳이라고 겁내지 말라.

다른 세일즈맨들은 아이오와 사람들에게 무엇을 팔려고 하는 대신 기차에 몸을 싣고 가버리거나 스쳐 지나갔다. 해롤드 힐은 아이오와를 자신의 세일즈 능력에 대한 도전으로 보았나. 그는 목적의식을 가지고 찾아갔다. 그 결과 그에게는 어떤 경쟁자도 없었다.

교훈 3. 제품 대신 개념을 팔아라.

해롤드 힐이 늘 윤리적 측면에서 문제가 없는 판매 전략을 활용하여 세일즈를 한 것은 아니다. 그러나 그를 단순히 사기꾼으로 치부해 버리면 이 영화에서 얻을 수 있는 가장 값진 교훈을 놓치게 된다. 그는 '개념'을 팔고 있었다. 그는 자신이 그저 트럼본이나 트럼펫을 파는 것이 아니라는 사실을 깨닫고 있었다. 그는 그 악기들이 가져다 주는 보다 중요한 가치 개념을 이해하고 있었다. '방과 후 아이들이 탈선하지 않게 하는 방법'을 팔았던 것이다. 리버 시티 주민은 그의 생각을 샀기 때문에 그렇게 쉽게 돈을 내 놓을 수 있었던 것이다.

해롤드 힐은 입심 좋은 세일즈맨이었다. 예전의 웅변식 세일즈는 이제 상담식 세일즈로 바뀌었다. 그렇다고는 해도 그 시절 세일즈맨들의 좋은 점까지 모두 버릴 필요는 없다. 그들에게는 열정이 있었고, 보다 나은 삶의 질에 대해 그림을 그리듯 설명할 수 있는 능력이 있었다. 해롤드 힐은 일류 웅변가였다고 할 수 있다. 그는 보다 나은 삶의 모습을 사람들 앞에 그림처럼 펼쳐 보였다. 그는 사람들로 하여금 리버 시티 소년 악대라는 실재하지 않는 모임에 대해 생각해 보게 만들었다.

제품에 대해 떠벌려가며 파는 것은 실제적인 욕구를 찾아내고 그 욕구를 충족시켜 주는 일과는 다르다. 그렇다고는 해도 문제를 찾아내고 절박감을 갖게 하는 기술은 이제 사라져 버린 것처럼 보인다. 어떻게 하다 보니 세일즈를 하게 된 사람은 잠재고객의 사무실에서 무슨 일이 일어나는지 보기 위해 찾아간다. 그러나 해롤드 힐은 자신이 어떤 일을 일으키기 위해 리버 시티를 찾아 간다. 그런 관점에서 그 영화를 보면 훌륭한 교훈들을 얻을 수 있다.

문제점에 대한 이야기

유능한 세일즈맨은 카탈로그나 가격 명세표 등을 사용하며 말하는 대신 이야기와 은유, 유추 등을 활용한다. 그들은 보다 나은 삶과 일을 더 잘하는 방법에 대해 그림을 그리듯 설명한다. 사람들로 하여금 자신의 제품이나 서비스를 실제로 사용하기 이전 단계에 이미 그런 것들을 사용하여 얻게 될 기쁨에 대해 상상해 보게 만든다.

잠재고객을 처음 만날 때 그가 여러분을 편한 상대로 느끼기를 원할 것이다. 또 한편 잠재고객이 자신이 처한 현 상황에 대해 어느 정도 불만을 느껴 주기를 바랄 것이다. 잠재고객의 문제점들을 지적하고 그런 문제점들을 해결하기 위해 조치를 취하지 않는다면 곤란해질 수 있다는 점을 지적하고 싶기도 할 것이다.

잠재고객에게 문제점을 제대로 이해시키기 위해서는 문제를 방치할 때 야기되는 것들에 이야기해야 한다. 이 때 여러분에 대한 신뢰를 심어주기 위해 제시하는 해결책을 받아들이지 않을 경우 발생하게 될 문제에 대해 진실하게 말해야 한다.

세일즈 강사인 나는 잠재고객과 처음 만나기로 약속을 정하고 나면 대개 만나기 이전에 [표 2-1]의 이정표를 한 부 보내준다. 그리고 실제 만날 때도 한 부를 가지고 가서 보여 주며 이런 식으로 이야기를 한다.

"제가 지켜본 바로는 대부분의 세일즈맨들이 우연히 세일즈에 종사하게 된 사람들입니다. 그들은 막무가내로 밀어붙이는 사람으로 보이고 싶어 하지 않습니다. 영화 같은 데서 흔히 볼 수 있는 세일즈맨은 강압적으로 물건을 팔지만 자긍심은 갖지 못한 사람입니다. 그런 사람처럼 보이고 싶지 않은 그들의 바람이 결국 1단계 수준에 머물게 만듭니다. 밀어붙이는 세일즈의 반대는 사실 전문가다운 집요한 세일즈인데 그들은 그런 사실을 모르고 있습니다. 저의 이 말에 공감하실 수 있습니까? 저희 훈련 프로그램과 훈련 과정은 우연히 세일즈에 몸담게 된 그들에게 목적의식을 가지고 파는 방법을 일러줍니다. 2단계 수준의 세일즈를 좋아하게 만들고 때때로 3단계나 4단계의 방식들을 활용하게 합니다. 결국 그들의 판매 성과는 올라가고 회사의 실적도 개선되지요."

내가 잠재고객과 상담 국면에 접어들게 되면 나는 그가 관리하는 세일즈맨들 가운데 어느 정도가 1단계 수준에 머물고 있는지 묻는다. 그러면 그는 매니저로서 자신이 안고 있는 문제에 대해 나의 [표 2-1]의 모델을 이용하여 답한다. "부하 세일즈맨들 가운데 몇 몇이 1단계 수준에 머물고 있는 사실을 알고 계십니까?" "크리스, 내 휘하에 1단계 수준의 세일즈맨이 넷인데 그 가운데 하나가 우리 부서의 최고 실적자이니 문제가 있소."

[표 2-1]을 사용하여 잠재고객의 문제를 논함으로써 나는 나에 대한 신뢰를 높일 수 있었다. 물론 나도 순간적으로 "자, 이제 문제가 있는 것을 아시겠시지요?"라는 말을 입 밖에 내고 싶은 유혹을 느낄 때가 있다. 그러나 정보를 나누는 것은 해결책을 일방적으로 제시하는 것과는 다르다.

여러분은 잠재고객이 직면하고 있는 곤란에 대해 이야기하는가? 문제점들에 대해 지적해주는가? 잠재고객이 관심을 가지고 들을 만한 이야기는 얼마든지 있다. 그러나 여러분을 더 신뢰하게 만들 이야기들을 해야 한다. 자신이 하는 일에 대해 제대로 알고 있는 사람이라는 것을 잠재고객이 깨닫게 될 때 그는 여러분에게 더 많은 것을 드러내고 알려준다.

여러분의 제품이나 서비스를 사용할 때 고객이 얻게 될 이익에 대해 그림을 그리듯 이해시켜라. 반면에 사용하지 않을 경우 겪게 될 곤란한 문제에 대해 잠재고객 스스로 생각해 보게 만들라. 문제점을 인식시키는 일이 어떤 효과를 내는지 다음의 실례를 통해 알아보자.

우연히 배우게 된 세일즈
—검정 바지

내 아내 사라가 나를 태워가기 위해 오 헤이어 공항까지 나왔다. 우리는 결혼기념일을 맞이하여 주말을 시카고에서 보낼 계획이었다. 근사한 호텔에 투숙하여 둘이서 오붓한 시간을 보내며 멋진 레스토랑에서 식사도 하기로 미리 계획을 잡아 놓았다. 아내가 내게 말했다.

"당신이 일할 때 자주 입는 그 파란색 정장은 이번 주말 같은 분위기에는 어울리지 않을 것 같아서 지난 번 크리스마스 선물로 당신에게 사주었던 자켓과 편한 바지를 챙겨 왔어요."

그렇게 챙겨 왔다는 옷들을 받아 펴본 나는 아내가 맞지 않는 바지를 챙겨 온 것을 알았다. 처음에 샀을 때는 맞았지만 지금은 허리가 너무 꽉 낀다. 억지로 입을 수는 있겠지만 입은 상태로 어디에 앉거나 할 수는 없다. 문제가 생긴 것이다.

"옷장에 내 검정 바지가 몇 벌이나 되는데 하필 이걸 가져왔소?"

"옷장에 들어 있었으니까요. 안 맞는 거면 진작 내 놓지 왜 옷장에 그대로 두었어요?"

"살을 좀 뺄 생각이니까 나중에 입으려고 했던거요. 그건 그렇고 어쩌겠소? 그냥 이 파란색 정장을 입고 레스토랑에 가야 되겠소."

"안 돼요. 나는 오늘 저녁 식사를 설레는 심정으로 기다렸어요. 게다가 당신은 지금 자켓도 입고 있잖아요. 나가서 검정색 바지를 하나 사 입도록 해요."

우리가 투숙한 호텔은 미시간 애비뉴에 있었는데 호텔 문만 나서면 상점들이 즐비하다. 처음에 들어간 네 곳에는 나에게 맞는 치수의 검정색 바지가 없었다. 시간은 오후 6시 45분이었다. 우리는 워터 타워 플레이스에 있는 한 상점으로 들어갔다.

점원이 우리에게 다가왔고 나는 우리 부부가 왜 이 상점에까지 들어오게 되었는지에 대해 꽤 상세하게 말해 주었다. 그리고는 이렇게 덧붙였다.

"허리가 38인치이고 가격은 5만 원대인 검정 바지를 주시오."

점원은 조금도 언짢은 기색을 보이지 않았다. 바지가 쌓여 있는 진열대로 가서 바지들을 뒤적거리다 돌아와서 이렇게 말하였다.

"손님, 죄송합니다. 그 치수로 그 가격대에 해당하는 바지는 없군요."

그 점원은 "저희 가게에는 그런 싼 물건은 없습니다"라고 훨씬 쉽게 말할 수 있었는데도 위와 같이 말한 사실을 염두에 두라.

"제가 권해드리고 싶은 게 있는데 한 번 보시겠습니까?"

"보는 거야 뭐 문제되겠소? 하지만 나는 5만 원짜리를 원하오."

그 점원은 마침 우리가 가려고 하는 레스토랑의 웨이터가 고급 와인을 우아하게 따르는 장면을 연상시키듯 바지를 한 쪽 팔 위에 드리운 채 점잖게 말했다.

"손님께서도 버버리를 아시지요?"

"이보시오. 내 윗도리들은 그 버버리 바지보다 값이 싼 것들이오. 나는 당장 입을 수 있는 5만원 대의 바지가 필요하단 말이요."

그 점원은 내 불만을 못들은 것처럼 물었다.

"손님, 멜빵은 하십니까?"

"가끔 하오."

"잘 됐군요. 멜빵 단추를 끼울 수 있게 되어 있습니다. 속에는 무릎까지 안감을 대서 다림질 선이 오래 유지됩니다. 드라이 크리닝과 다림질을 자주 할 필요가 없기 때문에 결국 더 경제적이지요."

"좋소. 얼마요?"

"15만 원밖에 안 됩니다."

"이보시오. 이 바지가 좋은 바지라는 것은 내가 인정하겠소. 그렇지만 우리 집 옷장에는 검정 바지가 몇 벌이나 있소. 나는 그저 당장 입을 5만 원짜리면 되오."

"알겠습니다. 그러면 이 바지를 '대기용'으로 놓아두겠습니다."

"그게 무슨 소리요?"

"손님께서 좀 더 돌아보시고도 마음에 드는 것을 찾지 못해서 다시 돌아오실 경우에 대비해서 안 팔고 그냥 갖고 있겠다는 뜻입니다."

"그럼 그렇게 하도록 하시오."

라고 말하고 다른 상점을 찾아 나서려고 발걸음을 옮기는데 그 점원이 물었다.

"그런데 오늘 저녁 식사가 몇 시라고 하셨습니까?"

"여덟 시에 예약이 되어 있소."

내가 이렇게 대답하는 그 순간으로부터 쳐서 저녁 식사 예약까지 남은 시간은 1시간 15분이었다.

"제가 시간을 여쭈어 본 것은 혹시 이 바지를 사신다면 길이를 줄여서 재봉하는 시간이 필요하기 때문입니다. 어디에 묵고 계십니까?"

"바로 길 건너 편 하얏트에 묵고 있소."

"잘 되었군요. 만일 수선을 한다고 해도 금방 찾아가실 수 있겠습니다."

"호텔에서 레스토랑까지는 얼마나 걸립니까?"

아내가 15분은 족히 걸린다고 말했다.

"나가시기 전에 혹시 모르니까 길이를 줄여줄 양복 수선 기술자를 준비시켜 두겠습니다."

그는 전화기를 집어 들고 누군가와 활기차게 이야기를 하였다. 전화를 받은 상대가 양복 수선 기술자였으리라고 나는 지금까지도 믿어 의심치 않는다.

"아니오, 오늘 밤이요… 그렇지요. 결혼 기념일이시라는군요. 해 주실 수 있겠습니까?"

그는 양복 수선 기술자를 상대로 다른 일이 많아도 내 바지를 먼저 수선해 주도록 부탁하고 있었다.

"여쭈어 보지요."

라고 그는 전화에 대고 말하였다. 그리고는 나에게 물었다.

"바지단은 일자로 할까요, 접어 올릴까요?"

"일자가 좋겠소."

이렇게 대답을 하는 순간 나는 내가 이미 그 버버리 바지를 산 것이나 마찬가지라는 사실을 깨달았다.

"바로 수선 기술자에게 보내겠습니다. 수선비용은 바지 값에 포함시켜 계산할까요, 아니면 다른 방식으로 하시겠습니까?"

그는 나에게 15만 원짜리 바지를 팔았다. 그러나 나는 고객으로 하여금 문제점에 관심을 집중하게 하는 기법을 가르쳐준 '귀중한 세일즈 세미나'를 공짜로 들었다. 그는 계속해서 나의 문제를 상기하도록 만들었다. 그리고는 결국 가격에 대한 기준을 충족시키기보다는 대신 예약을 맞추는 것과 보기 좋은 바지를 입는 일이 더 중요하다는 생각을 심어주었다.

우리는 결국 예정대로 결혼기념일을 자축하는 저녁 식사를 하였다. 그리고는 여러 가지 물건들을 샀지만 지금은 전부 내버리고 남은 것이 없다. 다만 그 검정색 바지만은 아직도 내 옷장 속에 그대로 있다.

－ ‧ － ‧ － ‧ － ‧ － ‧ － ‧ －

◆ 우연히 세일즈를 하게 된 사람을 위한 격언 _
**만남의 핵심적인 문제를 통제한다면 만남 자체를 통제할 수
있다.**

◆ 부수적 조언 _
잠재고객의 문제에 초점을 맞추면 더 빨리 팔 수 있다.

　그 양복 가게 점원은 내가 문제를 직시 할 수 있도록 하였다. 나
는 계속해서 다른 바지를 보러 다니거나 아니면 무슨 다른 조치를
취할 수도 있었을 것이다. 그러나 그는 계속해서 다른 바지를 보러
다닐 때 그로 인해 일어날 결과에 대해 깨닫게 하였다. 그는 나와 아
내의 데이트, 레스토랑 예약, 왔다 갔다 하는 시간에 대해서만 관심
을 집중하도록 만들었다.

　그는 나에게 몇 가지 질문을 하고 판매로 매듭짓기 이전에 판매
과정을 충분히 길게 잡고 나를 동참시키는 현명한 방식을 취하였
다. 우리는 다음 장에서 잠재고객이 구매 행위 준비를 하는 일에 대
해 알아볼 것인데, 그 때 이 점원에 대해 좀더 이야기할 것이다.

제 9장

잠재고객이 구매할 수 있는
여건 만들기

제 12과정과 제 13과정

양복가게 점원은 내가 바로 그 자리에서 그 버버리 바지를 사야 한다는 것을 납득할 때까지 나에게 계속해서 질문을 던졌다. 다른 바지를 찾아보기 위해 더 돌아다닌다는 것은 예약에 늦고 저녁 식사도 하지 못할 수 있다는 것을 뜻했다. 그는 나에게 15만 원짜리 바지를 팔았지만 나는 그에게 잠재고객에게 구매할 마음을 갖도록 만들어주는 방법에 대한 세미나를 공짜로 들었다.

고객은 제대로 된 세일즈맨에게서 사고 싶어한다. 사면서도 살 수밖에 없다는 것을 납득하고 싶어한다. 구매가 올바른 결정이라고 느끼고 싶어한다. 팔려는 사람이 제대로 팔지 못할 때 사려는 사람은 실망한다. 실망에서 그치지 않고 다른 판매자를 찾아가기도 한다. 구매자의 입장에서 파는 사람에 대한 실망을 글로 적어 자신을 찾아 오는 세일즈맨들에게 팩스로 보낸 사람이 있다. 뼈저리게 새겨들어야 할 내용들인데 나는 이것을 '어느 잠재고객의 하소연' 이라고 이름 붙였다.

우연히 배우게 된 세일즈
__어느 잠재고객의 하소연

수신: 모든 세일즈맨

발신: 엘렌 암스트롱

제목: 본인과의 면담을 원할 때 갖추어야 하는 조건

여러분들은 늘 나의 소중한 시간을 내달라고 하였습니다. 여러분도 일을 하자니 그런 것이라고 이해합니다. 그러나 나에게 시간을 내달라고 요청하는 세일즈맨들을 전부 다 만나려면 나는 다른 일은 아무 것도 할 수 없다는 것 또한 여러분이 이해해야 합니다. 여러분이 아래의 조건에 부합하는 사람이라면 나는 여러분의 만나자는 요청에 응하겠습니다.

● 나의 욕구, 어려움, 과거 경험 등에 대해 알기 전에는 그 어떤 것도 나에게 팔려고 하지 마시오.

● 거래를 하자고 몰아붙이지 마시오. 나를 몰아붙일수록 나는 그만큼 냉담해질 것이오.

● 경쟁자를 비난하거나 헐뜯지 마시오. 그런 짓을 한다면 나가 달라고 하겠소. 실질적인 비교를 하는 것은 무방하지만 근거 없는 비방은 내 일에 아무 보탬이 안 되오.

● 간단하고 확실하게 말하시오. 내가 여러분의 만나자는 요청에 응할 때, 나는 여러분이 자신의 제품이 내 일에 어떤 이익을 안겨줄지 전문가답게 설명해 주기를 바라오. 횡설수설한다면 나는 흥미를 잃을 것이오.

● 구매에 대해 어떤 혜택을 베풀기보다는 구매 제의 자체에 아이디어가 내재되어 있기를 바라오. 최고의 아이디어와 미래의 가능성을 제공하려고 하시오. 나의 욕구와는 무관한 제품 구매에 따른 보상이나 혜택 같은 것은 여러분에게는 효과가 있을지 모르겠지만 내게는 아무 소용이 없다오. 여러분이 나의 입장에서 생각하여도 구매하고 싶어지는 그런 내용을 제시하시오.

● 내가 배울 수 있는 사람이 되시오. 내 일에 대해 공부를 하고 여러분이 내 분야에 관심을 갖고 있다는 것을 보이시오. 내가 몸담고 있는 분야가 어떻게 돌아가고 있는지 모른다면 나에게 판매할 수 없을 것이오.

● 여러분이 말하는 만큼 들으려고도 하시오. 같은 말을 되풀이하게 해서 내 시간을 빼앗지 마시오.

이상이 여러분이 나에게 면담을 요청하기 이전에 갖추어야 할 자세입니다. 이런 자세로 나를 만날 사람이라면 서명을 해서 나에게 보내세요. 그런 다음 다시 전화를 한다면 나의 소중한 시간을 내 줄 것인지 생각해 보겠습니다.

불만이 가득한 구매자가 쏟아놓고 있는 이 요구 사항들은 바로 내가 지금까지 이 책을 통해 줄기차게 이야기한 내용들이다. 그녀는 자신을 찾아오는 세일즈맨들이 판매 노력을 한 단계 끌어올릴 것을 하소연하고 있다. 그녀는 [표 2-1]의 이정표에 대해서도 모르고 1단계 수준이라는 말도 모르지만 1단계 수준의 세일즈맨들과의 만남에 넌더리난다는 것을 분명히 밝히고 있다. 그녀는 자신이 2단계 수준의 행동들을 좋아한다는 것을 드러내는 한편, 3단계 수준의 행동마저 보여주기를 원하고 있다.

여러분은 처음으로 잠재고객을 만나보았고, 그가 안고 있는 문제점들을 지적하고, 그 문제를 해결하지 않을 때 어떤 어려움을 겪게 될지 이야기하였다. 꾸준한 과정을 통해 잠재고객에게 좋은 인상을 주고, 관심을 갖게 만들고, 신뢰심을 갖게 하였다. 그렇다면 이제 바로 그 자리에서 고객 욕구 분석(제 11과정)으로 들어가거나, 그렇게 하기 위한 다음 약속을 잡아라.

둘 중 어느 경우가 되었든 스스로는 물론 잠재고객에게도 분명히 해두어야 할 것이 있다. 이렇게 말하라. "이제 저희는 판매 과정에서 자료를 수집하는 단계로 나아가게 됩니다."

우연히 세일즈를 하게 된 세일즈맨들이 건너뛰는 중요한 과정이 있다. 잠재고객에게 질문을 퍼부어 대기 전에 시간을 내어 그에게 여러분의 질문에 대답하고 협의하는 과정을 거치는 것이 왜 도움이 되는지 납득시키는 것이다.

오늘날에는 상담 성격의 판매가 주류를 이루고 있다. 세일즈에 대한 책을 읽거나 세미나에 참석해 보아도 모두 고객의 욕구를 알기 위해 질문을 하라고 권하고 있다. 그럼에도 불구하고 모두가 그런 기법을 활용하는 것은 아니다. 닐 랙햄은 자신의 책 『스핀 셀링 SPIN Selling』을 통해 일류 세일즈맨들이 평범한 세일즈맨들과 어떻게 다른지 확실히 보여주고 있다. 랙햄의 연구 결과에 따르면 일류 세일즈맨들은 제대로 된 질문을 한다고 한다.

질문을 하는 것이 여러분에게 도움이 된다는 것은 분명하다. 질문을 통해 제품을 더 많이 팔 수 있는 소중한 정보를 얻을 수 있다. 그러나 여러분의 질문에 답변한다고 해서 그것이 왜 잠재고객에게도 득이 되는가? 질문을 하기에 앞서 이 점을 납득시켜야 한다. 그러면 여러분이 듣게 되는 답변의 질이 달라진다.

여러분은 이 과정에 이르기까지 모든 것을 제대로 해왔다. 잠재고객에게 여러분의 판매 과정에 대해서 설명을 하였다. 잠재고객은 여러분의 판매 방식을 받아들였다. 여러분은 여러분이 파는 것을 제시할 수 있는 전 단계에 와 있다. 그러나 좀더 알 필요가 있다.

여러분이 잠재고객에게 왜 질문을 하는지 그 이유를 설명하고 질문에 답변함으로써 잠재고객이 얻게 될 이익에 대해 이해시켜라.

이제 여러분은 [표 2-1]의 이정표를 내놓고 자신에 대해 어느 정도 이야기하고 싶어 할지도 모르겠다. 이런식으로 말이다.

"저는 사실 어떻게 하다 보니 우연히 세일즈에 종사하게 되었습니다. 그렇지만 이제는 목적의식을 가지고 팝니다. 그저 파는 대신 고객을 창출하고 싶습니다. 과정을 거치면서 제 질문에 답해주신다면 새로운 눈으로 현상을 보실 수 있게 될 겁니다. 물론 저는 질문을 통해 상담하는 이 과정을 무료로 진행합니다만 사실 컨설턴트와 유료로 상담하실 수준의 질문들입니다. 이 과정이 끝나고 나면 저는 고객님께서 필요로 하시는 것이 무엇인지 억측하는 대신 꼭 필요로 하는 해결책을 제시할 수 있게 됩니다. 그렇다면 공평하지 않습니까?"

어떤 사실도 감추지 않고 상담에 임해야 한다. 잠재고객에게서 더 많은 정보를 얻고 싶다면 우선 여러분 자신이 무언가를 알려주어야 한다. 그렇게 자신을 드러내 보일 때 여러분은 흔한 경쟁자들과 달라 보이며 그만큼 더 신뢰를 얻을 수 있다.

여러분의 회사에서는 고객이 작성하도록 되어 있는 질문지를 준비해서 활용하고 있을지도 모르겠다. 해결책을 모색하기 위해서는 전문적인 정보가 필요할 수도 있다. 그렇기 때문에 나는 이번 장에서 실제 어느 분야에서나 적용할 수 있는 단순하고 원리적인 고객 욕구 분석 방법에 대해 말하려고 한다. 나는 그 방법을 한 세일즈맨에게서 배웠다.

우연히 배우게 된 세일즈
—〈엠씨아이(MCI) 세일즈맨〉

나는 세일즈맨들을 가르치는 사람이지만 내 자신이 구매자의 입장에

설 때도 있다. 나는 제프라는 세일즈맨의 면담 요청을 수락하였다. 그는 우리 회사가 자기네 전화 통신 서비스를 사용하도록 할 목적을 가지고 나를 찾아 왔다. 그의 첫 마디는 내게 아무 인상도 주지 못했다.

"사무실이 멋집니다."

"제프, 내가 세일즈맨들을 가르치는 사람이라는 사실은 잘 알고 있지요. 사무실이 멋지다는 식의 인사치레는 그만 두시오."

"진심에서 하는 말입니다. 저희 회사는 매출액 수백만 달러 규모 회사입니다. 그런데도 매디슨에 있는 저희 사무실보다 이 사무실이 더 멋집니다. 한 눈에 차이가 느껴집니다."

"고맙소."

나는 그 말이 진심이란 것을 알고 좋은 인상을 받았다.

"크리스 사장님, 저희는 통신료가 저렴한 장거리 전화 서비스를 제공하는 이상의 일을 하고 싶어합니다. 말하자면 커뮤니케이션 솔루션을 제공하길 원한다는 것이지요. 사장님 사업을 사장님의 관점에서 이해하고 싶습니다. 그러자면 우선 요소별 영향력 분석을 간단히 해봐야 할 것 같습니다."

요소별 영향력 분석이라는 것을 왜 해야 하는지 그만하면 잘 설명하였다. 그런데 도대체 요소별 영향력 분석이라니 이게 무슨 소리인가? 제프는 메모지를 꺼내어 맨 아래 쪽에다 줄을 하나 그었다.

"사업 개시일로 돌아가볼까요?"

그러면서 그는 그 줄 옆에다 사업 개시일이라고 적었다.

"사업을 시작하신 날이 언제입니까?"

"그러니까, 사라와 내가 이 회사를 시작한 게 1983년 1월이었소."

"좋습니다."

그렇게 말하면서 그는 맨 아래 쪽에 그려 놓았던 줄 윗쪽으로 새로 줄을 하나 더 그었다. 그리고는 그 옆에 '현재' 라고 적었다.

"1983년에서 오늘 현재에 이르기까지 사장님께서는 여러 가지로 노력하셔서서 이 정도의 성공을 거두셨습니다."

그렇게 말하면서 그는 사업 개시 일의 줄과 현재의 줄 사이에 윗쪽 줄을 가리키는 화살표 네 개를 그려 넣었다. 이쯤 되면 그 화살표 하나 하나가 내게서 어떤 말들을 끄집어냈을 것이라고 짐작할 수 있을 것이다. 제프가 더 묻지 않았는데도 나는 그 화살표 하나하나에 내 나름대로 어떤 요소의 이름을 붙여 주었다. 그 화살표 그림은 나로 하여금 우리 회사의 경영 철학, 사업 관행, 강점 등에 대해 구체적인 정보를 알려 주게 하였다.

내가 네 개의 화살표에 대해 어떤 요소들의 이름을 붙이고나자 제프는 메모지 상단에 또 다른 줄을 하나 그었다.

"이 줄을 '미래의 단계' 라고 부르기로 하지요. 성장의 다음 단계 혹은 사장님께서 꿈꾸는 정도로 사업이 발전한 단계라는 의미입니다. 그런데 이 단계에 다다르는 것을 저해하는 요소들로는 어떤 것들이 있습니까?"

그렇게 말하면서 그는 꼭대기에 있는 줄과 현재의 줄 사이에 아래쪽을 향하는 화살표 네 개를 그려 넣었다. 그 화살표들은 바로 우리 회사의 성장을 가로막고 짓누르는 요소들이었다. 나는 10여분 동안 경쟁사들과 마케팅 비용 그리고 문제점들에 대해 푸념을 늘어 놓았다.

그 시간을 통해 제프는 우리 업계에 대해 소중한 안목을 얻을 수 있었고 나는 아주 효과적인 상담 기술을 배웠다. 아주 효과적이기 때문에 내 세미나에서도 그 기술을 가르쳤다. 이 책을 읽는 세일즈 강사들 가운데는 내가 그 기술을 자기들에게서 도용했다고 주장하는 사람이 있을지 모르겠다. 그러나 분명히 말하지만 나는 그 기술을 어떤 책에서도 본 적이 없고 어떤 세미나에서도 들어본 적이 없다. 우연한 세일즈 세미나에서 배운 것이다.

———·—·—·—·—·—·—·—·—·———

요소별 영향력 분석을 하는데 무슨 특별한 공식이 있는 것은 아니다. 화이트보드나 메모지, 식당 주인들이 들으면 기겁을 하겠지만 식당의 개인용 접시 밑에 까는 플레이스매트 등에 줄을 그려 얼마든지 쉽게 할 수 있다. 어떤 세일즈맨 하나는 골프를 하면서 골프 스코어카드 뒤에 줄을 그려 가면서 요소별 영향력 분석을 했던 적이 있다는 이야기를 들려 주었다. 여러분도 추가 정보가 필요하다면 다음에 한 번 그런 목적으로 골프를 쳐보라.

요소별 영향력 분석은 위원회 같은 집단을 상대로 실시할 때 특히 효과적이다. 화살표에 대해 위원들마다 다른 견해를 보일 수 있는데 그것은 그대로 그 위원회를 상대로 여러분이 제안을 할 때 큰 도움이 된다.

일단 잠재고객이 화살표들에 대해 명명을 하고 나면 여러분이 필요로 하는 자료를 확보하기 위해 더 구체적인 질문을 하라. 질문을 제대로 할 줄 아는 세일즈맨들도 있지만 그렇지 못한 세일즈맨들도 있다. 똑같은 자료를 요청하는 다음 두 질문의 차이를 느껴 보라.

[질문 예 1]

"예산이 얼마입니까?"라고 우연히 세일즈하게 된 세일즈맨은 묻는다.

"그것은 대외비요"라고 몸을 사리는 고객은 말한다.

[질문 예 2]

"제대로 된 제안을 하자면 아무래도 제가 예산 규모를 알아야 할 것 같습니다"라고 프로 세일즈맨은 말한다.

"아, 물론 그래야겠지요. 1억 3천만 원이요"라고 협조적인 고객은 말한다.

[질문 예 2]에서 프로 세일즈맨은 잠재고객에게 정보를 제공하는 대가를(즉, 제대로 된 제안을) 제공하고 있다. [질문 예 2]는 질문처럼 들리지도 않는다. 묻고자 하는 내용을 서술문 속에 감추고 있다. 다시 한 번 읽어 보라. "제대로 된 제안을 하자면 아무래도 제가 예산 규모를 알아야 할 것 같습니다."

이 말 속에는 누가, 무엇을, 언제, 어디서, 왜, 어떻게 등과 같은 의문사가 쓰이지 않고 있다. 물음표도 붙지 않는다. 실제 묻고 싶은 내용(예산이 얼마입니까?)은 서술 형태로 나타나고 있다. 여러분도 아마 지금까지 우연찮게 이런 식의 질문을 해본 적이 있을 것이다. 목적의식을 가지고 이런 식의 화법을 구사하라. 고객 욕구 분석을 위한 만남이 마치 심문하는 자리처럼 되는 대신 논의하는 자리가 될 것이다.

자료를 수집하고 고객의 욕구를 분석하는 일은 하나의 과정이다. 너무나 많은 세일즈맨들이 설문지를 작성하듯 질문을 쏟아 붓고 막 바로 프리젠테이션으로 들어가려고 한다. 목적의식을 갖고 팔 때의 잠재고객과의 만남은 보다 많은 정보를 얻고, 잠재고객을 보다 협조적으로 만들 수 있는 기회라고 생각해야 한다. 잠재고객이 고객으로 바뀌고 나서도 자료 수집은 계속 되어야 한다. 상황이 늘 변하기 때문이다.

요즈음의 잠재고객은 예전에 시간을 내어 직접 마주 앉아 답변해 주던 정도의 질문에 대해서는 세일즈맨들이 미리 그 내용을 알고 찾아주기를 바란다. 세일즈맨이 인터넷을 이용하기만 하면 알 수 있는 정보들에 대해서까지 시간을 내서 알려주기에는 그들도 시간에 너무 쫓긴다.

◆ 우연히 세일즈를 하게 된 사람을 위한 격언_
문제에 관한 대부분의 답은 질문에서 얻을 수 있다.

◆ 부수적 조언_

말을 하는 것보다 더 많이 듣는다면 여러분은 실제 이상으로 지혜롭게 보인다.

세일즈 강사들은 입에 침이 마르도록 '경청'에 대해 말한다. 그것이 오히려 문제인 것 같다. 경청을 강조하면서도 경청에 대한 말을 너무 많이 한다. 누구나 질문을 하고 잘 들으라는 이야기를 알고 있겠지만, 경청의 위력을 실감하기에는 다음 영화만한 것이 없다.

2000원으로 배우는 세일즈
—《빙 데어(Being There)》

정원사인 챈스는 그의 인생의 대부분을 워싱턴에 있는 어느 부자 노인의 타운 하우스 정원을 돌보며 살았다. 영화의 어디에서도 챈스에 대해 '모자란다'는 표현이 직접 쓰이지는 않지만 그는 자기 한 몸도 제대로 추스르지 못하는 사람이다. 노인의 집에 함께 사는 하녀 루이스가 밥을 먹여 주는 정도이니까. 그가 하는 일이라고는 정원을 돌보고 TV를 보는 것 뿐이다. 그의 삶과 마음 모두가 지극히 단순하다.

그러다 노인이 죽는다. 더 이상 노인을 통해 돈을 벌 수 없게 된 챈스는 거리를 방황한다. 거리의 진열장 안에 있는 TV를 들여다 본 챈스는 모니터에 비친 자기 얼굴에 놀라 뒷걸음질친다. 그 때 후진하던 리무진 한 대가 챈스를 밀어붙여 리무진의 범퍼와 주차해 있던 다른 차 사이에 챈스의 다리가 끼는 사고가 난다. 리무진에 타고 있던 이브(셜리 맥클레인)는 소송이 두렵기도 하거니와 챈스가 흠잡을 데 없이 완벽하고 품격 높은 정장을 한 사실을 알고는 자신의 집으로 가서 의사를 불러 상태를 보자고 권한다. (중병에 걸려 누워 있는 그녀의 남편은 24시간 누군가의 도움을 받아야 한다.)

다친데다가 배도 고픈 챈스는 갈 곳도 없기에 이브의 제안대로 그녀의 집에 따라가기로 한다. 이브는 챈스에게 이름을 묻는다. 챈스는 자신이 정원사인 챈스라는 뜻으로 '챈스 더 가드너'라고 말한다. 그런데 이브는 이것을 '첼시 가드너'로 알아듣는다. 이브는 남편 벤에게 챈스를 자기 친구라고 소개한다.

벤과 이브는 거대한 호화 맨션에 산다. 늙고 병든 벤이지만 그는 백만장자이고 막강한 영향력을 소유한 사람이다. 대통령과 이름을 부를 정도로 친한 친구인데 마침 대통령이 이 오랜 친구의 집을 방문한다. 벤은 친구인 대통령에게 챈스를 소개하고 그 때부터 우스운 일이 일어난다. 챈스는 곧 대통령과 이름을 부르는 사이가 된다. 대통령이 경제 난국에 대해 어떻게 생각하느냐고 묻자 챈스는 자기가 아는 유일한 세계, 즉 정원에 대해 이야기한다.

"정원에는 봄, 여름, 가을, 겨울의 4계절이 있고 겨울이 지나가면 또 다시 봄은 오지요."

대통령이 무슨 뜻인지 알아듣지 못해 난감해하자 벤이 나름대로 해석을 한다.

"내 생각에 우리 이 젊고 착한 친구가 하고 싶는

네. 정원의 4계절의 변화를 우리는 당연한 것으로 받아들 같

의 변화에 대해서는 그런 자세를 갖지 않는다고 말일세."

결국 챈스는 귀빈들의 파티에까지 참석하게 되는데 여자들은 챈

가 너무나 매력 있는 인물이라고 생각한다. 다른 사람을 속일만큼 영악

하지 못한 챈스는 자기 생각을 있는 그대로 말한다. 챈스의 이런 솔직

함을 사람들은 무식하다고 생각하는 대신 참신하다고 여긴다. 러시아

대사가 챈스에게 러시아어로 말할 때 챈스는 그저 웃는다. 챈스가 러시

아어를 할 줄 안다고 오해한 러시아 대사는 자신이 좋아하는 시 한 편

을 낭송하고 챈스는 그저 눈을 마주보며 미소를 짓는다. 러시아 대사도

챈스만큼 순박한 사람이다.

다음 날 대통령은 기자 회견에서 자신의 착한 친구 챈스 가드너의

말을 인용한다. 결국 챈스도 TV에 얼굴을 드러내게 되고 정원에 대하

여 은유적으로 이야기를 한다. 사람들은 이 단순한 사람이 엄청난 지혜

를 갖추고 있다고 생각한다. 챈스를 다음 대통령 선거의 후보로 추대하

려는 사람들까지 생겨난다.

영화 《빙 데어》는 적게 말하고 많이 듣는 것의 중요성을 나타내

고 있다. 물론 정치와 권력에 대해 풍자하고 있지만 작가 저지 코신

스키는 세일즈 교육용으로도 효과가 큰 원작 소설을 써서 그것이

영화로까지 제작되게 한 것이다. 피터 셀러스가 연기한 챈스가 어

들에게 인정을 받게 되는지 그 과정을 지켜보라. 챈스는 들의 눈을 마주보고 이따금 질문을 하며 대화를 한다. 챈스가 무 말도 하지 않으면 사람들은 계속 이야기를 한다. 챈스가 그들을 쳐다보면 그들은 더욱 말을 많이 한다. 그리고 마침내 챈스가 말을 할 때 사람들은 귀담아 듣고 챈스가 하는 말 한 마디마다 엄청난 지혜가 깃들여 있다고 생각한다. 대화의 중간 중간에 침묵의 시간이 흐르는 것을 두려워하지 말라. 여러분의 침묵은 굉장한 힘을 발휘할 수 있다.

이 영화의 또 다른 중요한 교훈은 옷을 제대로 입을 줄 알아야 한다는 것이다. 정원사인 챈스는 우연히 주인 노인과 옷 치수가 같아, 흠 잡을 데 없이 완벽하게 의상을 갖추어 입던 주인의 옷을 그대로 입는다. 챈스가 사람들에게 강한 첫 인상을 주었던 것은 그가 입었던 옷 때문이었을 가능성도 무시할 수 없다. 사람들은 챈스가 입은 의상을 보고 그를 귀빈으로 생각했고 그에 걸맞게 대하였다.

잠재고객에 대해 관심과 호기심을 갖는다면 단순한 사실뿐 아니라 사실에 얽힌 다른 이야기도 들을 수 있다. 잠재고객이 여러분에게 그들의 이야기를 들려준다면 그것은 그가 여러분의 판매 과정에 보다 능동적으로 협조하고 있다는 의미이다. 사실을 넘어 그 사실에 얽힌 뒷이야기나 내부자 정보를 전해주게 된다. 준비한 질문을 단순히 속사포 쏘듯 쏟아 놓는 대신 여유를 갖고 보충 질문을 하고 사실에 얽힌 뒷이야기를 들어라.

여러분이 묻는 질문에 대한 대답을 진정으로 듣고 싶어해야한다. 너무나 많은 세일즈맨들이 건성으로 듣는 척하면서 얼른 자기가 말할 차례가 오기만을 기다리고 있다.

잠재고객을 만날 때마다 사실 그 시간이 여러분의 데이터베이스를 업데이트하고 여러분이 해결책을 제시해 줄 수 있는 문제점들을 발견할 수 있는 기회가 될 수 있다. 잠재고객이 여러분의 고객이 될 수 있게 준비를 갖추어주는 일은 제 12과정의 중요한 부분이다. 제대로 된 첫 번째 프리젠테이션을 하기 위해 더 많은 질문을 할 필요가 있다.

과거의 세일즈 강사들은 순간순간을 판매를 위한 과정으로 삼으라고 강조하였다. 그러나 오늘날과 같은 세일즈 환경에서는 잠재고객을 준비시키는 일을 멈추지 말라고 강조하고 싶다.

일단 잠재고객이 여러분에게 협조할 수 있도록 준비 자세를 갖추어주고 여러분이 해결해줄 수 있는 문제가 있다는 것을 확인하게 되면 제안을 위한 만남을 약속하라. 약속을 정하지 않은 채 고객 욕구 분석을 위한 만남을 끝내지 말라.

우연히 세일즈를 하게 된 사람이 저지르는 큰 잘못 한 가지는 제안할 내용을 준비한 다음에야 제안을 위한 약속을 잡는다는 것이다. 그러나 제안을 위한 약속을 먼저 잡는다면(제 13과정) 꾸물거릴 시간이 없다. 마감시간이 정해져 있기 때문이다(다음 장에 있는 제안 작성 양식을 활용한다면 쉽게 시간에 맞추어 제안을 준비할 수 있을 것이다).

여러분이 제안하고자 하는 내용의 양과 깊이에 따라 고객 욕구 분석을 위한 만남의 횟수를 조정할 필요가 있다. 예를 들어 고객 욕구 분석을 위해 두 번 만났다면 적어도 한 번의 만남에 따른 제안이 준비되기 전까지는 더 이상 만날 필요가 없다는 말이다. 제안이 준비되면 고객 욕구 분석을 위해 다시 만나라. 고객에게 무엇을 제안하는 그 만남에서 여러분은 돈을 버는 것이다. 여러분에게 관심을 보이는 수십 명의 잠재고객을 확보하고 싶을 것이다. 그러나 잠재고객에게 제안을 하고 실제 돈을 내고 구매를 하라고 권유하기 전까지는 그들이 어느 정도 관심을 갖고 있는지 알 수 없다.

제 10장

대가 없이 일하는 것의 중요성 혹은 성공에 이르는 또다른 비결

제 14과정과 제 15과정

이제 제대로 된 제안서를 작성하는 방법에 대해 알아볼 차례이다. 이번 장에서 보게 되는 제안서 작성 양식을 활용하면 여러분은 곧 2 단계, 3단계 그리고 4단계 수준의 내용이 수록된 제안서를 작성할 수 있게 될 것이다. 이런 식으로 제안서를 작성하게 되면 좀더 고객을 염두에 둔 제안을 하고 프리젠테이션을 할 수 있게 된다. 또 이번 장에서는 너무나 큰 교훈을 알려주는데도 불구하고 무시되었던 세일즈 훈련용 비디오(유선 방송의 광고)를 통해 실효성 큰 방식을 응용할 줄도 알게 될 것이다. 이번 장을 다 읽고 나면 여러분은 잠재고객에게 감동을 주고 여러분의 판매 수익을 신장시키는 그런 제안을 할 수 있게 될 것이다.

이번 장에서 여러분에게 제시하는 제안서 작성 양식에는 그에 얽힌 뒷이야기가 있다. 언젠가 캐나다의 주요 방송사 한 곳에서 나에게 매니저 훈련을 위촉했던 적이 있다. 그 매니저 훈련 과정의 목적은 방송국 광고 영업사원들의 업무 성과를 평가할 수 있는 전국적인 기준을 수립하는 것이었다. 방송국은 조직의 관점에서 '만족할 만한 성과'를 측정하는 객관적 기준을 마련하여 모든 영업사원을 그 기준에 도달하도록 훈련시키려고 하였다.

기준은 성과를 측정하여 드러내 보여준다. 과거에 세일즈맨의 성과를 측정하는 기준은 질보다 양을 중시하였다. [표 2-1]의 이정표는 그런 시각에 변화를 촉구한다. 물론 제안을 많이 할수록 좋다. 그러나 2단계 수준의 제안을 다섯 번 하는 것이 1단계 수준의 제안 열 번을 하는 것보다 거래 성사율이 높을 것이다. 이것은 너무 당연하기 때문에 구세대적인 사고방식을 가진 세일즈 매니저들마저 그 타당함을 인정한다.

문제는 실제로 어떤 제안을 하기에 앞서서 그 제안의 질을 판단해 보는 것이다. 제안서 작성 양식이 그 문제를 해결해 준다. 방송사에서 의뢰한 매니저 훈련 교육을 준비하면서 방송사 영업사원들이 실제로 작성했던 제안서 사본들을 보내 달라고 요청하였다. 그 많은 영업사원들의 실제 제안서가 모두 도착하고나서 보니 교육을 시작하기 전까지 내가 읽어보아야 할 제안서는 무려 천 장이 넘었다. 나는 이 도시 저 도시에서 열리는 다른 세미나들을 위해 출장을 다니는 와중에 그 많은 제안서들을 트렁크에 넣고 다녔다. 그러나 강의가 끝나고 나면 피곤한데다가 기가 질릴 만큼 많은 양에 감히 읽을 엄두를 못 내었다. 어깨가 빠질 정도로 무거운 짐 가방을 들고 다니면서도 막상 매니저 훈련 교육 이틀 전까지도 읽어보지 못하였다. 그러나 이 경우에는 읽지 않은 것이 오히려 전화위복이 되었다.

매니저 훈련 교육을 하기로 되어 있는 위니페그로 날아가기 전에 오헤어 공항에서 세 시간 정도 기다려야 하는 시간이 있었다. 나는 부지런히 레드 카펫 클럽으로 들어가서 자리를 잡고 앉았다. 그리고는 제안서 3부를 읽어보았는데 기겁을 할 지경이었다. 그렇게 놀라고 나서 나머지 제안서가 얼마나 되나 살펴보니 약 80부 정도가 더 남아 있었다. 6부 정도를 대충 더 훑어보고 그만 읽기로 하였다. 무엇 때문에 이런 제안서들을 읽어야 하는가 라는 의문이 들었다. 자기네 방송국만을 고려한 이 따분한 제안서들에 대해 매니저들도 나처럼 느낄 것이 틀림없었다.

이 제안서들이 실제로 얼마나 잘못된 것인지 매니저들이 좀더 분명히 느끼고 알 필요가 있었다. 단순히 말로 해결될 문제가 아니었다. 나는 매니저들이 그 제안서들이 왜 잘못 되었는지 문제점들을 분명히 지적해 낼 수 있기를 바랐다. 또 그렇게 하기 위해 연습을 시키기로 했다. 위니페그에 도착한 나는 매니저들에게 [표 2-1]의 복사본을 나누어 주었다. 그들은 자기들이 관리하는 영업사원누가 어느 단계에서 영업 활동을 하고있는지 쉽게 판단할 수 있었다.

영업사원들이 잠재고객과 접촉하는 방식들을 1단계, 2단계, 3단계, 4단계로 분류할 수 있다면 그들의 제안서의 한 페이지 한 페이지도 역시 1단계, 2단계, 3단계, 4단계의 페이지로 분류할 수 있다고 설명하였다. 예를 들어 잠재고객의 문제에 대해 언급하는 페이지는 2단계로 분류할 수 있다. 영업사원이 팔려고 하는 제품의 설명서와 가격표는 1단계로 분류할 수 있다. 나는 매니저들에게 [표 2-1]의 이정표를 근거로 제안서들의 각 페이지를 1, 2, 3, 4단계로 분류하여 점수를 매겨보게 하였다. 그리고는 총점을 제안서 전체의 페이지 수로 나누어보게 하였다.

매니저들을 두 명씩 짝을 지어주고 우선 자기 부하들의 제안서들을 읽고 점수를 매긴 다음 짝이 된 매니저의 부하들이 작성한 제안서들도 똑같이 읽고 점수를 매기게 하였다. 그 작업을 해 나가는 동안 매니저들의 입에서 신음 소리가 저절로 새어 나왔다. 방 안의 분위기는 가라앉을대로 가라앉았다.

매니저 하나가 이렇게 말하였다. "이 친구는 아주 틀에 박힌 개똥같은 소리만 하고 앉아 있구먼! 그리고는 그 따위 수작들 위에다 컬러로 껍데기만 그럴 듯하게 씌워서 고객에게 제공하는 헛수고를 하고 있어." 또 다른 매니저는 이렇게 말하였다. "이거, 뭐 고객을 위한 내용은 하나도 들어 있지 않잖아? 나는 좀 제대로 하는 친구인 줄 알았더니 완전히 1단계 제안의 표본이로구먼!"

물론 그 매니저들의 부하 영업사원들이 일부러 엉터리 제안서들을 작성하려고 애를 쓰는 것은 아니다. 그러나 그들은 어떻게 하는 것이 잘하는 것인지 모르기 때문에 1단계의 '기정 값' 수준에 머물고 있는 것이다.

강연이나 세미나를 진행하다 보면 가르치는 나도 역시 많은 것을 배운다. 방송사 영업사원 매니저 훈련 세미나가 끝나갈 때 우리는 중요한 해결책을 모색할 수 있었다. 완전히 4단계에서만 머무는 영업사원은 있을 수 없고, 4단계의 내용만 담은 제안서도 있을 수 없다는 결론을 내렸다. 2단계를 '제대로 된 영업 활동'으로 삼는 그 방송국 나름의 기준을 확립하였다. 확실히 2단계 제안은 그 때까지 그 방송국 영업사원들이 쏟아 내던 1단계 수준의 제안보다는 훨씬 나은 것이었다.

이야기는 거기에서 끝나지 않는다. 나는 그 방송사와 3년 동안 함께 더 일한 시간에 더하여 또 다른 기업들과 일하는 과정을 거쳐 제안서의 각 페이지의 수준을 평가하는 기준을 확립하게 되었다. 그렇게 하여 마련된 것이 바로 제안서 작성 양식이다.

제안서 작성 양식

여러분은 [표 10-1]의 양식을 활용하여 자신이 제안하려고 준비한 내용의 질적 수준을 가늠해볼 수 있다. 이 양식의 체크 리스트를 이용해 여러분이 준비한 구체적 제안 내용들을 3단계와 4단계 페이지에 수록하라. 길이가 30여 페이지쯤 되지만 제안서를 작성하는 것이 중요한 것이 아니다. 불과 5페이지 정도의 제안서에도 어쩔 수 없이 첨부해야만 하는 1단계 내용 이전에 더 높은 단계의 제안 내용이 나오게 만들라. 아무리 초일류 세일즈맨이라고 해도 결국 가격과 제품 특성에 대해서 이야기를 하지 않을 수 없기 때문에 어쩔 수 없이 '첨부해야 하는' 이라는 표현을 썼다. 그러나 그 내용이 제안서의 첫 머리에 나와서는 안 된다. 더 높은 수준의 제안 내용들 뒤에 따라 나와야 한다.

잠재고객이 문제를 안고 있다는 사실을 납득시키고 여러분의 제품이 그 문제를 해결할 수 있다는 점을 이해시키기 이전에 가격표나 제품 설명서 같은 것은 잠재고객에게 아무 의미가 없다.

이야기가 여기까지 진행된 상황에서 여러분이 취할 수 있는 최선의 길은 잠시 이 책을 덮고 여러분이 작성한 제안서가 정확히 어느 단계에 있는지 평가해보고, 더 높은 단계로 끌어 올리기 위해서는 무엇을 어떻게 해야 하는지 목표를 정하는 일이다. 평가를 할 때는 스스로에게 냉정해야 한다. 판매를 마무리 짓기 위한 제안서라면 낮은 점수를 주어야 한다.

1단계 수준으로 평가될 수 있는 제안의 내용들을 보자. 우연히 세일즈를 하게 된 세일즈맨들은 제안서를 작성하면서 브로슈어, 제품안내서, 가격조건표들을 당연히 포함시켜야 할 것으로 생각하고 아무 생각 없이 그저 채워 넣는다. 그들은 회사가 비싼 돈을 들여 제작한 브로슈어나 제품 안내 자료 같은 것들이 아주 중요한 세일즈 수단이라고 잘못 생각하고 있다. 사무실 한쪽 선반에 두툼하게 쌓여 있는 현란한 컬러 인쇄물들을 보며 그런 것들을 잠재고객에게 전해 주는 것이 중요한 일이라고 생각한다. 그러나 사실 이런 1단계 수준의 페이지들은 제안의 격을 떨어뜨린다. 잠재고객의 문제에 대한 것보다는 제품에 대한 제안만을 하기 때문이다.

제안서 작성 양식은 여러분에게 보다 높은 단계의 제안 내용에 대해 다양하게 생각해 볼 수 있는 안목을 제시한다. 나의 경우 잠재고객 회사의 웹 사이트에 접속하여 그 회사가 직원의 계발과 발전을 기업 목표 가운데 하나로 설정하고 있다는 사실을 알게 되면 나는 제안서의 앞쪽 두 페이지에 그런 내용을 집어넣는다. 내가 제공하는 서비스가 고객 회사의 목표와 부합한다는 내용으로 시작하면 그 제안서는 실질적인 내용을 담고 있는 것으로 보인다.

제안서 작성 양식은 멋진 제안서를 작성하는 것도 어렵지 않다는 것을 알 수 있게 해준다. 머지않아 여러분은 보다 수준 높은 제안으로 세일즈를 마무리 짓는 일이 그다지 어렵지 않다는 것을 알게될 것이다.

세일즈맨들 가운데는 제안서를 작성하는 것을 싫어하는 사람들이 있다. 세미나에 참석했던 세일즈맨 하나는 이런 식으로 말을 하였다. "이 모든 과정을 공들여 거쳤는데도 잠재고객이 사지 않으면 어떻게 합니까? 나는 완전히 헛수고만 한 꼴이 되잖아요?" 물론 나는 여러분이 그만한 자격을 갖춘 잠재고객들을 상대로 제안을 하리라는 것을 믿어 의심치 않는다. 그렇지만 판매에는 늘 어느 정도의 불확실성이 내재되어 있다. 성공하기를 원한다면 잠재고객이 언젠가는 여러분에게 노력의 대가를 지불하기를 바라면서 우선은 공짜로 많은일을 해주어야 한다.

[표10-1]
1단계 수준의 내용에 더하여 2, 3, 4단계 수준의 제안으로 제안의 질을 높여라.

제안서 작성 양식

1단계 수준 페이지

- 제품 설명서
- 가격조건표
- 카탈로그
- 브로슈어
- 한 장 짜리 제품 안내서들
- 회사의 보도자료
- 공장이나 작업 장면 사진들

2단계 수준 페이지

- 문제에 대한 해결책을 제시한 커버
- 투자와 이익을 대비한 조건표
- 문제점에 대해 설명하는 페이지
- 제공하고자 하는 제품이나 서비스가 어떻게 고객욕구를 해결할 것이지 설명하는 솔루션 페이지
- 제품구매에 만족해 하는 고객의 확인서

3단계 수준 페이지

- 고객 회사의 연례보고서나 웹 사이트에서 얻은 사실 자료
- 고객업계 관련 출판물에서 얻은 사실 자료
- 인터넷 검색을 통해 얻은 사실 자료
- 경제, 경영지에서 얻은 사실 자료
- 경제, 경영지 전문가들의 주장 인용
- 고객의 경쟁자들에 관한 정보 가운데 제안과 관련있는 내용
- 고객 업계에 관한 조사 연구

4단계 수준 페이지

- 고객 회사의 고객에 대한 연구
- 포커스 그룹 정보
- 소비자 조사 연구 자료
- 원가 절감, 효율 제고, 이윤 신장을 위한 권고안

3단계 그리고 4단계 수준의 페이지들이 제안서의 앞 쪽에 오게 하라.

여러분의 제안서가 몇 점짜리인지 다음 공식에 따라 평가하라 (페이지 전체의 점수 합계 (   )를 전체 페이지 수(   )로 나누면 제안의 평균점수(   )를 얻을 수 있다).

♦ 우연히 세일즈에 종사하게 된 사람을 위한 교훈 _

대가를 받기 전에 일을 하는 것은 성공하기 위해 치러야 하는 대가이다.

♦ 부수적 조언 _

하루 종일 정직하게 일하고도 그 하루에 대한 대가를 받지 못할 수도 있다.

여러분이 판매 수당을 받는 일을 한다면 여러분은 잠재고객을 찾아내는 일을 무료로 해야 한다. 고객 욕구 분석도 무료로 해야 하고, 조사 연구와 제안서 작성도 무료로 해야 한다. 그리고 나서 무료로 제안을 한다. 그 약간의 수당을 지급하는 회사도 있을 수 있지만 그렇다고 해도 고객은 여러분이 제대로 된 제안을 하고 난 다음이라야 여러분에게 대가를 지불한다.

세일즈란 그런 것이다. 잠재고객에게 프리젠테이션을 하기 위해 돈을 내지 않는다는 사실을 오히려 고마워해야 할지도 모른다. 프리젠테이션을 하기 위해서 돈을 내야 한다면 어떻게 될까? 그럴 경우 어떻게 될지 상상해 보라. 아마 여러분은 프리젠테이션 준비에 보다 많은 시간과 노력을 기울일 것이다. 몇 번씩 연습도 해 볼 것이다. 처음부터 끝까지 논리적으로 물 흐르듯 자연스러운 제안이 되게 만들 것이다. 제안의 내용 하나하나가 입증된 사실에 바탕을 두게 만들 것이다. 제품의 우수성을 입증할 것이고 사용해 본 고객의 확인서나 추천서를 곁들일 것이다. 자신 있게 구매를 권할 것이고 잠재고객의 입에서 나온 첫 번째 '싫다'는 말을 그대로 받아들여 쉽게 포기하지 않을 것이다. 자신이 주장하는 바의 핵심을 다시 검토해 보고, 다시 질문하고 논리적인 이유와 감성 모두에 호소하여 잠재고객이 당장 행동을 취하게 만들 것이다. 프리젠테이션을 하기 위해 돈을 내야 한다면 누구라도 그렇게 하지 않겠는가?

그런 관점에서 우리가 다음에 볼 비디오는 2천 원을 주고 빌려 보아야 하는 비디오 대신 공짜로 볼 수 있는 케이블 TV 방송의 광고들로 골라 보았다. 길어야 20초 안팎의 공중파 방송 광고들과 달리 꽤 오랜 시간 상세한 내용을 전달하는 케이블 방송용 광고들은 그 광고의 제작은 물론 방영에 엄청난 금액을 투자한다. 그들은 어떤 것도 방치하거나 운에 맡길 수 없기 때문에 그렇게 한다. 다음에 언제 시간을 내어 그런 광고를 볼 수 있는 케이블 방송을 골라 30분만 지켜보라. 다만 그 광고주들이 세일즈 프레젠테이션을 어떻게 하는지에 주의를 기울여라. 그리고는 여러분도 똑같이 하라.

어느 날 아침 나는 TV 앞에 앉아 그런 광고들을 지켜보며 세일즈 훈련에 도움이 될 내용들을 정리하였다. 광고가 시키는 대로 현찰 없이 부동산을 사고팔아 큰 돈을 벌 수도 있을 것이고, 태보 다이어트로 살을 뺄 수도 있었을 것이다. 그러나 나는 그렇게 하지 않았다. 내 차의 도색을 보호하기 위해 기적의 도색 보호제를 사서 차에 바르지도 않았다. 나는 그저 여러분들이 제대로 된 프리젠테이션을 할 수 있도록 필요한 내용을 적고, 생각하고, 정리했을 뿐이다.

―《케이블 TV의 광고들》

상대적으로 방영시간이 긴 케이블 방송의 광고들은 다음과 같은 3단계 공식을 따른다.

　　1단계 ― 문제 제기

　　2단계 ― 해결책 설명

　　3단계 ― 자사 제품이나 서비스가 최선의 해결책임을 입증

　　광고의 개척자인 앨빈 에이코프는 자신의 저서 『성공적인 방송 광고 Successful Broadcast Advertising』에서 케이블 방송의 장편 광고에 대해 위와 같이 설명하고 있다. 영화 《뮤직 맨》에서 해롤드 힐이 리버 시티에 서 악기를 팔았을 때도 이 공식을 활용하였다.

　　위의 공식을 따르는 광고들은 모두 2단계로 시작한다. 광고를 보는 사람들에게 자사 제품에 대한 이야기를 시작하는 대신 시청자들이 안고 있는 문제에 대해 이야기한다. 현찰 없이 부동산을 사는 방법에 대한 광고를 보면 실제 그 일을 경험한 사람이 등장해 이렇게 말한다.

　　"정년을 맞아 사회 일선에서 물러나는 사람들 대부분에게 집은 그들에게 남겨진 고마운 저축입니다. 그들은 자신들의 큰 집을 팔아 작은 집을 사고 그 차액으로 생활합니다. 그런데 만일 집이 다섯 채라면 어떻게 될까요?"

팔고자 하는 상품은 제기되고 있는 문제에 대한 해결책이다. 그렇지만 그 단계에서는 아직 부동산 매입 과정에 대해서는 이야기하지 않는다. 이미 그 과정을 겪어 이익을 본 사람만 소개하고 있다. 이런 경험담의 증언 과정에서 사람들은 그들이 시도해 보았던 다른 방법들에 대해 이야기하고 왜 광고주의 상품이 모든 사람의 소망에 대한 해답인지를 말한다.

운동기구를 광고하는 경우, 사람들이 나와 자신들이 과거에 해보았던 다른 운동들에 대해 이야기하면서 왜 이 운동이 더 좋은지를 말한다. 결국 끝에 가서는 제품을 개발한 사람이나 운동을 고안한 사람이 등장해 자신이 어떻게 그런 놀라운 제품을 개발할 수 있었는지, 혹은 세상을 좀더 살 만한 곳으로 만드는 일에서 자신이 얼마나 보람을 느끼는지 등에 대해 이야기한다. 그런 이야기는 신뢰성을 높이고 시청자로 하여금 상품의 이면에 있는 인간 존재와 유대감을 느끼게 만든다.

광고주는 해결책에 대해 설명하고, 광고하고자 하는 상품이 해결책을 제시한다는 것을 입증해 보인다. 그러기 위해 증인이나 물증을 사용한다. 리처드 시몬즈는 날씬해진 사람들을 등장시키고 그들의 뚱뚱했던 시절 사진을 가지고 나와 보여준다. '프로롱'이란 제품의 광고는 자동차 수집가가 아끼는 노란 차 위에다 빨간 색 페인트를 뿌린다. 페인트가 마른 다음 자동차 주인은 다소 긴장하여 서 있는데 광고 진행자는 별로 힘들이지 않고 그 빨간색 페인트를 닦아낸다.

이제 남은 과정은 주문을 받는 것이다. 광고 진행자가 말한다.

"펜을 준비하시고 적으십시오. 수신자 부담 전화번호를 알려드리겠습니다."

　그런 다음 광고 진행자는 다시 한 번 전 과정을 간추려 되풀이한
다. 문제를 제기하고, 해결책을 설명하고, 시청자들이 직접 눈으로 지
켜 본 증거에 대해 언급하고, 제품에 대해 소개하고, 가격 폭에 대해 말
하고, 지금 당장 주문하라고 한다. 광고를 본 시청자 모두가 움직이지
는 않는다. 그러나 많은 사람이 주문한다. 미국에서는 케이블 TV의 이
런 긴 광고들이 한 해에 750억 달러에 달하는 제품과 서비스를 판다.

───·─·─·─·─·─·─·─

　"잠깐만요. 아직 한 가지 더 드릴 말씀이 있습니다." 이런 광고
의 마지막에는 항상 이 말이 끼어들어 간다. 잠재고객이 품을 수 있
는 의문을 자신들이 미리 제기하고 그에 대해 답하는 것이다. 이것
은 효과적인 광고 기술이다. 의문에 대해 너무 일찍 이야기하게 되
면 잠재고객이 나중에 그 제품에 대해 신뢰감을 갖기 어렵다.

　그런 광고들은 또 구매자가 나뿐이 아니라는 점을 확실히 강조
한다. 많은 사람들이 이미 그 제품을 구매하였다는 사실을 알려주
어 자신의 선택에 불안해하지 않게 한다.

　그리고 그런 광고들은 상품 가격을 전혀 다른 범주의 상품 가격
과 비교한다. "이렇게 운동하시는 데 드는 비용은 호텔 레스토랑에
서 두 분이 한 끼 식사하는 값보다 쌉니다." 이런 식으로 가격을 말
하면 사람들은 그 상품 가격을 다른 경쟁상품 가격과 비교하는 대
신 자신들이 구매한 다른 범주의 상품들 가격과 비교하게 된다.

또 한편 그런 광고들은 상품을 한 틀 속의 일부로 인식하게 만들어 책자, 비디오 테이프, 세제 등을 함께 제공한다. 그 상품을 구매하면 더 이상 다른 것을 구입할 필요 없이 모두 갖추게 된다고 생각하게 만드는 것이다. 할부 두 번만 계산하면 당장 필요한 것 일체를 얻는다고 생각하게 만드는 것이다.

그리고 끝으로 고객이 만족하지 않을 경우 환불해준다는 이야기를 한다. 주저하는 마음을 편하게 만들어주는 기술이다. 잠재고객들로 하여금 큰 부담감 없이 시험 삼아 상품을 써보게 만든다. 물론 여러분들은 환불을 보장해 줄 수 있는 상황에서 일을 하는 것이 아니지만 별로 위험할 것이 없다는 점을 잠재고객에게 확신시켜주면 줄수록 판매는 쉬워진다.

광고를 제작하여 방영하는 사람들은 프리젠테이션을 하기 위해 돈을 지불한다. 그러면서 또 여러분을 위해 무료로 세일즈 세미나까지 개최한다. 그런 광고들의 교훈을 무시하면 그것은 여러분의 손해로 이어진다.

광고를 제작하는 3단계 공식과 제안서 작성 양식을 합쳐서 생각해 보면 여러분은 제안서를 작성하는 데 도움을 주는 폭 넓은 틀을 갖추게 될 것이다. 스스로의 제안서 작성 양식에 필요한 자료를 찾고 수집할 수 있을 것이다.

내가 여러분에게 지금 당장 시작하라고 권하고 싶은 것 한 가지는 문제점을 제안서의 제목으로 삼으라는 것이다. 예를 들어 이렇게 할 수 있다.

- 월 7시간에 달하는 비가동 시간으로 인한 비용 손실을 어떻게 절감할 것인가?
- 판매 부서를 어떻게 판매 부대로 전환할 것인가?

여러분 회사의 로고나 여러분 이름을 표지에 넣고 싶은 유혹을 느끼겠지만 그것은 아무 소용없는 일이다. 문제를 먼저 지적하고 2단계 수준의 페이지로 제안을 시작하라. 그 다음 페이지에서 여러분의 해결책이 왜 최선인지 설명하라. 잠재고객이 언제 어떤 이득을 보게 될지 구체적으로 설명하라. 그리고 주문하라고 청하라.

제안서가 도움이 될 수는 있지만 제안서 자체가 여러분을 대신할 수 있다고는 생각하지 말아라. 학창시절 제출하는 리포트라고 생각하는 대신 '시청각 자료'라고 생각하라. 여러분이 작성한 제안서는 개요일 뿐이다. 상세한 내용은 대화로 전달해야 한다. 너무 많은 세일즈맨들이 파워 포인트나 그와 비슷한 도구에 지나치게 의존하여 프리젠테이션하는데 이는 별로 좋지 않다. 너무 많은 슬라이드를 많이 만들고 그 내용을 잠재고객에게 읽어 주는 프리젠테이션은 지루함을 안겨준다.

인쇄물로 준비한 제안서가 부작용을 내지 않도록 조심해야 한다. 중간에 지루해진 잠재고객이 여러분이 제시하는 해결책에 대한 근거나 증거의 신빙성에 대해 생각해보는 대신 미리 뒤쪽의 가격 조건표를 읽고 결국 얼마가 들어가야 되나 같은 생각을 할 수 있기 때문이다.

잠재고객을 만나 프리젠테이션을 시작할 때는 처음부터 어느 정도의 시간에 어떤 이야기들을 할 것인지 미리 이야기 해주어 그 시간을 주도해 나가야 한다. 필요할 때마다 한 페이지씩 건네 가면서 이야기를 풀어 나가면 정보의 흐름을 끌고 갈 수 있다.

눈에 보이는 자료에 한정된 정보만이 들어 있을 때 잠재고객은 그 빈 정보를 채우기 위해 여러분을 필요로 하게 된다.

그리고 끝으로 사람에 얽힌 이야기를 하라. 숫자를 포함한 계산식이 몇 페이지씩 이어진다면 잠재고객은 따분해질 수밖에 없다. 사람이 얽힌 이야기는 여러분이 하는 말에 생동감과 활기를 불어넣을 수 있다. 잠재고객이 사야만 하는 이유를 논리와 감성에 호소할 수 있다. 그리고 나서 남은 일은 주문을 받는 것이다.

제 11 장

"판매를 마무리 짓는다"는
한 마디로 웃기는 말이다

제 16 과정

판매를 마무리 짓는 과정의 문제는 사실 마무리의 문제가 아니다. 우연히 세일즈를 하게 된 세일즈맨들은 판매를 마무리 지어야 할 시점까지 제대로 가보지도 못한다. 판매를 마무리 짓기 위한 시작 단계와 중간 과정도 제대로 밟지 않는다.

아직도 많은 세일즈 매니저들이 판매의 마무리란 것을 잠재고 객으로 하여금 세일즈맨의 판매 과정에 협조적으로 따라 움직이게 한 결과 자연스럽게 얻어지는 성과로 이해하는 것이 아니라, 마무리 과정만을 떼어 거기에 집착하는 증세를 보이고 있다.

판매를 마무리 짓는다는 말보다는 '주문서 수령' 이라는 말이 맞을 것이다. 그 말은 오늘날 세일즈맨들이 직면한 상황을 잘 반영하고 있다. 한 건의 주문을 받기 위해서도 여러 번 만나는 것은 물론 마케팅, 제조, 재무 관련 부서는 물론 최고 경영진의 도움까지 얻어야 한다.

여러분은 세일즈맨이지만 때로는 교향악단 지휘자의 역할을 해야 한다. 여러분 회사 각 부서 사람들 사이의 회합도 조정해야 하고 또 그들이 구매 회사의 담당자들과 함께 작업하도록 만들기도 한다. 그럼에도 불구하고 '마무리의 귀재' 만 몇 명 있으면 만사가 잘 돌아간다는 미신을 믿는 세일즈 매니저들이 아직도 많다.

'저격수 구함'

나는 얼마 전 어느 유명한 업계지에서 '저격수 구함' 이란 구인 광고를 보았다. 그 광고를 낸 회사는 말 그대로 저격수 세일즈맨을 찾고 있었다. 구인 광고의 자격 요건으로는 아주 재미있었다.

그 구인 광고는 자격 요건으로 그 동안의 실적, 서면이나 구두를 통한 의사소통 능력, 성실성, 진취성, 포용성 등은 아예 언급하지도 않았다. '저격수만이 지원할 자격이 있다' 고 그 광고는 분명히 말하고 있었다.

나는 자문해 보았다. '왜 이 회사는 그 동안의 실적이나 고객 만족도 같은 입증할 수 있는 자료로 전문가라고 할 수 있는 세일즈맨을 찾지 않는 것일까? 그리고 그 회사의 고객들이 그 회사가 저격수들만 고용하고, 자신들을 찾아오는 사람이 '저격수' 라는 이야기를 듣게 되면 어떻게 될까?' 물론 그 광고를 낸 매니저는 저격수라는 말을 은유적으로 썼을 것이다. 그러나 그런 단어를 사용하는 것으로 미루어 보아 그 매니저는 현대의 일류 세일즈맨들은 '사냥꾼' 보다는 오히려 '농부' 와 비슷하다는 이야기를 들어 보지 못하였다는 것을 짐작할 수 있었다. 현대의 일류 세일즈맨들은 주문을 쏘아 잡는 대신 인간관계를 가꾸어 나간다. 그들은 고객을 '사냥감' 으로 보는 대신 '동업자' 로 본다.

인생 자체도 하나의 세일즈 훈련 강좌라고 할 수 있다. 나는 판매에 관한 어떤 책이나 세미나에서보다 세일즈 훈련이라는 서비스를 팔면서 판매와 판매를 마무리 짓는 법에 대하여 더 많은 것을 배웠다. 그 이유는 자명하다. 세일즈 훈련이라는 서비스를 팔 때 고객은 단순히 나의 판매 과정을 따라 함께 움직이기만 하는 대신 그 과정을 평가하고 내가 서비스를 파는 것처럼 자신들도 팔면 좋겠다거나 그래서는 안 되겠다고 결론을 내리기 때문이다.

세일즈 훈련 서비스를 살 것인지 말 것인지 결정하기 위해 나와 면담하는 잠재고객은 내가 자기네 세일즈맨들을 어떻게 교육할 것인지에 대해 무료로 설명을 듣는다. 내가 세일즈에 관한 책이나 테이프, 세미나에서 권하는 판매 기술을 더 이상 사용하지 않겠다고 결심한 날의 이야기를 해보겠다.

우연히 배우게 된 세일즈
—분쇄된 마무리 의도

내가 세일즈 훈련 서비스를 시작하고 얼마 되지 않았을 때 찰리 퍼거슨에게 세미나를 팔려고 하였다. 총무부장이던 그는 이미 다른 세일즈 훈련 강사들을 불러 자기네 세일즈맨들을 교육시켜 본 경험이 많은 사람이었다. 그런 그가 나에 관한 소문을 들었던 것이다.

"크리스, 당신에게 우리 회사 세일즈맨들 교육을 맡겨 볼까 생각 중이오. 물론 그렇게 하자면 회사에서 승인이 나야 하지만 말이오."

나는 그 말을 내 서비스를 구매할 의향이 있다는 것으로 알아들었다. 그리고는 떠보는 기법으로 마무리를 지을 작정이었다.

"찰리, 회사에서 승인이 난다면 언제쯤 세미나를 시작하는 게 좋을까요?"

"지금, 간접적으로 판매를 마무리 짓겠다는 말이오?"

"맞습니다. 사실입니다."

"나에게는 안 통하오. 잘 있으시오."

찰리는 내가 얕은 술책을 쓴 것에 모욕감을 느꼈다. 그는 단지 세미나라는 서비스를 사려고 하는 대신 나와의 인간적 교류를 원하고 있었는데 그런 사람을 상대로 옛날 책에 나오는 얕은 술책을 썼던 것이다. 그 후로 찰리의 신뢰를 회복하고 그의 회사와 거래를 다시 트는 데 장장 11년이 걸렸다.

◆ 우연히 세일즈를 하게 된 사람을 위한 격언 _
거래를 하기 위해 얕은 술책을 쓰지 말라.

◆ 부수적 조언 _
**세일즈 책이나 테이프, 세미나에서 소개하는 판매를 위한 말
은 아예 입에 올리지도 말라.**

전문가 수준의 구매자는 세일즈 세미나들을 수강하고 세일즈맨
들이 구매자들을 상대로 구사하는 술책들에 대하여 공부한다. 여러
분이 술책을 부리는 순간 신뢰는 사라진다.

어떻게 하다 보니 매니저가 된 세일즈 매니저들은 잠재고객으
로 하여금 세일즈의 과정에 동참하게 하는 대신 판매의 마무리에
온 신경을 곤두세워 승패의 시나리오를 쓴다.

"그 잠재고객과는 지금 어느 과정까지 진행되었고, 앞으로는 어
떤 전략을 쓸 참인가?"라는 질문을 하기보다는 "오늘은 누구를 상
대로 판매를 할 작정인가?"라는 질문을 주로 한다. 생각 없이 세일
즈를 하게 된 세일즈맨은 잠재고객과 접촉하는 현장에서 얻어터지
고 사무실에 돌아와서는 매니저로부터 닦달 당한다. 어쩌다 보니
매니저가 된 사람은 어쩌다 보니 세일즈를 하게 된 세일즈맨이 제
대로 판매의 과정을 밟아 나가게 지도하는 대신 스트레스만 준다.
"오늘 한 건도 계약을 하지 못했다고?" 그들은 잠재고객의 문제보
다는 자기들이 팔아 치워야 할 제품에만 초점을 맞춘 1단계 수준의

회의를 주재하면서 왜 자기 부하들이 마무리를 짓지 못하는지 의아해 한다.

　1단계 수준의 세일즈 회의의 표본이라고 할 수 있는 회의를 우리는 영화《글렌개리 글렌 로스 Glengarry Glen Ross》에서 목격할 수 있다. 부동산 세일즈맨들의 암울한 이야기를 다룬 이 영화에서 알렉 볼드윈이 연기한 블레이크는 '지옥같은 세일즈 회의'를 주재한다. 이 영화의 분위기가 얼마나 암울했던지 나는 처음에 끝까지 다 보지 못하고 중간에 나가 매표소에서 다른 코미디 영화표를 사 버렸다. 그랬던 영화인데 내가 이제 이 영화를 소개하는 이유는 여러분이 이 영화의 세일즈맨들과 정반대로 행동한다면 여러분은 일류 세일즈맨이 될 수 있기 때문이다.

 ## 2000원으로 배우는 세일즈
—《글렌개리 글렌 로스》

잭 레몬이 커피를 한 잔 마시기 위해 커피가 있는 곳으로 걸어가자 블레이크가 이렇게 말한다.

　"커피는 판매하는 사람들만이 마실 자격이 있네."

　블레이크는 이 형편없는 부동산 중개회사의 세일즈맨들이 현장에 나가 부동산을 팔 수 있도록 동기를 부여하라는 소임을 맡고 특별히 모셔 온 인물이다. 계속해서 블레이크는 이렇게 말한다.

"이번 달에는 판매 실적에 따라 좀 특별한 시상을 할 계획입니다. 여러분이 다 알다시피 1등상은 캐딜락 앨도라도입니다. 2등상이 무엇인지 아는 사람 있습니까?"

그리고는 상품을 들어 보이며 말한다.

"2등상은 스테이크용 나이프, 마지막 3등상은 해고입니다."

이 영화에서는 위협이 동기 유발의 수단이다. 판매 부장인 케빈 스페이시가 새로 임명된 중간 매니저들을 방에 가두어 버리는데 그 밑의 세일즈맨들은 그들 때문에 판매를 할 수 없다고 변명을 늘어놓는다.

서로 누구도 비난할 자격이 없는 집단 속에서 누가 무엇을 팔기를 기대할 수 있을까? 이 초라한 사무실에 근무하는 세일즈맨들은 자기가 처한 현실과는 동떨어진 사람처럼 보이려고 애쓴다. 경제적으로 여유 있고 유능한 세일즈맨처럼 보이려고 한다. 그들은 고객들에게 자신이 사장과 인척 관계인 부사장으로 막강한 권한을 행사하는 인물인 것처럼 말하기도 한다.

쉘리 레바인은 전화기 저 편의 고객에게 말한다.

"이런 멋진 기회를 고객님과 나누지 못한다면 죄책감을 느낄 것 같습니다."

그리고는 있지도 않은 비서의 이름을 불러가며 연극을 한다. 상대편은 거부하고 있는데 말이다.

"아, 그레이스! 이 고객님과 약속을 잡아야 하니까 내 비행기 예약 시간을 좀 바꾸어 주세요."

이 영화에서 그려지는 세일즈맨의 모습이 진실이라면 세일즈를 할 사람은 아무도 없을 것이다. 영화 속에서는 처음부터 끝까지 세일즈맨들은 무엇이 잘못 되었는지만 언급하고 매니저들에 대한 불평만 한다. 그들은 자기들이 바꿀 수 있는 것에는 관심도 기울이지 않고 왜 팔 수가 없는지에 대해서만 우는 소리를 한다. 그들에게는 글렌개리 같은 방식의 지도가 필요하다. 그들은 자신에게서 해결책을 찾으려고 하는 대신 외부에 책임을 전가한다.

---·－·－·－·－·－·－·---

《글렌개리 글렌 로스》에서는 세일즈맨들이 사무실에서 매니저들에게 닦달을 당하는데 그것은 매니저들이 세일즈맨들을 호되게 다루어야 강인한 세일즈맨이 되어 잠재고객과 마주 앉아 판매를 할 때 능력을 발휘할 수 있다고 믿기 때문이다.

매니저들은 당근과 채찍으로 동기를 유발하려고 했다. 그들은 한 번도 가장 강력한 동기 유발 요인인 믿음에 의지하려고 해 본 적이 없다. 그 결과 세일즈맨들은 잠재고객보다는 표창에 더 많은 노력을 쏟았다(그렇지 않을 경우는 위험에 대해 걱정하였다).

마무리를 짓지 못하면 패배자라고 그들은 주장한다. 그러나 믿음이야말로 강력한 동기 유발 요인이다.

〈석세스 Success〉지가 천여 명의 일류 세일즈맨들을 대상으로 조사한 결과에 따르면 응답자의 절반 이상이 판매를 마무리하기 위해 어떤 책략이나 기법 같은 것을 쓰지 않는다고 한다. 56퍼센트에 달하는 응답자가 상대의 눈을 마주 보며 이런 말을 한다고 한다.

"이것은 고객님을 위해 올바른 선택입니다. 그러니 거래를 하시지요." 그리고는 잠재고객이 계약서에 서명하기를 기다린다고 한다.

이런 식으로 판매를 마무리 짓자면 우선 여러분 자신이 잠재고객에게 제공하는 것이 옳고 좋은 것이라는 믿음을 가져야 하며 그 점을 말로만이 아니라 느낄 수 있게 전달해야 한다.

여러분의 가치관, 태도, 처신이 판매에 어떻게 영향을 미치는지 알아보도록 하자. 여러분은 거래를 하자고 요청한다. 그런데 여러분이 어떻게 요청하는지에 따라 '좋다, 싫다, 좀 생각해보자'의 대답이 나온다.

판매를 마무리 짓는 단계에서 가장 중요한 역할을 하는 것이 여러분의 가치관이다. 여러분에게는 이미 형성되어 뇌리에 박혀 있는 가치관이 있다. 사람의 눈을 똑바로 쳐다보며 말했고, 정직하였고, 부모님을 존경하였고, 하느님을 사랑하였고, 내 장난감을 남들과 함께 가지고 놀았다. 어릴 적 경험들이 여러분의 가치관을 형성하였다. 부모님, 조부모님, 형이나 언니, 누나, 오빠, 주일학교 선생님, 초등학교 선생님들이 여러분의 가치관 형성에 큰 영향을 미쳤다. 여러분의 가치관이 확고하다고 생각해보자. 여러분이 마약을 팔거나 무기 밀매를 하지 않으니 그렇다고 해도 무방할 것이다.

감정을 그대로 드러낸다는 말을 들어본 적이 있는가? 태도나 믿음은 가치관에 비해 더 쉽게 드러나고 보인다. 여러분은 아침에 일어나서 또 하루를 세상이라는 장터에 나갈 마음의 준비를 할 것이다. 그런데 아침 9시에 주문을 취소한다는 전화를 받을 수도 있고,

불평을 하는 고객의 전화를 받을 수도 있다. 정오가 되면 여러분은 신문의 구인 광고를 들여다보고 있을 수도 있다.

판매에서 믿음과 태도가 중요한 이유가 여기에 있다. 여러분이 프리젠테이션을 끝냈다고 가정해 보자. 잠재고객은 여러분의 이야기를 들으면서 고개를 끄덕였고 긍정적인 말들을 하였다. 질문으로 미루어 보아 여러분이 파는 것에 관심이 있다는 것을 느낄 수 있다. 그러면 여러분은 이제 거래를 하자고 청할 때라고 생각한다.

그런데 우리의 마음속에서는 '여러 가지 목소리들' 이 들려온다. 어떤 것에 대해서라도 자문자답을 해보았다면 알 것이다. 아무리 적을 때라도 다른 두 소리가 들려온다. 그러나 대개 여러 가지 소리가 들려오는데 그 중의 몇 가지 소리가 크게 들린다.

세일즈 훈련 강사의 목소리가 이렇게 들려온다. "눈을 똑바로 쳐다보며 다음과 같이 말하십시오. '이것은 고객님을 위한 올바른 선택입니다. 그러니 거래를 하시지요'."

아침에 화가 나서 전화를 했던 고객의 불평이 또 한 쪽 귀로 들려온다. "제품의 질이 원래 이야기 했던 것과 다르지 않소?" 그 때 어머니의 목소리도 들려온다. "네 맞은 편에 앉아 있는 저 착한 사람에게 거짓말을 하지 말거라."

여러분은 눈을 두어 번 껌벅거린 후, 상대의 눈길을 피하며 웅얼거리는 투로 이렇게 말한다. "어떻게 하시겠습니까?" 잠재고객이 말한다. "재미있는 점들을 지적해 주셨소. 그런데 과연 이것이 우리에게 꼭 들어맞는 것인지 확신이 서질 않소. 잠시 더 생각해 보고 직원들에게도 물어보아야겠소. 내가 나중에 연락드리리다."

여러분은 스스로의 불신을 잠재고객에게 전이시켰다. 거절에 가까운 대답을 들어도 놀랄 것이 없다. 바른 심성을 가진 사람이 스스로 믿을 수 없는 제품을 기법에 의존해서 팔려고 할 때 어려움을 겪는다.

"한 번 생각해보겠다"는 말을 대답으로 받아들이지 마라

냉정하게 보면 사실이 아닌데도 '믿는 대로 된다'는 식의 이야기를 들어 보았을 것이다. 판매를 마무리 짓지 못하면 패배하는 것이라고 여러분이 믿는다면 여러분은 한 번 생각해보겠다는 말도 대답으로 받아들이게 될 것이다. 그러나 한 번 생각해보겠다는 말은 싫다는 거절만도 못하다고 생각한다면 어떻게 될까? 여러분의 처신이 달라질 것이다. 한 번 생각해보겠다는 투의 말들이 어떤 말들인지는 잘 알 것이다.

"아주 잘 들었소. 석 달 후에 봅시다," "기억해 두겠소," "곰곰히 생각해 보리다."

우연히 세일즈를 하게 된 세일즈맨은 이런 말도 대답으로 받아들이고 기뻐한다. 그리고는 사무실에 돌아가 성과가 있었다고 보고한다. "아직도 관심을 가지고 있더군요. 그래서 한 달 후에 다시 찾아 가 볼 생각입니다."

세일즈 매니저가 한 번 생각해 보겠다는 말을 듣고 돌아온 세일즈맨들에게 고함을 지르고 들볶아 댄다면 세일즈맨들은 어떻게든 확답을 들으려고 노력할 것이며 그 확답은 좋다는 경우가 더 많을 것이다.

여러분은 16과정에 걸쳐 잠재고객을 여러분의 판매 노력에 동참시켰다. 그리고 그 과정에서 아무런 대가도 받지 못하면서 많은 노력을 하였다. 그러나 잠재고객이 여러분의 판매 과정을 이해하고 협조하게 만들었다. 잠재고객은 이제 여러분이 제안을 하고 있다는 것을 알고 있으며 무언가 결정을 내려야 한다는 것을 알고 있다.

케이블 TV를 통해 상대적으로 긴 시간 동안 광고를 하는 광고주들은 자신들의 제품을 팔기 위한 프리젠테이션을 하려고 광고료를 지불한다. 그들은 어김없이 자신 있게 말한다. "주문하십시오." 여러분도 주문을 하라는 말을 하기 위해 많은 시간과 노력을 투자했다. 그렇게 멀리 와 놓고 주문을 못 받는다면 스스로 한심하다는 느낌이 들 것이다.

거래를 하사고 청하였는데 주문은 못 받고 한 번 생각해 보겠다는 답을 들으면 끔찍하게 받아들여야 한다. 싫다는 답을 들으면 확답을 들은 것에 대해 반가워해야 한다. 이제는 나머지 아홉에게 전력투구할 수 있으니까. 좋다는 답을 들으면 성취감을 느끼고 그 여세를 몰아가야 한다.

제 16과정에서는 시간이나 벌자는 잠재고객의 책략을 받아들일 수 없고 더 이상 진행할 과정도 없다. 확답을 얻어야 한다. 확답을 얻지 못한다면 왜 들을 수 없는지 그 이유라도 알아내야 한다. 그 이

유도 알아낼 수 없다면 확답을 들을 약속을 다시 잡아야 한다.

잠재고객에게 이렇게 말할 수 있을 것이다.

"한 번 생각해 보겠다고 말씀하시는 것보다는 차라리 싫다고 거절을 해주시는 게 제 입장에서는 좋습니다."

그리고는 여러분이 밟아 온 과정들과 여러분이 잠재고객에게 제시한 이익에 대해 검토해보라. 여기까지 이르기 위해 잠재고객 역시 시간을 들였다. 확답을 미루는 것은 양 쪽 모두의 시간을 낭비하는 것이다. 거래를 성사시키기 위해 여러분은 많은 노력을 기울였다. 주문을 받기 위해 지금까지 고수해 온 원칙들을 지키면서 다시 청하라.

"한 가지 제안을 하고 싶습니다. 제가 섭섭해 할까봐 그렇게 말씀하시는 거라면 차라리 제 쪽에서 물러나겠습니다. 그렇지만 고객님께서 해주실 수만 있다면 전원 회의를 열어 제가 그 자리에서 다시 한 번 프리젠테이션을 할 수 있게 해주시면 좋겠습니다. 가능하겠습니까?"

지금까지 잘 해왔던 것처럼 판매를 위해 밟아 나가는 모든 과정에서 잠재고객에게 다음 과정에 필요한 조치를 취해 달라고 청하라. 거래를 하자는 요청이 잠재고객의 입장에서 볼 때 난데없이 터져 나오는 것이어서는 안 된다.

상대를 조종하는 술책으로 판매를 마무리 짓는 기법들에 대해서 나는 너무 많은 이야기를 들었다. 그런데 여러분의 잠재고객들도 마찬가지이다. 사실은 좋다고 하는 것이면서도 겉으로는 싫다는 대답을 하는 잠재고객이 많다. 나도 꽤 오랜 세월 겪어 보았기 때문에 그런 현상에 대해 처음에 누구에게서 들었는지 기억이 나지 않는다. 그런데 그런 일이 일어나는 까닭은 사람들이 좋다고 말하기보다는 싫다고 말하기가 쉬워서라고 한다.

여러분이 거래를 하자고 할 때 그것은 주문을 해달라는 것이다. 주문을 하지 않을 경우에는 여러분의 제안을 수정하여 주문을 받아낼 수 있도록 할 구체적인 추가 정보를 달라고 하는 것이다. "이 제안대로 추진하지 못할 무슨 이유가 있습니까?"라는 질문은 좋다거나 싫다는 답을 하게 만드는 질문이다. 그럴 이유가 없다는 대답이 나오면 그 잠재고객은 이제 여러분 고객이 되었다는 의미이다. 그럴 이유가 있다는 대답이 나오면 여러분이 해결할 수 있는 어떤 문제가 있다는 이야기이다. 그 문제를 해결한 다음 다시 물어라. "저희하고 거래를 하시지 못할 또 다른 이유가 있습니까?" "없소." "고맙습니다. 그러면 여기에다 서명해주시지요."

거부 반응의 방지와 처리

이제 거부 반응을 방지하고 처리하는 방법에 대해 알아보자. 잠재고객의 거부 반응은 단지 프리젠테이션이 끝나고 난 다음에만 나타나는 것이 아니다. 그것은 판매의 과정 전체에서 나타난다. 잠재고객은 만나자고 하는 여러분의 요청을 거부하고, 자신들의 문제와 관련된 중요한 정보를 제공하기를 거절하고, 가격을 못마땅해 하며, 행동을 취하기 꺼려한다.

거부 반응을 미연에 방지하는 것이 이미 나타난 다음에 해결하는 것보다 더 중요하다. 데일 카네기는 그 점을 이런 식으로 표현했다. '논쟁에서 이기는 최선의 방법은 논쟁을 하지 않는 것이다.'

이미 세상을 떠난 유명한 골퍼 하비 페닉은 모래 구덩이에서 빠져 나오는 기술을 배우고자 찾아 온 한 젊은이에게 우선 페어웨이에 안착시키는 기술부터 배우라고 말했다고 한다.

할 수만 있다면 거부 반응을 미연에 방지하라. 거부 반응을 처리하는 것도 세일즈맨에게 꼭 필요한 기술인 것만은 틀림없지만 말이다. "잠재고객의 거부 반응이야말로 세일즈맨이 존재하는 이유이다"라는 말이 있다. 한 건 한 건의 세일즈를 모두 전투하는 기분으로 임할 필요는 없다.

거부와 거절을 방지하는 일곱 가지 기술

1. 세일즈를 하든 거부 반응을 만나든 여러분의 사고방식을 믿으라. 사고방식이 일을 하게 하라. 여러분의 일하는 체계나 방식을 전면에 내세우라는 의미이다. 여러분의 인격체 자체를 내세운다고 생각하면 잠재고객의 거부 반응은 필요 이상의 상처를 안겨준다.

세일즈에 대해 좀 다르게 생각해야 한다. 여러분이라는 인격체를 전면에 내세우는 것이 아니다. 여러분의 제안을 전면에, 혹은 협상 테이블에 올려놓는 것이다. 이 두 사고방식의 차이는 엄청나다.

물론 여러분은 판매를 성사시키기 위해 자신을 열정적으로 바쳐야 한다. 성공하기를 열망해야 한다. 그러나 모든 거절을 자신의 인격에 대한 모욕으로 받아들일 필요는 없다. 잠재고객들은 여러분의 인격이 아니라 제안을 거부하는 것이기 때문이다.

책의 앞 부분에서 아홉 가지의 과정을 밟아 약속을 잡는 방법에 대해 설명하였다. 제 1과정에서는 잠재고객의 업계 동향이나 문제에 관한 기사를 명함과 함께 보내라고 했었다. 이 첫 접촉에는 사람이 전혀 개입되지 않는다. 기껏해야 명함 위에 '흥미를 느끼실 것 같아 보내드립니다' 라는 글귀를 적어 보낸 기사에 불과하다. 그 다음 과정으로 또 기사를 보내고 이틀쯤 지나서 편지를 하라고 했다.

기사를 보내고, 편지를 써서 붙이고, 전화를 거는 과정들을 밟을 때 잠재고객과 만나는 약속을 잡고 실제로 만나는 횟수가 급격히 늘어난다는 사실을 몸소 깨달았을 것이다. 이런 방식을 이용하게 되면 만나자는 제의에 대한 거절이 줄어든다.

기사를 두 번 정도 보내고 편지를 썼는데도 잠재고객이 여전히 여러분을 만나고 싶어하지 않는다고 하여도 그것은 여러분 인격에 대한 거부가 아니다. 약속을 잡는 여러분의 방식에 대한 거부이다. 여러분은 자신의 인격을 내세우는 것이 아니라 약속을 잡는 여러분의 방식을 내세웠던 것이다. 그러니 여러분이 거부를 당했다고 말할 필요가 없는 것이다. 여러분의 방식이 40퍼센트의 성공률을 보인다고 말하는 것이 낫다. 그 현실을 받아들이고 성공률을 높이려고 노력하는 것이 좋다. 그리고 여러분의 일 처리 방식은 언제라도 개선할 수 있는 것이다.

"내가 제안을 제대로 하지 못했어"라고 말하는 대신 "그가 내 제안을 거절했다. 나를 거부한 것이 아니다. 그 제안을 준비하느라고 세 시간을 들였다. 그가 어떤 내용을 마음에 안 들어 하는지 알았다. 그 내용을 수정해 3주 후에 다시 제안을 하겠다" 라고 말하라.

2. **요청하는 속도를 통제하라.** 특히 판매 과정의 초기에 그렇게 하라. 너무 빨리 너무 멀리까지 가려고 하지 말라. 첫 전화 통화나 예고 없는 첫 방문에서는 여러분 자신과 만나는 일의 의미를 이해하고 받아들이게 만들어라. 제품이나 서비스를 팔려고 하지 말라. 많은 세일즈맨들이 실제 효과를 보는 말이 있다.

"저희하고 거래를 하셔야 할지 어떨지 아직은 잘 모르겠습니다. 그렇기 때문에 첫 만남은 무엇을 결정하는 자리가 아닙니다. 그저 있는 사실을 확인하기 위한 자리입니다."

이렇게 말하는 이유는 잠재고객의 경계심을 누그러뜨리고 다음 단계로 함께 나아가려는 것이다. 흔히들 하는 말인 "고객님이 제 담당이 되었습니다. 제가 도움이 되어 드리자면 고객님 업계에 대해서 좀 알아야 할 것 같습니다"와 얼마나 다르게 들리는가? 사람이 달라 보이고 다른 대접을 받게 된다.

3. **새 잠재고객에게 당장 만나자고 하지 말라.** 전화한 날의 다음 주에 만나자고 하는 것을 잊지 말라. 잠재고객의 입장에서도 아직 약

속이 별로 잡혀 있지 않은 다음 주로 약속을 잡는 것이 이미 스케줄이 빽빽하게 잡힌 그 주에 약속 시간을 끼워 넣는 것보다 수월하다. 그리고 다음 주에 만나자고 할 때 여러분이 그 만남에 목을 매는 사람이 아니라는 인상을 준다. 여러분이 그 만남에 목을 매야 할 상황이라고 하더라도 허겁지겁하는 모습을 보여서는 안 된다.

잊지말라. 판매는 작은 성공을 차곡차곡 쌓아 나가 주문을 받는 과정이다. 잠재고객을 접촉하게 될 때마다 미리 어떻게 진전시킬 것인지 구상하라. 여러분의 첫 제의에 대해 잠재고객이 거부 반응을 나타낼 경우 어떻게 할 것인지에 대해서도 미리 생각해 두라.

4. **마법의 주문을 외워라.** "제 일 처리 방식은 이렇습니다."
잠재고객에게 여러분이 어떤 식으로 일을 하는지 앞으로 상황이 어떻게 전개될지 미리 알려주어 여러분에 대한 경계심을 갖지 않도록 만들라.

제품이나 서비스를 팔려고 시도하기 전에 여러분의 판매 방식을 이해하고 받아들이게 만들라. 판매 방식을 받아들이게 된다면 나중에 판매를 마무리하기 쉬워진다. 또 다음 접촉이 한결 수월해진다. '제 일 처리 방식은 이렇습니다' 라는 마법의 주문을 외우고 여러분이 앞으로 밟아 나갈 과정과 제안할 내용들에 대해 미리 알 수 있게 하라.

5. **마지막에는 하고 싶은 말을 하라.** 세일즈는 작은 실패들을 거듭

하다 이익을 남기는 승리들로 마무리 짓는 게임이다. 모든 세일즈를 승리로 이끌 수는 없다. 그러나 패배하였을 때 예의를 지키면서도 여러분이 하고 싶은 말을 할 권리는 있다. 나는 자주 이렇게 말한다.

"저는 이번에 고객님과 거래를 성사시키기 위해 많은 준비와 노력을 기울였습니다. 그렇지만 저의 제안을 거절하시니 섭섭한 것이 사실입니다. 하지만 한 번 생각해 보겠다고 말씀하시는 대신 분명하게 거절 의사를 밝혀주신 점은 고맙습니다. 훌륭한 세일즈맨이라면 거절을 인격에 대한 거부로 받아들이는 대신 정보의 수확으로 생각한다는 글을 읽은 적이 있습니다. 이번 저의 제안에서 어떤 부분이 마음에 들지 않으셨습니까?"

또 이렇게 말할 수도 있다.

"저희가 지금까지 열두 번을 만났고 세 번 프리젠테이션을 했습니다. 그런데 아직도 구매 의사 결정을 못 내리고 계십니다. 한 달 동안 생각해보실 시간을 드리겠습니다. 물론 제가 여기서 포기하는 것은 아닙니다. 그동안 제 방식에 어떤 문제가 있었는지 점검해보고 혹시 다른 각도에서 합일점을 찾을 수 있는지 모색해보겠습니다. 공평하지 않습니까? 그런데 그 한 달 사이에 저는 또 다른 잠재고객들을 찾아내고 접촉해야 합니다. 제게 몇 분 추천해주십사하고 부탁드리고 싶습니다."

이것은 포기하지 않으면서 포기하는 방식이다. 여유를 주겠다고 할 때 잠재고객은 거래를 하지 않으려고 하는 숨은 뜻을 말해 줄 수도 있다. 또한 괜찮은 잠재고객 몇 사람을 소개 받는 수확이 있다. 만족할 만한 성과를 내지 못하는 만남이었지만 그래도 여러분이 끝까지 주도적으로 과정을 이끌었다는 데 의미가 있다.

6. **면식을 활용하라.** 언제든 잠재고객에게 다른 잠재고객과의 만남에서 그의 이름을 거명해도 좋은지 물어 보라. 소개해 줄 만한 사람이 있는지 물어라. 여러분이 특히 어려움을 겪는 잠재고객에 대해 다른 잠재고객에게 물어 보라. 그리고 때때로 여러분을 대신해 전화를 해주거나 편지를 내줄 수 있는지 물어보라.

7. **잠재고객과 이야기할 때 기존 고객의 이름을 들먹여라.** 잠재고객들은 여러분이 이미 다른 사람들에게 실질적 이익을 안겨주었다는 점을 확인하고 싶어한다. 그 업계에 새로 발을 들여 놓았다면 과거의 세일즈 경험이나 학력이 잠재고객을 섬기려는 여러분에게 얼마나 도움이 되는지 말하라. 그렇게 하는 이유는 제품을 팔려고 하는 대신 정보를 교환하려고 하는 것이다. 잠재고객과 경제 동향, 업계의 흐름, 여러분의 배경 등에 대해 정보를 교환하라.

거부 반응을 처리하는 방법

잠재고객과 접촉하기 이전에 준비를 하고, 잠재고객이 판매 과정에 동참하여 나갈 태세를 갖추게 하고, 잠재고객의 업계에 대해 이해하고, 욕구를 분석하여 해결책을 제시함으로써 거부를 미연에 방지할 수 있다.

　판매에 필요한 과정을 착실히 밟아 나가고 잠재고객에게 앞으로 어떤 식으로 상황이 전개될지 미리 알려줌으로써 많은 거부 반응을 미연에 방지할 수 있다. 그렇기는 해도 어떤 잠재고객들은 만나자는 제의를 거절할 것이다. 제품의 값이 비싸다고 할 것이다. 그 제품이 자기들에게는 필요하지 않다고 할 것이다. 여러분이 미리 방지할 수 없는(혹은 막지 못한) 거부 반응을 처리할 전략이 필요하다.

　1. **첫 번째 거절에 대해 응대하지 말라.** 첫 번째 거절의 대부분은 사실 응대할 필요조차 없다. 잠재고객들은 세일즈맨을 피하기 위해 틀에 박힌 거절을 한다. "한 번 생각해 보겠소," "값이 너무 비쌉니다," "댁의 회사와는 안 좋은 경험이 있어서," "만날 시간이 없소" 등이다. 여러분이 내용으로나 형식으로 이런 거절들을 압도할 수 있게 되기 전에는 이런 거절은 처리할 수 없다. 그렇기 때문에 두 번째 전략이 중요하다.

　2. **거절을 되받아쳐라.** 되받아친다는 것은 거절에 대해 잠재고객이 다시 생각하게 만드는 것이다. 잠재고객이 "당신네 제품은 너무 비싸오"라고 말할 때 "저희 제품이 비싸다고 말씀하시는 뜻은 무엇입니까?"라고 묻는 것이다. 작고한 세일즈 훈련 강사 데이빗 샌

들러는 이 되받아치는 전략의 효과를 크게 강조하였다. 되받아침으로써 진짜 반대하는 이유가 무엇인지 파악할 수 있는 정보를 얻을 수 있다. 예를 들어 잠재고객이 "다른 회사 제품은 1,000만 원인데 당신 네 제품은 1,200만 원이나 하오"라고 말할 수 있다. 여러분은 두 제품의 가격차가 200만 원이라는 것을 알았고 왜 여러분의 제품이 더 비싸야 하는지 이해시킬 수 있게 되었다.

3. **어떤 거절에 대해서도 응대하기 이전에 속으로 셋을 세라.** 잠재고객이 하는 이야기를 잘 듣고 막바로 대답을 하기 이전에 잠재고객이 하고자 하는 말이 무엇인지 곰곰이 생각해 보라. 짐작하겠지만 침묵 또한 되받아치기와 비슷한 효과를 낸다.

4. **부정적 의견에 동조하고 그로 인해 형성되는 공감대를 활용하라.** 잠재고객의 부정적 의견에 동조하는 전략은 대부분의 세일즈맨들이 활용하지 못하고 있지만 사실 잠재고객의 거부 반응이나 부정적 견해를 해소하는데 이보다 더 효과적인 전략이 없다. 여러분과 잠재고객이 같은 의견을 가질 수 있는 어떤 것을 찾아낸다는 것은 곧 공감대를 형성할 수 있다는 뜻이다. 잠재고객이 하는 말의 표현보다는 그 느낌을 이해하려고 할 때 거부감이 어느 정도인지 판단할 수 있게 된다. 예를 들어 보겠다.

"당신네 가격은 터무니없소!"

"시장에 나와 있는 제품들 가운데 저희 제품이 가장 비쌉니다,

말씀하신 그대로입니다. 그것 때문에 기분이 상하셨군요(그리고 잠재고객이 무슨 말을 하는지 듣는다)."

위와 같이 동조해주게 되면 대부분의 잠재고객은 이런 식으로 말한다.

"아, 뭐, 그렇다고 기분 상할 것까지야 있겠소? 댁들이야 댁들 원하는 대로 가격을 책정할 권한이 있으니 말이오."

그러면 다음의 말을 이을 수 있다.

"비싸지만 그것이 결국에는 비용 절감으로 이어지는데 그 설명을 들어보시겠습니까? 그리고 비교의 기준이 오직 가격뿐입니까?"

이런 말로 경쟁사 제품들에는 없는 여러분 회사 제품만의 장점을 설명할 수 있다.

5. **부정적 견해에 도저히 동조할 수 없다면 차라리 그 느낌에 공감하라.**
간혹 잠재고객의 부정적 견해가 사실을 너무나 잘못 안 데서 기인할 경우 도저히 동조해 줄 수 없을 때가 있다. 그럴 때는 그 부정적 견해의 내용보다는 느낌을 공감해 주라.

"당신네 제조 기술은 수준 이하요."

"왜 그렇게 느끼시는지 이해할 수 있습니다. 그렇지만 지난 5년 사이에 저희 제조 부문은 완전히 바뀌었습니다. 제조 부문을 관장하게 된 새 부사장이 목표 수준을 높여 개선을 했습니다. 자신 있게 말씀드리지만 이제는 저희 제조 기술 수준이 업계 최고입니다."

때때로 회사의 명성에 누가 가지 않도록 옹호를 해야 하고 잠재고객의 오해나 경쟁사들의 역정보에 대해 강변을 해야 하는 경우도 있을 것이다. 그러나 잠재고객의 느낌에 공감을 표하고 얼마든지 그런 느낌을 가질 수 있다는 것을 인정해줄 때 여러분의 반론에는 힘이 실리면서도 듣는 사람의 감정을 상하지 않게 한다.

6. **공감할 수 있는 사례를 들라.** 지금까지 세일즈에 몸담아 왔던 사람이라면 잠재고객의 거부 반응을 해소하는 기법 가운데 사람 사이의 공감을 주제로 사례를 드는 기법을 잘 알고 있을 것이다.

"어떤 기분이신지 잘 압니다. 저희 고객 회사인 A사의 에드 휘트록도 처음에는 그렇게 느꼈다고 합니다. 그렇지만 저희 시스템을 사용하고 나서부터 원가 절감이 되고 안정성이 높아졌다는 점을 직원들이 모두 공감하고 있다고 합니다."

이 기법은 수학 공식처럼 활용할 수 있는 기법이다. 잠재고객이 거부 반응을 보이는 여러분의 제품이나 서비스를 사용하여 이익을 보고 있는 고객의 사례를 들되, 그 이야기를 논리적이면서도 정서에 호소하는 방식으로 전하여 거부 반응을 해소하는 것이다.

논쟁을 하기보다는 이미 이익을 보고 있는 제 3자의 사례를 드는 이 기법의 효과는 탁월하다. 여러분 회사에 부정적 견해를 가진 잠재고객이라고 해도 만족해하는 여러분 고객의 현실까지는 부정할 수 없다. 그렇기 때문에 효과적이다.

7. **호기심이나 흥미를 나타내 보여라.** 어떤 부정적 견해의 경우 여

러분이 이전에 한 번도 들어본 적이 없는 너무나 터무니없는 이야기일 수 있다. 그럴 경우에는 정직이 최선이다.

"정말입니까? 저희 인도 기간이 너무 길다는 불평은 저도 처음 듣습니다. 굉장히 흥미로운 이야기이군요. 그런데 어떻게 하다 그런 생각을 하게 되셨습니까?"

여러분도 짐작하겠지만 이것도 되받아치는 기술의 하나이다. 그러나 도저히 믿을 수 없다는 여러분의 반응이 자연스럽게 나온 것이어야지 억지로 꾸며 내는 것이어서는 안 된다. 그래서 정직이 최선이라고 말한 것이다.

8. **냉혹한 진실을 있는 그대로 받아들여라.** 잠재고객이 "석 달 뒤에 봅시다"라고 말할 수 있다.

"지금까지 제 경험으로 보면 그렇게 말씀하시는 분들은 모두 제가 문을 열고 나가기 무섭게 제 제안에 대해서는 두 번 다시 생각하지 않습니다. '석 달 뒤에 보자'는 말씀은 대개 제 제안 가운데 어떤 부분에 문제가 있다는 뜻입니다. 오늘 제 제안 가운데 가장 마음에 들지 않는 부분이 무엇이었습니까? 그리고 석 달 뒤에 거래를 하자면 어떤 부분이 바뀌어야 합니까?"

9. **잠재고객의 부정적 견해를 분명히 알아들었기 때문에 존중한다는 내용의 답을 하라.** 잠재고객이 생각해낼 수 있고 품을 수 있는 온갖 종류의 부정적 견해에 대해 이해하고 존중한다는 답을 하라. 이렇게 시

작하면 좋다.

"당신네 회사하고는 언짢은 기억이 있소."

"이해합니다. 그렇지만 세월은 가고 상황은 변합니다. 제 말씀은 저도 새로 온 사람이고, 이 지역 책임자도 새사람이고 제품에도 혁신이 있었습니다. 저희 회사에 대한 부정적인 견해를 바꾸시자면 저희가 어떻게 해야 하겠습니까?"

여러분의 잠재고객들 가운데는 여러분을 단지 쫓아내려는 이유에서가 아니라 여러분의 신념을 떠보고 어떤 종류의 사람인지 알기 위하여 거부 반응을 보이는 사람들이 있다. 그들은 여러분이 자신이 하는 일에 대하여 더 잘 알고 일에 달려들게 만들고 싶은 것이다. 그들의 그런 요구에 응해야 한다.

잠재고객의 거부 반응에는 오묘한 측면이 있다. 잠재고객이 거부 반응을 보이지 않는다면 마땅히 판매를 성사시킬 자격이 있는 최고의 세일즈맨보다는 제일 먼저 접촉한 아무 세일즈맨이나 거래를 하게 된다.

구매자의 입장에서는 관심을 갖게 만들고 다른 세일즈맨들과 달리 무엇인가를 하게 만드는 세일즈맨을 좋아한다. 여러분의 잠재고객들도 여러분이 그렇게 해주기를 원할 것이다.

가장 중요한 요소를 통제할 때 만남 자체를 여러분이 통제하게 된다. 여러분의 회사, 여러분의 창의성, 여러분이 잠재고객과 접촉하는 일, 그리고 여러분이 기울이는 노력으로 해결해줄 수 있는 잠재고객의 문제는 무엇인가? 잠재고객에게 팔려고 하는 제품에 초점을 맞추기보다 잠재고객이 원하는 것을 얻도록 돕는 일에 초점을 맞출 때 거부 반응을 줄이고 판매를 늘릴 수 있다.

파급 효과가 큰 두 가지 사고방식

판매에 대한 철학을 바꿀 수 있을 만큼 파급 효과가 큰 두 가지 사고 방식을 소개하고 싶다.

자신이 옳다는 것을 보이기 위해 다른 사람이 잘못되었다는 것을 입증해 보일 필요는 없다. 두 가지 관점이 공존할 수 있기 때문이다. 이렇게 될 때 판매라는 것이 여러분이나 잠재고객 양 쪽 모두에게 스트레스를 덜 줄 수 있다. 잠재고객과 공감대를 형성하는 비결은 양쪽이 동조할 수 있는 무언가를 찾아내고 사소한 문제에 대해 대립하는 대신 동조할 수 있는 것에서부터 공감대를 키워나가는 것이다.

인생은 시합이 아니다. 거부 반응을 해소하는 최선의 방법은 미연에 방지하는 것이다. 철저한 준비와 전문가다운 질문, 그리고 경청을 통해 그렇게 할 수 있다. 잠재고객이 질문할 때마다 답할 수 있다면 잠재고객에게는 더 이상 질문 거리가 없게 된다. 거부 반응이 나타날 때 전략적으로 대응하면 거부 반응을 해소할 수 있다. 그러나 그럴 때라도 목적은 거부 반응을 해소하는 자체가 아니라 더 많은 정보를 획득하려는 것이다.

이 책이 제시하는 중요한 교훈 가운데 하나는 이것이다. 여러분이 옳다는 것을 보이기 위해 다른 사람이 잘못이라는 것을 입증해 보일 필요가 없다. 두 가지 관점이 공존할 수 있기 때문이다. 누군가가 우위에 서야한다는 사고방식을 버려라. 그 대신 공감대를 찾으려고 노력하라.

| 제 12장 |
식사를 마치기 전까지
후식은 없다

이제 여러분은 어릴 때 부모님이 제시했던 지켜야 할 규칙에 대해 더 이상 의식하지 않을 것이다. 그러나 얼마 전 뷔페식당에 갔을 때를 생각해 보라. 원하는 대로 아무거나 먹을 수 있지만 아마 어렸을 때 그렇게 먹고 싶었던 디저트 테이블에서 시작하는 대신 전채인 샐러드부터 먹기 시작했을 것이다. 어릴 때 부모님께서 지켜야 할 규칙을 부과했다면 그것을 고맙게 생각해야 한다.

- 밥 다 먹기 전까지는 후식은 안 된다.
- TV는 숙제 먼저 다 해 놓고 한 시간 반만 보아야 한다.
- 주중에는 9시면 불을 끄고 잠자리에 들어야 한다.

부모는 정해 놓은 규칙에 아이들이 우는 소리를 해가며 봐달라고 할 때 성가시더라도 잘 견디어야 한다. 훌륭한 부모들은 자녀에게 지켜야 할 규칙을 정해주고 아이들이 규칙을 지키지 않을 때 그 결과에 대해 책임을 지게 한다. 그렇게 자란 아이들이 어른이 되면 자율성 있는 사람이 된다. 스스로를 통제할 수 있게 된다.

스스로를 통제할 수 있는 능력은 성공에 필수적이다. 세일즈라는 일의 큰 매력 가운데 하나가 엄청난 자유이다. 상사가 언제나 감시의 눈으로 쳐다볼 수도 없고 그렇게 하지도 않는다. 이와 동시에 가장 큰 단점 또한 엄청난 자유이다. 선택은 여러분에게 달려 있다.

목표 수준도 낮고 자율성이 없는 세일즈맨들에게 엄청난 자유는 오히려 화가 된다. 그들은 잠재고객을 만나는 것도 아니면서 공연히 차나 타고 이리저리 왔다갔다 한다. 또 평일 대낮에 당구나 치고 있다. 호출기나 휴대 전화를 가지고 있다고 해서 근무를 하는 것은 아니다.

아이들은 부모님이 정해준 규칙을 어느 선까지는 어겨도 되지만 어느 선을 넘으면 안 된다는 것을 안다. 훈육의 엄격함은 부모님이 단순히 얼굴을 찌푸리는 정도일 수도 있고 어느 선을 넘을 경우 제재를 받는 수준일 수도 있다. 훈육의 강도에 따라 특별 대접을 포기하게 되기도 하고 가정교육을 잘 받은 아이가 되기도 한다. 부모가 아이를 교육하는 이유는 어른이 되어서 스스로 절제 있는 삶을 살게 하려는 것이다.

여러분 회사에는 업무 성과와 관련된 어떤 기준이 있는지 모르겠다. 기준이란 성과를 측정하는 도구인데 그 기준에 도달하였는지 여부에 따라 책임을 묻게 되는 경우가 많다. 기준에 미달하였을 경우 여러분으로 인한 임시 회의가 열릴 수도 있고, 지도, 상담, 해고로 이어질 수도 있다.

많은 세일즈맨이 매니저의 인내심의 한계가 어디까지인지 시험해 본다. 고객 방문 보고서를 이틀쯤 늦게 제출하고, 금요일 오후에는 일찌감치 일을 걷어치우고, 판매 보고서는 틀에 박힌 내용으로 적어 낸다. 그런가 하면 기준도 없고 그저 희망 사항만 잔뜩 안고 있는 회사들도 있다. 기준이 없으면 훈육도 되지 않는다.

우연히 매니저가 된 세일즈 매니저들이 자기 휘하의 세일즈맨들이 노력을 하지 않는다고 푸념하는 소리를 들어보면 대개 이런 내용이다.

"직원들이 정시에 출근해주면 좋을 텐데."
"좀 제대로 된 제안서를 쓸 줄 알면 좋을 텐데."
"잠재고객들을 좀 더 많이 접촉하면 좋을 텐데."

이제 우리는 자율이라는 말을 실패를 겪거나 해고를 당하지 않기 위해 여러분의 판매노력이 매일, 매주, 그리고 매달, 수준 높은 판매노력 과정을 밟아 나가는 일이라고 정의하기로 하자. 회사에서 여러분에게 제시한 기준보다 더 높은 기준을 설정하는 것은 여러분이 스스로의 한계를 극복하는 길이 된다.

◆ 우연히 세일즈를 하게 된 사람을 위한 격언 ___

자신과 세일즈라는 직업을 위해 높은 기준을 설정하는 그
자체가 여러분의 목표는 아니다.

◆ 부수적 조언 ___

높은 기준을 설정하면 목표를 달성할 수 있다.

목표는 정해 놓은 시간이 되었을 때 일어나기를 바라는 어떤 결과이다. '지금부터 2년 뒤 5월 31일 12억 원의 신규 판매 실적을 올리겠다.'

세일즈 책 치고 목표를 갖는 일의 중요성을 강조하지 않은 책이 없다. 그러나 성공한 세일즈맨들을 보면 목표 수준이 높다는 것을 알 수 있다. 목표를 갖는 것 자체가 해답이 될 수는 없다. 그렇다면 무엇이 빠진 것일까?

높은 목표를 달성하는 열쇠는 수준 높은 업무 성과 기준을 설정하는 것이다. 이렇게 생각해 보라. 목표는 '무엇'을 하겠다는 것이고 업무 성과 기준은 '어떻게' 하겠다는 것이다. 기준과 목적이 어떻게 어우러질 수 있는지 알아보기 전에 한 가지 들려주고 싶은 이야기가 있다.

내가 진행하는 세미나 중간에는 잠시 휴식 시간이 있다. 그러나 나는 제대로 쉬지 못한다. 언제나 누군가 내게 다가와 말을 걸기 때문이다. 켄터키 주 글래스고에 있는 배런 리버 주립 공원의 커다란 통나무집에서 세미나를 했던 적이 있다. 오전 휴식 시간 중에 수강생 가운데 하나가 나에게 다가왔다. 작년에도 내 세미나를 들은 여자였는데 나는 '코니' 라는 그녀의 이름을 기억하고 있었다. 코니는 내게 손을 내밀어 악수를 하다가 왼손까지 가져다 내 오른 손을 감싸 쥐고 한 동안 그렇게 있었다. 그리고는 내 눈을 들여다보며 말하였다. "크리스, 작년에 당신의 세미나를 듣고 나서 내 판매 실적이 700만 원이나 늘었어요! 고마워요." 그 금액을 말하는 그녀는 굉장히 기분이 좋은 것 같았는데, 내게는 별로 놀랄 만한 액수가 아니었다. "잘 됐군요, 코니." 나는 무덤덤하게 말했다. "오해하시는 것 같은데 1년이 아니라 한 달에 그렇게 늘었다는 뜻이라구요" 라고 그녀가 덧붙였다. 나는 코니의 손을 잡고 있던 내 손에 더 힘을 주고 세차게 흔들며 말하였다. "아, 정말 잘했군요. 축하합니다!" 코니는 웃으며 말했다. "켄터키 주 파이크빌에서는 기적이라고 할 수 있어요."

고객이 소중하게 생각하는 것에 여러분의 행동을 맞추어 들어갈 때 고객이 여러분에게 점점 더 많은 돈을 가져다주는 것을 보게 되면 여러분은 기적처럼 생각할 것이다. 그러나 내 세미나 수강생들 가운데는 그런 이야기를 하는 사람이 너무 많아서 이제 우리는 그 정도를 기적이라고 표현하지 않는다.

이제 목표와 기준이 어떻게 어우러져 효과를 낼 수 있는지 알아보기 위해 한 가지 작업을 해보자. 잠시 조용히 생각해 보고, 생각한 것을 적는 데 7분 정도 걸릴 것이다. 오늘 여러분이 사용하는 시간 가운데 가장 값지게 쓰일 7분이 될 것이다. 다음과 같이 해보기 바란다.

여러분이 놀라운 판매 실적 성장이라고 생각하는 액수를 정하라. 코니는 한 달에 700만 원을 기적이라고 생각했다. 여러분이 원하는 액수와 시간 단위를 정하라. 분기별로 정할 수도 있고 연간 단위로 정할 수도 있다. 그 숫자를 아래 양식이나 빈 종이에 써 넣어라. 그리고는 설정한 시간 단위 내에 그 액수의 판매액 신장을 달성하려면 반드시 일어나야 할 20가지 일을 적어 넣어라. 두세 가지가 아니고 20가지를 적으려고 하면 뻔하고 쉬운 답 대신 진지하게 생각해야 할 것이다. 먼저 이 작업을 마친 다음 그 내용에 대해 이야기하기로 하자.

이렇게 함으로써 여러분은 스스로 높은 기준을 설정하기 시작한 것이다. 많은 액수의 판매 실적을 올리자면 높은 기준을 설정해야 한다. 여러분에게는 새로운 목표가 있다. 여러분 스스로 정한 액수가 있다. 그리고 그 목적을 달성하기 위해 일어나야만 하는 일들도 20가지나 적었다. 그 내용들은 여러분이 지금 하고 있는 정도보다는 더 높은 기준을 요구하는 것이다. 목적을 달성하기 위해서는 이 높은 기준에 맞추어 일해야 한다.

세미나에 참석한 수천 명의 수강자들이 이 작업을 하였다. 7분 동안 작업을 하게 한 다음 내가 묻는 첫 질문은 이런 것이다. "해보니 어떻습니까?"

한 수강생이 손을 들더니 이렇게 말하였다. "앞으로 내가 일을

◆ ___마다 판매 수익을 ___씩 늘리기 위해 일어나야만 하는 20가지 일

1. _____

2. _____

3. _____

4. _____

5. _____

6. _____

7. _____

8. _____

9. _____

10. _____

11. _____

12. _____

13. _____

14. _____

15. _____

16. _____

17. _____

18. _____

19. _____

20. _____

더 잘 하자면 무엇을 해야 하는지 이제야 알게 되었습니다. 만약 선생님께서 제가 적은 것들을 해야 한다고 말씀하셨다면 아마 저는 거부감을 느꼈을 겁니다. 그런데 제 스스로 써보니 그 의미를 알게 되더군요." 다른 수강생이 말하였다. "세일즈라는 일을 하면서 전에 비해 훨씬 더 자율성을 가지고 일할 수 있다는 것을 깨달았습니다." 또 다른 수강생 하나는 이런 말했다. "미치겠군요. 이제는 확실히 알게 되었지만 진작 이런 것을 알고 일했더라면 더 많은 돈을 벌 수 있었을 텐데 말입니다."

이제 여러분에게는 목표도 있고 그 목표 달성을 도와줄 20가지 행동 기준도 마련되었다. 그렇다면 이제 제대로 시작할 수 있을 것처럼 생각되겠지만 사실은 그렇지 않다. 여러분이 설정한 기준이 내 기준에 못 미칠 가능성이 크기 때문이다.

여러분이 설정한 기준이 과연 여러분의 업무 성과를 측정해볼 수 있게 하는 그런 기준인지 검토해보자. 내가 짐작하건데 여러분의 기준은 대략 다음과 같을 것이다. 이 작업을 처음해 보면 대개 비슷하다.

1. 좀더 체계적으로 일해야 한다.
2. 좀더 많은 잠재고객을 확보해야 한다.
3. 더 많은 사람에게 잠재고객을 초청해달라고 요청해야 한다.
4. 좀더 제대로 된 제안서를 작성해야 한다.
5. 거래 규모를 더 크게 하자고 청해야 한다.

맞는 말이기는 한데 측정이 불가능한 기준이다. 여러분의 기준이 이런 식이고 그것으로 만족한다면 세상에 널린 우연한 세일즈맨들과 다를 것이 없다. 지금 그들은 그냥 하는 것과 더 잘하는 것의 차이를 제대로 알지 못한다. '더 많이' 와 '더 잘' 의 의미를 명확히 이해하지 못하고 있다. 그들에게는 분명한 기준이 없고 막연한 희망만 있다. '밥을 다 먹기 전까지 후식은 없다' 와 같은 것이 기준이다.

'좀더 체계적으로 일해야 한다' 는 여러분의 방향 설정은 실제로 체계적으로 일하기 전까지는, 그리고 그렇게 일하지 않는 한, 그저 소망에 불과하다. 체계적으로 일하기 위한 측정가능한 기준이 마련된다면 여러분의 일이 체계적이지 않을 때 어떻게 해야 하는지 그 방법을 알려주게 된다. '좀더 체계적으로 일할 것' 이란 이 내용이 업무 성과를 실제로 측정할 수 있으려면 일의 질과 양, 시의적절함, 비용 요소 등을 포함해 작성되어야 한다. 여러분이 실제로 체계적으로 일한다면 그 모습은 어떨까? 몇 가지 가능성을 점쳐 보자.

- 15분 동안 해야 할 업무에 관한 계획을 세우고 내가 설정한 우선순위에 따라 일을 처리한다. (시의적절함의 기준)
- 책상에는 한가지 일에 관련된 서류만 올려놓고 그 일에만 집중한다. (양의 기준)
- 제 1순위의 일에 한 시간을 할애할 수 있도록 시간 배분 계획을 짠다. (질과 시의적절함의 기준)

● 한 달반 후에 200만 원을 모아 새 노트북 컴퓨터와 세일즈 트래킹 프로그램을 마련하여 활용한다. (비용과 질의 기준)

하루 일과를 끝내고 나서 여러분이 스스로 선정한 기준에 맞게 일하였는지를 판단해볼 수 있다. 정한 기준대로 했다면 여러분은 체계적으로 일한 것이고 스스로 그 이유를 알 것이다. 하루 일에 대한 계획을 세우는 데 10분밖에 할애하지 못했다면 '기준'과 '실천' 사이에 괴리가 발생한 것이다. 책상 위에 한 가지 일에 관련된 것만 올라와 있지 않고 서류 더미가 쌓여 있다면 기준에 맞추어 일하지 못한 것이다.

기준과 실천 사이의 '괴리를 메운다'는 개념이 여러분의 기준이 실효를 발휘하게 한다. 이렇게 생각해보라. 기준대로 실천하지 못했을 때 기준과 실천 사이에 차이가 난다. 15분 동안 계획을 세우고 일을 하려고 했는데 3일 동안 계속해서 기준대로 하지 못했다. 그러면 괴리가 발생한 것이다. 그 괴리를 메움으로써 여러분은 스스로 정한 기준에 맞추어 나갈 수 있다.

자율적으로 일하는 사람들은 목표 달성을 위해 애쓰는 것보다는 기준과 실천 사이의 괴리를 메우는 일이 더 중요하다는 것을 알고 있다. 그들은 높은 목표를 세우고 높은 기준을 설정한다. 목표를 세우고 그 목표 달성을 도와줄 기준을 설정하라. 또 다른 희망 사항을 측정할 수 있는 기준으로 바꾸어 보자.

'잠재고객을 더 발굴할 것' 이것은 소망일 뿐이다. '1주일에 열 번 씨뿌리기를 할 것' 이것이 기준이다. 그렇게 하면 측정이 가능하다. 그래프로 그릴 수도 있다. 무엇을 하지 않았는지 알아낼 수 있다. 그러면 스스로 자책감을 느낄 것이고 그 괴리를 메우려고 할 것이다.

우연한 세일즈맨은 판매 과정에서 자신이 얼마나 통제력을 발휘할 수 있는지 알지 못한다. 그러니 자신의 직업인 자기의 일마저 주도적으로 통제하지 못한다. 목적의식을 가진 세일즈맨들은 판매 자체가 아닌 과정의 성과에 초점을 맞추게 된다. 여러분이 운동 경기 관람을 좋아하고 특별히 응원하는 팀도 있다면 '박스 스코어' 라는 개념에 대해 알 것이다. 박스 스코어는 시합의 결과인 점수가 난 과정을 보여준다. 경기 관람을 제대로 즐길줄 아는 팬에게는 점수보다 점수가 나는 과정이 더 흥미롭다. 구단 감독들은 다음 시합에 대비한 작전을 수립할 때 박스 스코어를 보고 정보를 찾아낸다. 최종 점수가 아닌 '경기 안의 경기' 를 분석하여 유용한 정보를 찾아내는 것이다.

일류 세일즈맨들에게는 '경기 안의 경기' 를 보는 눈이 있다. 그들은 우연히 파는 식으로 팔지 않는다. 그들은 자신들의 행위 하나하나를 세심하게 분석한다. 그들이 설정한 기준이 그들에게 목적을 달성하게 한다. 그들은 늘 자신들의 판매 과정을 통제할 수 있는 수단을 모색한다.

우연히 세일즈를 하게 된 세일즈맨들도 무언가를 더 많이 해야 한다는 것은 느끼지만 그 '더 많이' 가 어떤 것인지를 모른다. 그들도 '더 잘' 하고 싶어하지만 어떻게 하는 것이 더 잘하는 것인지 알 수 있는 기준이 없다. 제안서 작성 양식은 적은 노력으로 더 많이 하는 방법을 알려준다. 많은 세일즈맨들이 이미 2단계 수준의 프리젠테이션 다섯 번을 하는 것이 1단계 수준의 프리젠테이션 열 번 하는 것보다 판매 실적이 좋다는 사실을 알고 있다. 어떤 특정한 기준에 맞추어 일한다고 해서 더 오랜 시간 더 힘들게 일할 필요는 없다.

여러분의 목표를 달성하자면 일어나야 하는 일 20가지를 다시 한 번 살펴보라. 그 가운데 가장 중요하다고 생각되는 것 다섯 가지를 선택하여 기준으로 바꾸라. 즉, 양과 질, 시의적절함, 비용 측면에서 업무 성과를 측정할 수 있는 기준으로 만들라는 뜻이다. 그런 기준이 마련되면 여러분이 할 일은 그 기준에 맞추려고 열심히 노력하는 것뿐이다. 여러분의 업무를 하루, 한 주, 한 달 단위로 평가해 보라. 결과가 여러분이 마련한 기준에 미치지 못한다면 그 간격을 빨리 메워라.

우연히 세일즈를 하게 되었지만 이제 수준 높은 기준을 마련하고 그에 맞추어 일하기로 한 사람이라면 '호미로 막을 걸 가래로 막는다' 는 속담을 명심하라. 업무의 실제 결과가 기준에 못 미쳐 극단적인 노력을 하지 않고는 도저히 그 차이를 따라 잡을 수 없게 될 때까지 방치해서는 안 된다. 여러분이 매주 2단계 수준(질의 기준)의 제안서를 3부(양의 기준) 작성하기로 기준을 마련했다고 가정하자. 그런데 이 번 주에는 제안서를 2부 밖에 쓰지 못했다. 그러면 다음 주에 4부를 써서 그 간격을 메우라는 것이다. 만일 다음 주에도 2

부 밖에 쓰지 못한다면 셋째 주에 5부를 써야 하는 부담을 안게 된다. 그렇게 되면 가래로 막아야 한다. 호미로 막을 수 있을 때 호미로 막아야 한다.

목표 달성을 위해 울며 겨자 먹기식으로 가정은 아예 나 몰라 하고 팽개치는 비극적 선택을 하지 않고도 목표를 달성하기 원한다면 목표와 기준이 어떻게 어우러져 일을 하는지 이해해야 한다. 우연히 세일즈를 하게 된 수많은 세일즈맨들은 더 많이 팔려면 더 오랜 시간 더 힘들게 일해야 한다는 생각밖에 할 줄 모른다. 그들은 전에 자기들이 상상했던 이상으로 이미 오랜 시간 힘들게 일하고 있기 때문에 좌절하게 된다.

여러분은 그들과 다르게 일할 것이다. 여러분은 보다 나은 방식으로 일하여 판매를 늘릴 것이다. 잠재고객과 접촉할 때 2단계 수준의 방식으로 접촉하고 때때로 3단계 수준이나 4단계 수준의 모습을 보여주고, 제안서에 3단계와 4단계 수준의 페이지들이 들어가게 하는 단순한 선택으로 이미 많은 성과를 내고 있다는 것을 여러분 스스로 알고 있다. 높은 기준을 설정하고 그에 맞추려고 노력하는 것이 우연히 세일즈를 하는 세일즈맨과 일류 세일즈맨의 궁극적 차이이다.

여러분이 기준을 마련하는 일을 돕기 위해 아래에는 여러분이 참고할 만한 예를 적어 놓았다. 각 기준의 빈 칸에는 여러분의 현실을 고려하여 나름대로 적당한 숫자를 채워 넣으면 될 것이다.

첫 주에는 그저 세 가지에서 다섯 가지 정도만 기준으로 삼아

라. 그리고 실제로 그 기준을 달성하거나 초과하였다면 기준을 좀 높여 잡거나 한두 가지 새로운 기준을 추가하라. 마음만 급해서 스물다섯 가지에서 쉰 가지 정도의 기준을 마련하지 말라. 천천히 제대로 해 나가다 보면 언젠가는 열 가지에서 열다섯 가지 정도의 기준을 달성할 때가 올 것이다. 여러분이 이미 아래의 기준들 가운데 어떤 것들을 하고 있다면 그것을 지속적으로 하도록 하라. 그리고 여러분의 목표 달성을 도와줄 새로운 기준들을 채택하여 달성하려고 노력하라.

◆ 우연히 세일즈를 하게 되었지만 목적의식을 가지고 팔게 된 세일즈맨을 위한 업무 성과 기준

1. 매일 ____분 동안 업무 계획을 세우고 일의 우선순위를 정한다.

2. ____일마다 ____고객들에게 다른 잠재고객을 소개해 달라고 한다.

3. ____일마다 잠재고객들에게 ____의 거래를 하자고 요청할 수 있는 여건을 마련한다.

4. 언제나 ____(명)의 잠재고객과 접촉을 하고 그 중 ____(명)은 '최고 고객' 명단에 올려놓고 지속적으로 주시한다.

5. 매주 최소 ____건의 새로운 업무 절차를 밟는다. 새로운 고객 접촉 혹은 1단계 더 진척 등도 여기에 포함된다.

6. ____일마다 최소 ____단계 수준의 제안서를 ____부 작성한다.

---

7. ____일마다 세일즈 세미나나 자기 계발 프로그램을 ____번 수강한다.

8. ____일마다 잠재고객들에게 ____부의 기사를 보낸다

9. ____일마다 기존 고객들에게 ____부의 기사를 보낸다.

10. 전문가가 되기 위해 ____일마다 ____시간씩 독서한다.

11. ____일마다 최소 ____번의 전화를 건다.

12. ____일마다 ____번 세차한다.

13. ____마다 ____번 구두를 닦는다.

14. 예상 판매액 ₩____이상의 프리젠테이션을 위해서 매니저와 함께 연습한다.

15. 잠재고객이나 기존 고객과 잡아 놓은 확실한 약속에는 ____분 일찍 도착한다.

16. 응답을 해주어야 할 걸려온 전화에 대해서는 ____분/시간 안에 다시 전화해준다.

17. 잠재고객이나 기존 고객에게 내가 약속했거나 하겠다고 말한 것에 대해서는 반드시 메모를 해놓고 실천에 옮긴다.

18. 고객 욕구 분석을 위한 만남 뒤에는 ____일 안에 제안서를 작성한다.

19. 고객 욕구 분석을 위한 만남을 끝낼 때는 반드시 제안을 위해 만날 약속을 잡는다.

이 기준들은 여러분을 녹초로 만들려는 것이 아니다. 또 이 기

준이 모든 회사나 모든 세일즈맨들에게 적용될 수 있는 것도 아니다. 이런 기준들을 예시한 이유는 여러분이 '더 많은 방문을 할 것'과 같은 애매모호한 기준을 마련하는 잘못을 범하지 않게 하려는 것이다. 여러분의 기준이 나의 기준보다 더 나을 수 있는데 그 까닭은 그것이 바로 여러분 자신의 기준이기 때문이다.

먼저 목표를 정하고 기준을 마련하라. 초점을 바꾸기로 선택하는 순간 여러분은 즉시 여러분의 일에 대한 통제력을 갖게 된다. 판매에 초점을 맞추는 대신 판매로 이어지는 업무의 성과를 측정할 때 그것이 바로 목적의식을 가지고 파는 것이다. 이런 자율성을 가지고 팔 때 여러분은 좀더 존중 받고 수입도 늘어나게 된다. 그리고 또 다른 좋은 소식이 여러분을 기다릴 것이다.

| 제 13장 |

팔아 치우느라고 녹초가
되어버리면 제대로 된 서비스를
할 수 없다

이제는 많은 세일즈맨들이 판매를 그저 팔아 치우는 일로 생각하지 않는다. 어떤 관계를 열어가는 일로 생각한다. 우수한 기존 고객은 다른 제품에 관한 한 최상의 잠재고객이고 또 반복 구매를 하기 때문에 고객 서비스 과정을 판매를 마무리 짓기까지의 전체 과정의 일부로 생각해야 한다. 오늘날 고객 서비스라는 개념 속에는 사탕발림의 요소가 많이 들어가 있다. 그러나 고객 서비스라는 것은 새로운 고객을 창조하려는 노력과 별개로 기존 고객에게 무언가를 해주는 것이다.

세일즈맨 역시 무언가를 사는 사람이기도 하다. 우리는 모두 이것저것 사면서 생활한다. 나는 비행기를 자주 탄다. 이 책의 일부는 한 달이 넘는 해외 출장 동안에 썼다. 그 출장기간에 확실히 깨달은 것이 두 가지 있다. 첫째는 내가 비행기 여행을 끔찍하게 싫어한다는 것이며 둘째는 1등석을 좋아한다는 것이다.

방콕에서 프랑크푸르트까지 열 시간 반 동안 비행기를 타고 갔던 적이 있다. 타이 항공의 예약부에서 원래 비즈니스 클래스였던 내 좌석을 1등석으로 바꿔 주었다. 그 때 비행기 안에서 주었던 파자마를 나는 요즈음도 입는다. 그리고는 뒤로 완전히 젖혀지는 1등석의 의자가 얼마나 편한지, 또 그런 좌석에서 밤에 잠을 자면 시차로 인한 피곤을 별로 느끼지 않는다고 사람들에게 말한다.

몇 년 전 9일 동안의 출장을 끝내고 집으로 돌아가는 비행기에 몸을 실었던 적이 있다. 여승무원이 내게 다가오더니 물었다.

"리틀 선생님, 기내식으로 어떤 음식을 드시고 싶으십니까?"

"아, 내 이름은 라이틀이오."

"아, 정말 죄송합니다."

"괜찮소. 늘 일어나는 일이니까 말이오."

"그렇지만 라이틀 선생님. 선생님께서는 저희 항공사의 최고 고객이십니다. 성함을 제대로 불러 드려야 마땅합니다."

"어쨌든 고맙소."

전에 그 여승무원을 본 적이 없었고 또 앞으로도 다시 만나게 될 가능성이 거의 없을 것이다. 그런데 그 여승무원이 내 이름을 알고 있었다. 어떻게 내 이름을 알았는지 물어 보니 게이트에 있던 항공사 직원이 프린터로 뽑은 주요 고객 명단을 넘겨주었다고 한다.

일종의 개인신상 정보를 그들 나름대로 활용하고 있었지만 기분 나쁠 것은 없었다. 주요 고객으로 인정받고 그 흔한 고객님이나 손님이라는 호칭 대신 이름으로 불리니 좋았다. 비행기가 착륙하기 전 그 여승무원이 다시 내게 오더니 귓속말로 물었다.

"와인 좋아하시나요?"

"그렇소만 왜 그러시오?"

"마침 샤르도네이가 한 병 남은 게 있어서요."

그렇게 말한 다음 내 머리 위의 짐칸을 열더니 내 가방을 가리키며 물었다.

"선생님 가방 맞습니까?"

"그렇소."

여 승무원은 내 가방을 열더니 와인 병을 가방 속에 조심스럽게 집어넣었다.

"이번 여행길에 몇 개 도시에 들르셨는지, 그리고 저희 비행기를 몇 번 이용하셨는지 방금 전에 자료를 보고 알았습니다. 저희 유나이티드 항공을 이용해주셔서 고맙습니다, 라이틀 선생님."

"나도 고맙소."

아내가 짐 찾는 곳 앞에서 나를 기다리고 있었다.

"여보, 여행 어땠어요?"

나는 가방을 열고 와인 병을 꺼내 마치 트로피를 공중에 치켜 들 듯 높이 들었다.

"글쎄, 항공사에서 나에게 와인을 한 병 주지 않겠소?"

나는 그렇게 말하며 씩 웃었다.

"유나이티드 에어라인이 나를 알아 모시더란 말이오!"

유나이티드 항공사는 1년에 세 번 왕복 여행을 하는 고객들을 '수시 여행 고객'으로 분류하여 관리하고 있었다. 나처럼 수시로 여행하는 고객들에게 그들이 왜 그처럼 충성심을 보이는지 이해할 수 있을 것이다. 유나이티드 항공이 나를 놓친다면 1년에 딱 세 번 왕복 여행하는 고객 스무 명을 잡아야 나를 놓친 손해를 메울 수 있다. 그들은 그것을 알고 있었다.

큰 고객을 놓치는 것이 여러분에게 어떤 손해를 초래하는지 정확히 알아야 한다. 큰 고객 하나를 놓칠 때 보통 고객 몇으로 그 손해를 보충할 수 있는지 알아야 한다. 그러면 당연히 지혜롭게 처신할 것이고 주요 고객에게는 그에 걸맞는 조치들을 취할 것이다.

나는 지금까지도 비행기 탈 일이 있으면 70퍼센트 정도는 유나이티드 에어라인을 이용한다. 고객을 기쁘게 해주는 것이 고객 서비스 과정의 목적이다. 기존 고객은 최상의 잠재고객이기 때문에 고객 서비스 과정이 이 책에서 가장 중요한 부분이라고 할 수 있을지도 모르겠다. 그러나 누군가에게 무엇을 팔기 이전에는 고객 서비스를 할 수 없다. 여러분은 이제 목적의식을 가지고 팔며 좀더 많은 거래를 성사시키고 있다. 기존 고객을 놓치지 않는 것이 중요한 끝내기 수순이다.

여러분이 반복 구매를 기대할 수 없는 업종에 종사하고 있다면 이번장은 더 읽을 필요가 없다. 그러나 기존 고객과 좋은 관계를 계속하여 유지하는 일이 중요하다면 이번 장은 대단히 중요하다.

♦ 우연히 세일즈를 하게 된 사람을 위한 교훈 ＿

여러분에게서 사는 것을 끔찍이 싫어하는 고객이라도 주요
고객으로 인정 받으면 좋아한다.

♦ 부수적 조언 ＿

모든 고객은 조용히(아니면 별로 조용하지 않게) "나 좀 알아
줘요!"라고 외치고 있다.

고객 서비스 점검

컴퓨터로 뽑아 낸 감사의 편지보다는 서너 줄 정도 길이의 손으로
직접 쓴 감사 편지가 더 효과적이다. 한 예를 들어보겠다.

안녕하십니까. △△씨?

오늘 저희에게 주문을 해주셔서 고맙습니다. 저희는 판매 부
서를 판매 부대로 바꾸는 일을 사명으로 여깁니다. 이틀 안에
몇 가지 자료를 보내드리겠습니다. 그리고 목요일 제가 전화 드
리겠습니다.

안녕히 계십시오.

크리스 올림

이제 미국의 사업자들(적어도 소매 부문의 경우)은 '고맙습니다' 라는 인사를 할 줄 모르는 것 같다. 거래 절차가 끝나고 나면 대부분이 "고맙습니다"라고 말하는 대신 "다 됐습니다(아니면 끝났습니다)"라고 말한다. 반면에 캐나다 사람들은 현금 인출기에서 돈을 빼고도 기계에다 대고 "고맙습니다" 라고 말한다. 대부분이 그렇다. 최근 나의 캐나다인 친구 하나가 토론토 교외의 어느 소매상점에서 겪었던 이야기를 들려주었다.

"여보게, 크리스. 나는 그 때 여기가 미국이 아닌가 하는 생각을 했다네. 쇼핑몰의 한 상점에서 물건을 사고 돈을 지불했다네. 점원이 돈을 받아 계산을 하고 나서는, 포장을 하여 물건을 내밀면서 '다 됐습니다' 라고 말을 하더군."

내 친구인 밥 닐슨은 아주 공손하게 물었다고 한다.

"'고맙습니다' 라는 말은 하지 않나 보지요?"

"영수증에 써 있는데 못 보았나요?"

영수증에 써 넣은 '고맙습니다' 라는 말은 결코 사람이 입으로 말하는 것과 같을 수 없다. 마찬가지로 컴퓨터로 뽑아낸 감사 편지는 손으로 직접 쓴 감사 편지를 당할 수 없다. 여러분 회사에 고객 서비스 부서가 있고 그런 일을 맡아 처리한다면 다행이라고 할 수 있다. 그러나 그런 부서가 없다면 여러분이 판매한 고객들을 위해 여러분이 직접 그 일을 처리해야 할 것이다.

그저 팔아 치우느라고 너무 힘들고 지치면 서비스를 제대로 할 수 없다. 서비스는 판매의 한 과정이 되어야 한다. 이런 서비스는 고객으로 하여금 판매를 한 사람을 기피하지 않게 하고 더 나아가 관계를 유지하게 하고 또 새로운 거래의 기회를 제공한다. 그러니 여러분이 하겠다고 스스로 약속한 그 일을 계획을 세워 실천하고 두 번째 조치를 취하라.

- **거래 후의 전화** : 추가 정보를 제공하거나 고객이 제품을 제대로 사용하고 있는지 확인한다.

- **기사 보내기** : 3단계 수준의 접촉을 1년에 여덟 번에서 열 번 정도 하겠다는 목표를 세우라. 기사를 보낼 때는 매 달 같은 시기에 보내는 것 보다 간헐적으로 보내는 것이 좋다. 예를 들어 주문 뒤 3주 후에 한 번 보내고, 그 다음에는 2주 후에, 그리고 그 다음에는 5주 후에 보내는 것이다. 이렇게 하는 목적은 구매자에게 여러분과 여러분 회사를 기억시키려는 것이다.

- **구매자와의 잦은 만남** : 고객과 자주 만나는 것은 고객과 관련된 보다 많은 정보를 수집하는 기회가 될 수 있다.

- **주요 고객에게 회사의 공장이나 시설을 견학 시킨다.**

- **최고 경영진의 이름으로 보내는 편지** : 의례적인 성격이 짙지만 최고 경영진 가운데 한 사람의 친필 서명이 들어간 편지를 보내라. 거

래 액수가 큰 계약을 체결하고 난 다음이나 첫 거래 후 1년을 기념하여 보낼 때 그만한 의미가 있을 수 있다.

- 거래 후 두 번째 전화.

- 회사의 부서 관리자들로 하여금 전화를 하게 한다.

- 의문 사항이나 문제 발생 시 24시간 연락 가능한 비상 전화번호 제공.

- 소식지 : 모든 잠재고객과 고객에게 보내는 한 면짜리 소식지는 업계에 대한 정보와 동향을 알려 주는 3단계 접촉 방법이다. 비록 한 면이지만 거기에는 업계 소식, 웹 사이트 관련 뉴스, 서적이나 기사와 관련된 정보가 수록되어 있을 수 있다. 비록 양은 적지만 여러분을 업계의 전문가 혹은 소중한 정보의 출처로 인식시켜 줄 수 있다.

1년 단위로 고객을 관리하도록 하라. 여러분이 실제로 얼마나 자주 고객과 접촉하는지 점검해 보라. 여러분은 우수 고객을 얼마나 알아 모시는가? 그들을 회사의 최고 경영진과 만나게 해 준다면 각별한 인상을 심어줄 수 있다. 그렇게까지는 하고 싶지 않다면 지속적인 개인적 접촉을 통해 관계를 강화하라.

여러분 회사에 서비스부서가 있다면 아마 그런 일들을 하고 있을 것이다. 중요한 것은 잠재고객을 여러분의 판매 과정에 동참시켜 함께 전 과정을 밟아 나간 것처럼 지금은 고객 서비스 과정도 그렇게 하라는 것이다. 비록 여러분의 고객이 되었다고는 하나 여전히 그들 주변에는 여러분의 경쟁자들이 어슬렁거리고 있다. 여러분이 고객을 귀하게 알아 모신다는 점을 고객들이 느낄 수 있어야 한다.

수익성에서 볼 때 반복 구매야말로 가장 중요하다. 이미 관계를 형성하고 있기 때문에 판매의 과정이 줄어든다. 어떻게 하는 것이 고객 서비스를 잘하는 것인지에 대해 나는 우연한 기회에 좋은 세미나를 수강하였다.

우연히 배우게 된 세일즈
-유람선

아내와 나는 난생 처음 카리브 해 유람선 여행을 하였다. 실제 여행에 나서기 전 우리는 들떠 있었다. 우리는 여행사에서 준 유람선 여행안내 브로슈어를 세 번이나 읽어 보았다. 그 브로슈어는 정말 흥미진진할 것 같은 한 주일의 유람 여행에 대해 소개하고 있었다.

사진들이 참으로 근사했다. 남녀 가릴 것 없이 멋있게 생긴 사람들이 아슬아슬한 수영복 차림에 수정처럼 맑은 선상 수영장 옆의 의자에 누워 일광욕을 하는 사진, 청명한 하늘 아래 잔잔한 바다의 사진, 산해

진미가 차려진 한 밤의 뷔페 테이블 사진, 유람선이 중간에 경유할 휘황찬란한 항구 도시들의 사진 등이 실려 있었다. 그 브로슈어는 우리가 탈 유람선 썬 바이킹에 오르는 순간 우리가 경험하게 될 모든 것들에 대해 설레임을 안고 기다리게 만들기에 충분했다.

그러나 현실은 그 브로슈어의 내용과 딴판이었다. 썬 바이킹 호에 올랐을 때 나는 브로슈어에서 본 그대로의 유람 여행을 기대하였다. 물론 배는 브로슈어에서 소개하고 있는 배 그대로였다. 그리고 사람들이 입고 있는 수영복들도 브로슈어에서 본 것과 별반 다르지 않았다. 그러나 옷걸이가 달랐다 (도저히 비키니나 수영복을 입어서는 안 되는 남녀들이 있었다).

선상 수영장에는 아이들이 있었다. 아이들이 수영장에서 무슨 짓을 하는지는 여러분도 잘 알 것이다. 브로슈어에 글을 쓰는 작가는 그런 이야기는 쏙 빼 놓았지만 나는 그 악동들 이야기를 하지 않을 수 없다.

그리고 또 다른 이야기를 해야겠다. 브로슈어 읽으면서 멀미를 하는 사람은 없다. 그러나 배가 일단 바다로 나가고 나면 이야기가 전혀 달라진다. 출렁거리는 배의 움직임은 익숙해지려고 연습을 한다거나 해서 적응되는 그런 것이 아니다. 어떻게든 견디어 내거나 아니면 괴로워하는 수밖에 없다. 브로슈어에 나오는 사람들은 보기 좋게 선탠이 된 사람들이었다. 그러나 실제 데크의 의자에 기대 일광욕을 하는 사람들의 피부는 순백의 웨딩드레스 같았다. 아침에 마이 타이 칵테일 같은 것도 마시지 못했다. 브로슈어에는 그런 사진이 있지 않았던가? 잘못된 것이었다. 브로슈어에 있는 수영복을 입은 모델들이 마신 마이 타이는 사진 찍기 위한 소품이었던 것이다.

유람선이 출항하고 나서 두어 시간 지나면 재미있는 현상이 일어난다. 이른 아침부터 두어 잔 들이킨데다, 출항 전부터 시작해서 아열대의 태양 볕에 네 시간쯤 쪼이고, 출렁이는 배의 흔들림에 지치다보면 첫 날부터 이런 유람 여행을 기대했었던 것인가 하는 의문이 든다.

저녁 식사가 아무리 산해진미로 차려져 있어도 배 멀미가 나고, 취기가 남아 있고, 햇볕에 데어 쓰라린 상태에서는 식욕이 날 리 없다. 보통 때 같으면 없어서 못 먹을 음식들을 앞에 놓고 일찍이 처해 본 적이 없는 괴로운 상태에서 그저 멍하니 바라보기만 할 뿐이다.

둘째 날은 흐렸다. 브로슈어상에는 구름 한 점 없다. 그러나 그것은 괜찮다. 더 이상 태양이 보기 싫으니 말이다. 그래도 시간이 지나자 조금씩 나아지고 새로 알게 된 사람들과 즐거운 시간을 보내고 중간에 들리는 항구 도시들에서도 재미있는 시간을 보낸다.

그러나 나는 그 때 당분간은 유람선 여행을 다시 하지 않겠다는 마음을 먹었었다. 여행이 끝나기 전날 여행 인솔자가 처음으로 유람선 여행을 하는 사람들을 한 자리에 모았다. 그리고 여행 인솔자는 이렇게 말하였다.

"이제 여러분께서 처음으로 경험하신 로얄 커리비안 크루즈에 대해 평가를 내려 주실 시간이 되었습니다. 저희 직원들이 평가 양식을 나누어 드릴 겁니다. 그런데 여러분께서 평가 양식에 기재하기 전에 제가 몇 가지 설명을 좀 드리고 싶습니다."

썬 바이킹 호의 여행 인솔자는 업무의 성격상 아주 중요한 일을 맡고 있었다. 유람선 여행을 하는 사람들에게 좋은 추억만을 기억하게 하는, 그 가운데서도 특히 처음으로 그런 여행을 하는 사람들에게 좋은 추억만을 기억하게 하는 책임을 맡은 사람이었다. 항해가 끝나갈 무렵, 말하자면 판매 후 관리를 하는 것이었는데 나는 일찍이 그렇게 멋지게 판매 후 관리를 하는 사람을 본 적이 없다.

"여러분께서 가장 먼저 평가하실 내용은 여흥입니다. 그런데 평가를 하기 전에 우선 지나간 한 주일을 여러분과 함께 뒤돌아보고 싶습니다. 어제 밤 쇼의 코메디언 기억하시지요?"

방 안에 있던 사람들 가운데 절반 정도가 박수를 쳤다. 나도 그 사람이 꽤 웃겼다는 생각이 나서 아내를 돌아보며 미소지었다.

"매일 밤 저희는 라스베가스와 같은 수준의 쇼를 공연합니다. 마술 쇼도 인상에 남으셨을 겁니다. 브로드웨이 식 댄스는 어땠습니까?"

그러자 박수 소리가 더 커졌다.

"저희가 항구에 잠시 정박할 때면 이 공연자들은 다른 배의 공연자들과 교대하기도 하고 또 아이디어를 주고받습니다. 결국 여러분께서는 매일 밤 새로운 쇼를 구경하실 수 있게 됩니다. 로얄 커리비안 유람 여행의 공연은 최고 수준이라는 말씀을 드리고 싶은 겁니다. 자, 이제 저희 공연에 대해 평가를 해 주십시오."

아내와 나는 가장 높은 점수에 동그라미를 쳤다.

"여러분께서 다음으로 평가해 주실 항목은 바 서비스입니다. 저희 로얄 커리비안은 여행비 자체에 주류 비용을 포함시켜서 강제로 끼워 팔기를 하지 않습니다. 그러나 드시고 싶을 때 언제나 드실 수 있게 해 드리는 것이 저희 목표입니다. 저희 기준은 주문 뒤 1분 30초 이내에 드실 수 있게 해드리는 것입니다. 그렇게 하자면 많은 바텐더와 도우미들을 확보하고 있어야 합니다. 물론 드시는 주류와 음료에 대해서는 별도로 계산을 하셔야 합니다. 그렇게 해야 마시기를 원치 않는 분들이 억울한 비용을 부담하는 일이 없으니까요. 그렇지만 값을 호텔 수준이 아닌 동네 술집 수준으로 유지하고 있습니다. 이제 여러분께서 바 서비스에 대해 평가하시기 전에 저희 바텐더들과 도우미들이 인사를 올리겠습니다. 그들에게 박수를 보내 주시지요."

박수갈채가 일어났다.

"이번에는 선실 서비스에 대해 평가를 하실 차례입니다. 저희는 청결하고 아늑한 선실 분위기를 마련해 드리되, 여러분께 잠시의 불편도 끼쳐드리는 일 없이 일을 처리하는 것을 목표로 삼고 있습니다. 그렇기 때문에 여러분께서 선실에 계시는 동안에 청소를 하겠다고 선실 문을 노크하는 일 따위는 없습니다. 그러나 여러분이 선실에 안 계실 때를 알고 들어가서 일을 합니다. 저희가 어떻게 아느냐고요? 그것은 바로 저희 로얄 커리비안만의 비밀입니다. 어쨌든 저희는 압니다. 여러분께서 선실을 비우셨을 때 저희 선실 담당 승무원들이 들어가 청소를 하고, 타올을 갈아 드리고, 신발을 침대 밑에 가지런히 정리해 두고, 또 침대 정돈을 합니다. 여러분께서 선실로 돌아오시게 되면 모든 것이 말쑥하고 청결하게 정리되어 있습니다. 신사, 숙녀 여러분 저희 로얄 커리비안의 선실 담당 승무원들입니다. 이들에게 박수 부탁드립니다."

그 유람 여행 초반의 인상은 별로 좋은 편이 아니었지만 최고의 점수를 주고 결국은 또 다시 유람선 여행을 했다는 것을 여러분은 별로 어렵지 않게 짐작할 수 있을 것이다. 그러나 여행 인솔자가 승무원들이 보이지 않는 곳에서 준비하고 노력하는 내용에 대해 말해 주지 않았다면 그렇게 높은 점수를 주고 다시 유람선 여행을 하였을까, 하는 의문이 든다.

─ ─ ·─ ·─ ·─ ·─ ·─ ─

여러분이 다른 사람들을 위해 무슨 일을 하는지 말을 하지 않는다면 다른 사람들은 그 사실을 알지 못한다. 보이지 않게 한 일을 알릴 수 있는 방법을 찾아라. 유람여행 회사는 날씨나 바다는 통제할 수 없다. 그러나 여행객의 여행을 최상의 경험으로 만들기 위해 자신들이 통제할 수 있는 것은 최선을 다해 통제하고 자신들이 기울인 노력에 대해서 정확히 알리고 있다.

여러분은 이떤한가? 여러분은 단순한 세일즈맨이 아니다. 여러분은 유람선 여행 인솔자와 같다. 단순히 판매를 하는 것이 아니라 고객의 기대를 만족시키려고 노력하는 매니저이다. 여러분이 하는 일이 가치 있는 일이 되게 하자면 무슨 일을 하는지 고객에게 알릴 필요가 있다.

판매는 고객 교육이고, 고객 교육이 판매이다. 여러분의 고객을 위해 다른 사람들은 하지 않지만 여러분만이 하는 일에 대해 고객에게 가르쳐주어라. 여러분이 팔기 위해 어떤 수고를 하는지 고객들이 알기 때문에 그들은 여러분에게 고객 충성도를 보이고 보다 많은 돈을 기꺼이 지불하려고 할 것이다.

계산기가 발명되기 전에는 복잡한 나눗셈을 연필과 머리로 해야 했다. 비록 정답이 아닐 경우라도 나눗셈을 해 나간 과정을 보여주면 노력에 대해서는 인정을 받았다. 여러분이 하는 일을 고객에게 알려주라. 그러면 어떤 부분이 가장 바람직하지않은 방향으로 움직이더라도 이해를 얻을 수 있다.

이제 이메일을 통해 판매하는 나의 일곱 가지 법칙에 대해 말해도 괜찮을 것 같다. 내가 비록 판매를 마무리 짓는 데 이메일을 활용했지만 이메일을 가장 잘 활용할 수 있는 부분은 약속을 잡고 그 약속을 확인하는 일이다.

이메일을 잘 활용하는 일곱 가지 법칙

라이틀의 법칙 1 : 세 문장이 넘게 이메일을 작성하지 말라. 두 문장이면 좋고 한 문장이면 최상이다. 나의 이메일은 주로 이렇다.

'짐, 금요일 오전에 트윈 시티즈에서 고객과 만날 약속이 있습니다. 끝나고 나서 같이 점심 식사 할 수 있을까요? 크리스.'

내가 어떤 고객과 만나는지는 짐에게 알릴 필요가 없고, 짐이 금요일에 부재중인지 아닌지 물어보는 것은 쓸 데 없는 소리이다. 짐은 몇 초만에 내 이메일을 읽어볼 수 있고 몇 초만에 답을 할 수 있을 것이다. 좋다는 답이 오면 그 때 가서 다시 이메일이나 보이스

메일로 시간과 장소를 정하면 된다. 중요한 것은 내가 한 번의 출장으로 두 사람을 만날 수 있다는 것이며, 특히 전국 규모의 협회 간부를 맡고 있는 사람과 얼굴을 마주 대한다는 것이다.

라이틀의 법칙 1-1 : 실제 만날 약속이나 통화 약속을 잡는 데 이메일을 활용하라. 나를 알고 있는 잠재고객에게 보낸,

'에드, 화요일 아침 8시 30분에 제 전화 받으실 수 있습니까?'
라는 이메일은 효과가 있었다.

라이틀의 법칙 2 : 이메일을 이용하여 무슨 일이 있을지 알려라.

'수, 요청하신 자료 오늘 UPS로 보냈습니다. 당신에게 유용한 정보들만 간추렸습니다. 크리스.'

라이틀의 법칙 3 : 아무에게나 아무거나 보내지 말라. 나하고는 관계도 없는 메일 주소들을 한참 훑어 내린 다음 기껏 시시한 우스개 소리나 전체 메일에 맞닥뜨리면 짜증이 난다.

라이틀의 법칙 4 : 잠재고객이나 고객에게는 농담이나 스팸메일을 보내지 말라.

라이틀의 법칙 5 : 단순히 내 이름을 알리는 것이 목적일 때 나는 이메일의 제목 쓰는 난을 이용한다.

'〈라디오 인크〉 표지 기사에 실린 일 축하드립니다.'

잠재고객이나 고객은 그것을 읽고 바로 삭제할 수 있다. 그렇지만 나는 잠재고객이 자랑스러워 할 만한 일에 대해 축하를 했고, 내이름을 알리는 성과를 얻었다. 고객이 자부심을 느낄 수 있게 해주는 일은 판매에 도움을 주는 대인 관계의 처신인데, 좀더 많이 활용할 필요가 있다.

라이틀의 법칙 6 : 이메일은 고맙다는 인사를 전하는 데 유용하다. 물론 손으로 직접 써 보내는 것이 더 좋지만 아예 시치미 떼고 있는 것보다는 이메일로라도 감사를 표하는 것이 좋다.

라이틀의 법칙 7 : 이메일을 이용해 예정되어 있는 프리젠테이션에 대해 다시 한 번 상기시키고 기대감을 갖게 하라.

'로라, 프리젠테이션 준비를 하다 보니 그 업계에 대한 흥미로운 사실을 알게 되었습니다. 물론 프리젠테이션 내용에 포함을 시켰지요. 내일 아침 8시 30분에 뵙겠습니다. 크리스.'

여러분이 현재 이메일을 활용하지 않는다면 보다 많은 고객을 확보할 수 있는 엄청난 기회를 스스로 놓치고 있다고 말할 수 있다. 최근의 한 여론 조사에 따르면 십 대들의 70퍼센트가 TV와 인터넷 가운데 하나를 포기해야 한다면 TV을 포기하겠다고 말하고 있다. 컴퓨터를 생활화하고 있는 이 젊은이들이 몇 년 뒤 세일즈 분야에 진출하게 될 때 그들은 여러분보다 월등히 유리한 상태에서 시작하게 된다. 그러니 여러분도 컴퓨터와 인터넷을 활용하라.

| 결론 |
성공할 때까지 노력을

"어, 배고파."

"나도. 점심이나 먹으러 가지."

"어디로 갈까?"

"글쎄. 자넨 어디로 갔으면 좋겠나?"

"뭐, 먹고 싶은 것 있나?"

"햄버거."

"좋지, 그렇다면 △△△로 가세." (햄버거 식당 가운데 가장 먼저 떠오르는 이름을 빈 칸에 써 넣으시오.)

여러분 생각에 가장 먼저 떠오른 햄버거 식당은 맥도날드였을 가능성이 크다. 몇 년 째 맥도날드의 광고는 햄버거 하면 맥도날드를 가장 먼저 떠올리도록 만들고 있다. 가장 먼저 떠오르니 가장 먼저 선택하는 것이 자연스럽다. 물론 버거킹이나 웬디즈에서 햄버거를 먹는 사람들이 없는 것은 아니다.

많은 경우 우리는 광고가 우리에게 영향을 미쳤다는 점을 의식하지 못한다. 우리는 그저 배가 고파지면 맥도날드로 간다. 맥도날드의 광고 때문에 맥도날드에 간다고는 생각하지 않는다. 배고파서 햄버거를 먹어야겠다고 생각할 때 가장 먼저 떠오르는 곳이 맥도날드이다.

광고는 우리의 뇌에 많은 영향을 미친다. 어떻게 영향을 받는지 의식하지도 못하는 사이에 영향을 받는다. '우리가 인생에서 가장 큰 투자를 하는 대상은 집입니다.' 은행 광고들은 대개 이런 식으로 시작하는데 문제가 있는 말이다. 여러분이 이런 광고를 한 번 들었다면 사실은 수 천 번 들은 것이나 마찬가지이다. 크게 주의를 기울이지 않고 들었다고 해도 그 소리는 한 쪽 귀로 들어와서 여러분 뇌리에 남아 있다.

만일 그 말이 사실이라면 '우리가 두 번째로 큰 투자를 하는 대상은 자동차입니다' 라는 말도 사실이 될 것이다. 수많은 자동차 대리점들이 몇 년 째 그런 말로 시작하는 광고를 내보내고 있다.

위의 두 가지 광고 문구들은 거짓으로 사람들을 기만한다. 은행장들, 자동차 대리점 사장들, 그리고 그들의 의뢰를 받아 광고를 제작한 광고 대행사 직원들을 감옥에 처 넣어야 마땅하다. 이 기만적인 광고가 자꾸 되풀이되는 바람에 집과 자동차를 소유한 사람은 다른 식으로 생각하지를 못한다.

여러분에게 한 가지 물어보고 싶은 것이 있다. 여러분이 집을 산 돈은 어디에서 났는가? 자동차 할부금은 무엇으로 갚는가? 우리 대부분은 자신의 시간과 재능을 내주고 그 대가로 돈을 벌어서 이것저것 산다. 또 열심히 노력하여 성공하면 미래를 안정되게 살 수 있을 것이다. 많이 들어본 말 같지 않은가? 그렇다면 이미 여러분의 귀에 익은 질문을 하나 더 하겠다. 여러분은 어디에 가장 큰 투자를 하겠는가? 바로 여러분의 직업이다. 나를 따라 말해 보라.

"내가 가장 많은 투자를 할 대상은 나의 직업이다."

직업이야말로 돈을 찍어내는 기계이다. 그렇게 직업이 찍어내 주는 돈으로 여러분은 집을 사고, 자동차 할부금을 내고, 연금을 붓고, 아이들 대학 등록금을 낸다. 직업에 대한 투자를 제대로 하라. 직업이 없이는 어느 곳에도 돈을 쓰지 못하게 된다.

오늘 날 쉽게 부자가 되는 길이 세 가지 있다.

1. 부자하고 결혼을 하면 된다. (사랑)
2. 부자하고 이혼을 하면 된다. (소송)
3. 로또에 당첨되면 된다. (행운)

사랑, 소송, 행운은 사람을 엄청나게 꿈에 부풀게 만들지만 가능성은 희박하다. 나는 몇 년 전 라스베가스 쇼에서 한 코미디언이 하는 말을 듣고는 도박을 그만두었다.

"여러분 잘 기억하십시오. 이 라스베가스의 멋진 호텔들은 바로 여러분들의 돈으로 지어집니다. 그리고 늘 명심하십시오. 적게 걸수록 마지막에 땄을 때 결국 잃고 마는 결과가 됩니다."

나는 이제 내 직업에 걸고 있다. 열심히 노력해서 성공하는 것이 우리가 부자가 되는 가장 확실한 방법이다. 느리지만 분명한 길이다. 출발은 빠를수록 좋다. 우리 대부분은 열심히 노력하여 성공함으로써 안정된 미래를 준비해야 하는 사람들이기 때문에 여러분들에게 도움이 되는 또 다른 이정표를 제시하고 싶다. 물론 성공을 표로 보여줄 수는 없다. 그러나 만일 그렇게 할 수 있다면 다음의 세 가지 차원이 포함될 것이다.

1. 적당한 정도의 돈을 번다.
2. 자신이 하는 일에 대해 성취감을 느낀다.
3. 세일즈라는 직업에 충분한 시간 여유를 준다.

'적당한 정도의 돈을 번다' 는 성공의 1차원 수직 개념이다. 대부분에게 적당한 정도의 돈을 번다는 의미는 자기 나라의 자기 직종에서 평균 소득 이상은 번다는 뜻이다. 여러분의 소득은 어느 정도인가? 편의점 아르바이트생보다 못 버는 세일즈맨도 있고 왠만한 기업의 CEO보다도 잘 버는 세일즈맨이 있다. 그러나 산술적으로 보면 미국 근로자의 절반은 평균 임금 이상을 벌고 절반은 평균 임금 이하를 번다.

제 1단계 적당한 정도의 돈도 못 벌고 허무함만 느낀다. 여러분이 목격하는 성공한 세일즈맨들도 어느 기간 정도는 제 1단계 속에서 살았다. 잠재고객들에게 거부 당할 때 그들도 허무함을 느꼈다. 이제 막 세일즈를 시작하는 사람은 자신이 결코 이 제 1단계에서 벗어날 수 없을 것이라고 생각할지도 모른다. 그러나 결과는 자신의 선택 여하에 달렸다.

제 2단계 허무함은 느끼지만 적당한 정도의 돈은 번다. 거액 복권에 당첨된 뒤 자신과 같은 복권 당첨자들의 모임에 가입하는 사람도 이 범주에 들 것이다.

제 3단계 성취감은 느끼지만 적당한 정도의 돈은 벌지 못한다. 아마 돈에 관심이 없는 사람일 가능성이 크다. 그래도 내가 보기에는 공허함을 느끼는 부자보다는 돈은 많이 벌지 못해도 성취감을 느끼는 사람이 더 성공한 사람이다. 지방 교향악단 단원으로 일하는 피아노 선생은 성취감은 느끼지만 협연자로 초빙된 유명 연주자만큼은 돈을 쓸 수 없다. 그래도 그는 자기가 하고 싶어 하는 일을 한다.

제 4단계 성취감도 느끼고 적당한 돈도 번다. 여러분이 추구하는 것이 무엇인지 생각해 보라. 그렇게 될 수 있을 것이다. 진정한 성공이 무엇인지 분명한 가치관을 확립하게 되면 돈을 많이 벌겠다는 목표만 세우고, 그에 상응하는 성취감을 느끼겠다는 목표는 세우지 않을 수 없다. 그런 성공이 가능하기에 나는 늘 제 4단계의 성공을 하려고 노력한다.

제 4단계의 성공에 이르기까지는 시간이 걸린다. 성취감도 느끼지 못하는 데다 적당한 정도의 돈도 벌지 못하는 시간이 있을 수 있다. 여러분이 선택한 세일즈라는 직업에 충분한 시간 여유를 주는 것이 필수적이다. 경제학자 허버트 사이먼의 연구 결과에 따르면 어떤 직업을 택해 자리를 잡게 될 때까지는 3~5년이 걸리고, 숙달될 때까지는 10년이 걸린다고 한다. 타이거 우즈가 나이 스물 하나에 마스터즈 대회에서 우승하기 전까지 몇 년을 아마추어로 보냈는지 아는가? 돈 한 푼 못 받으면서 친 골프공이 몇 개인지 아는가? 일을 하다 보면 어려운 때가 있다. 그럴 때면 제 4단계의 성공을 생각하며 견뎌라. 열심히 하여 누리게 될 제 4단계의 성공을 상상하고 느껴 보라.

사람들이 종종 나에게 "어떻게 그렇게 세미나마다 온 정열을 불태워서 진행하느냐?"고 묻는다. 그러면 나는 늘 "커피와 신념 덕분입니다"라고 대답한다. 나는 내가 가르치는 내용이 세일즈맨들에게 힘을 불어 넣는다고 믿는다. 그리고 나에게 배운 대로 실천하여 성공한 이들이 내게 보내주는 성공담을 읽으면서 성취감을 느낀다. 그들이 내 세미나를 수강하면서 돈을 내기 때문에 나는 제 4단계에 머물러 있을 수 있다.

어느 날 세미나를 시작하기 전에 한 여자가 다가와 말했다.

"제가 업무적인 안정성을 유지할 수 있게 해주셔서 고맙습니다. 작년에 회사에서 저를 선생님의 세미나에 가 보라고 했습니다. 사실 그 때 책상 서랍 속에 사표를 써 놓고 있었죠. 그래도 그만둘 때 그만두더라도 세미나에 참석이나 해 보자는 심정이었습니다. 그런데 세미나를 수강하고 나서 제 고객들을 체계적으로 도울 줄 알게 되었어요. 결국 사표를 찢어 버렸습니다. 이제 저는 제가 상상도 못 해 보았던 정도의 수입을 올리는데 너무 행복해요. 아까도 말씀드렸지만 제 직업을 안정적으로 유지할 수 있게 해주셔서 고맙습니다."

내가 몇 년 전 진행했던 그 세미나로 번 돈은 이미 다 쓰고 없다. 그러나 그 이야기는 이렇게 남아 있다. 내가 책을 써야겠다고 생각하면서 세웠던 당초의 목표는 베스트셀러가 될 만한 자기 계발서를 쓰는 것이었다. 그런데 실제 책을 쓰기 시작하면서 목표가 바뀌었다. 더 나아졌다고 할 수 있다. 새로 바뀐 목표는 어디에서나 흔하게 볼 수 있는, 어떻게 하다 보니 세일즈맨이 된 사람들이 공감할 수 있는 책을 써서 그들이 '자기네 회사에서 가장 잘 나가는 세일즈맨'이 되게 만드는 것이었다.

여러분이 목적의식을 갖고 팔 때 어떻게 하다 보니 세일즈를 하게 된 세일즈맨은 도저히 제시할 수 없는 무형의 무엇인가를 고객에게 줄 것이다. 여러분에게는 열정이 있고 추진하는 과정에 대한 확신도 있다. 여러분이 하는 일이 옳고 좋은 것이라는 믿음이 있기 때문에 여러분은 추구할 수 있다.

문제는 고객과 접촉하는 어느 순간에나 [표 2-1]의 이정표에 분류되어 있는 세일즈맨의 유형 가운데 어떤 유형의 세일즈맨이 될 것인지 스스로 선택하는 것이다. 여러분이 선택을 하는 순간 모든 것이 바뀐다.

◆ 우연히 세일즈를 하게 된 사람을 위한 격언 ＿

성공은 우연이 아니다.

◆ 부수적 조언 ＿

성공은 선택이다.

여러분이 이 책을 읽게 된 것은 우연이 아니다. 수입도 더 올리고 싶고 일도 더 잘하고 싶어서 이 책을 손에 쥐었던 것이다. 이제 여러분은 업그레이드 된 수준이 이떤 수준인지 알고 있으며 어떻게 해야 거기에 다다를 수 있는지도 안다.

여러분에게 그 길을 알려 줄 수 있었기에 나도 기쁘고 자랑스럽게 생각한다.

풀코스 서비스로 팔아라

초판 1쇄 인쇄   2004년 8월 18일
초판 1쇄 발행   2004년 8월 20일

지 은 이 크리스 라이틀
옮 긴 이 최기철
펴 낸 이 성의현
펴 낸 곳 미래의창

등   록 제 10-1962 (2000년 5월 3일)
주   소 서울시 마포구 합정동 411-2 평화빌딩 3층
전   화 325-7556 (편집), 338-5175 (영업)
팩   스 338-5140
홈페이지 http://www.miraebook.co.kr (한글주소: 미래의창)
이 메 일 edit@miraebook.co.kr
              miraebook@miraebook.co.kr

ISBN 89-89353-71-8 03320

책값은 뒤 표지에 있습니다.
잘못된 책은 바꿔 드립니다.